JN012860

Yann LeCun・著
松尾 豊・監訳／小川 浩一・訳

# ディープラーニング
# 学習する機械

Quand la machine apprend

## ヤン・ルカン、
## 人工知能を語る

講談社

Quand la machine apprend :
La révolution des neurones artificiels et de l'apprentissage profond
by Yann Le Cun


This Japanese edition is published by arrangement with Editions Odile Jacob, Paris, France, through Japan UNI Agency, Inc., Tokyo

# 目次

# 序章

「ポッドベイのドアを開けてくれ、HAL（ハル）！」。映画『2001年宇宙の旅』で、宇宙船のミッションを制御する超知能コンピュータHAL9000は、船長デイヴ・ボーマンの指示に反し、エアロックを解除することを拒否する。このシーンは、人工知能の問題を劇的な形で要約している。生みの親である人間に反旗をひるがえす機械システム。これは荒唐無稽な妄想にすぎないのか、それともあながち根拠がないとはいえない恐怖なのか？　あるいは、この世界がいつか、無限に等しい力と邪悪な意図をもつ人型（ヒューマノイド）ロボット「ターミネーター」によって支配されてしまう日が来ることを心配すべきだろうか？　疑問は募るばかりである。というのも、われわれは、50年前には想像もできなかった前代未聞の革命的状況を経験しているところだからだ。私が研究者人生をささげてきた人工知能というテーマが今、社会を揺るがしている。

私が本書を書こうと思ったのは、AIに関する技術と方法の全体像を、難解な部分もすべて含めて説明するためだ。この「企て」はそれほど簡単なものではなく、ボードゲームのチェッカーのルールを覚えるようにはいかないが、先の問題についての合理的な意見を形成するには必要なことだと思う。近年、「ディープラーニング」や「機械学習」、「ニューラルネットワーク」といった用語がマスメディアをにぎわせている。本書では、コンピュータ科学と神経科学が交差する領域で現在進められている科学的アプローチの実際を、安易な比喩に頼ることなく、一歩一歩解き明かしていきたい。

人工知能の本質に迫るべく、本書は2通りの読み方ができるようにしてある。ひとつ目は一般読者向けに、一読して理解できる平易な文章で、物語り、説明し、分析している。2つ目は詳しく知りたい人向けに、ところどころ数式やプログラムを使って、高度な数学的考察を行っている。

人工知能（AI）によって、機械による画像認識やテキスト翻訳が可能になった。ある言語の音声を別の言語に転写したり、車の運転や工業プロセスの制御を自動化したりできるようになった。最近の驚異的なAIの発展には、ディープラーニングがかかわっている。ディープラーニングによって、タスクを明示的にプログラミングするのではなく、機械を訓練してタスクを実行させることが可能になったからだ。ディープラーニングは人工ニューラルネットワークを特徴付けるもので、そのアーキテクチャと働きは脳の神経回路網（ニューラルネットワーク）にヒントを得ている。

人間の脳は、860億個のニューロン（つながり合った神経細胞）で構成されている。人工ニューラルネットワークも、多くのユニット（数学的な関数）――かなり単純化されてはいるがニューロンに似ている――で構成されている。脳の内部では、学習によってニューロンのつながり方が変化する。人工ニューラルネットワークにも同じことが言える。ユニットは複数の層で構成されていることが多いので、「ディープ（深層）」ニューラルネットワークや「ディープ」ラーニングと呼ばれている。

人工ニューラルネットワークの役割は、入力信号の加重和を計算し、その和が一定のしきい値を超えた場合に出力信号を生成することである。しかし、人工ニューラルネットワークはコンピュータプログラムが計算する数学的な関数であって、それ以上でも以下でもない。さらに、人工知能関連の用語が脳の用語と似ているのは偶然ではない。AI研究は、神経科学における数々の発見を糧として進歩してきたからだ。

本書では、この破天荒な科学的冒険のまっただ中にいた私自身の知的遍歴についても語っていきたい。一般には、ルカンといえば「畳み込み」ということになっている。私が開発したこのニューラルネットワークは視覚認識を一変させた。

研究者はどんな活動をしているのか？　その発想はどこから湧い

て来るのか？　私は直観にしたがって研究を進めるタイプで、数学的な裏付けはいつも後回しだ。これは、ほかの科学者とは正反対の方法である。私はよく、脳裏に極端な事例を思い浮かべてみる。これはアインシュタインが「思考実験」と呼んでいた方法で、ある状況を想像し、その結果を予測することによって、問題の理解を深めようとするものだ。

私は読書によって直観を養った。本をむさぼり読み、先達たちの業績を吸収してきた。どんな発見も単独で成し遂げられるわけではない。アイデアはすでに存在している。ただ休眠状態にあるだけなのだ。時が熟せば、誰かの頭の中でそのアイデアが目覚める。科学的探求とはそのようなものだ。各自がさまざまな方向性をもちながら、飛躍と停滞、時には後退を繰り返しながら、進歩していく。それでも、全体としてはいつも共同作業である。ひとりで研究室にいる発明家のイメージは、小説の中の虚構にすぎない。

ディープラーニングという冒険に困難がなかったわけではない。ありとあらゆる懐疑論者と戦う必要があった。論理と手書きプログラムのみに立脚した人工知能の信奉者たちは、われわれの失敗を確定した事実のように語った。「古典的」機械学習の擁護者たちからは厳しい批判を受けた。しかし、われわれが取り組んでいたディープラーニングは、機械学習という大きな分野における特定のテクニックの総体にすぎない。機械学習を使えば、明示的にプログラミングしなくても、機械がサンプルからタスクを学習できるようになるが、それには限界があった。われわれはその限界を押し広げようとした。その手段がディープニューラルネットワークであり、われわれが提案したディープラーニングであった。かなり効果的な手法だったが、動かし方が複雑で、数学的に解析するのが難しかった。そのため、われわれは錬金術師扱いされた。

2010年ごろ、「古典的」機械学習の支持者たちは、ニューラルネットワークに対する嘲笑をやめた。その有効性がようやく明らかになったからだ。私は一度も疑わなかった。人間の知能はあまりに複雑なので、模倣するには、経験によって自ら学習する能力を備えた自己組織化システムを構築する必要がある、とずっと確信していた。

現在は、大規模データベースや、コンピュータの演算能力を飛躍的に向上させるGPU（graphics processing unit）などのツールが使えるようになったおかげで、この種の人工知能が最も有望視されている。

学生のころ、私は学業の締めくくりとして北米に来た。当初は数年ほどで帰国するつもりだった。なのに、まだアメリカにいる。紆余曲折（うよきょくせつ）の末に、私は20億人のユーザーを抱えるFacebookに参加し、現在はAIの基礎研究を指揮している。そこでも、いろんなことに取り組んでいる。マーク・ザッカーバーグ率いるFacebookは、2018年に厳しい試練にさらされたが、拡大路線の限界はまだ見えない。公明正大を旨とする私は、社内事情も包み隠さず話そうと思っている。

2019年3月、私はACM（米国計算機学会）から2018年度チューリング賞――コンピュータ科学におけるノーベル賞――を授与された。同じくディープラーニングの専門家であるヨシュア・ベンジオとジェフリー・ヒントンとの共同受賞である。彼らとは、時にはすぐそばで、時には遠く離れた場所で、途切れることなく対話を交わしてきた。この2人は、旅のよき道連れである。

私がこれまでたどってきた道のりは、こうした出会いに多大な影響を受けている。私は、1950年代のサイバネティクスの後継者である、「気さくな変人たち」のコミュニティに少しずつ足を踏み入れていった。彼らは、実に過激で深遠な問いを発する人たちだった。「どうしてニューロンというごく単純なものがつながり合うことによって、知能という創発特性[訳注]が生成されるのだろうか？」

AIの科学的探求は、このように本質的な疑問を育む。タイヤや

---

**訳注** 全体を構成する個々の要素の相互作用によって生み出される、思いもよらない全体的な特性。

フロントガラスといった特徴を抽出することで車を認識する機械は、その車を識別するときに人間の視覚野とは異なる挙動を示すのだろうか？　機械の働きと人間や動物の脳の働きとのあいだに見られる類似点についてはどう解釈すべきだろうか？　探求領域に際限はない。

しかし言うまでもなく、どんなに精巧で高性能になっても、機械は相変わらず限定的な用途にしか使えない。人間や動物に比べると、学習効率が著しく劣るのだ。今日に至るまで、機械には常識も意識も備わっていない（少なくとも、今のところはまだ）。特定のタスクでは人間を凌いでいるかもしれない。囲碁やチェスでは人間を打ち負かしたし、何百種類もの言語を翻訳できる。植物や昆虫の種類を識別したり、医用画像から腫瘍を検出したりもできる。しかし、人間の脳はまだはるかその先を行っている。万能性や柔軟性にも大きな差がある。

機械はいつになったら、その差を縮められるだろうか？

Chapter

# 1

# AI革命

人工知能は、経済や通信、医療、交通など、あらゆる分野を掌握しつつある。今や多くの評論家が、テクノロジーの進化ではなく、「革命」を語っている。

# 1-1 偏在するAI

「Alexa、ブエノスアイレスの天気は？」。質問をキャッチしたスマートスピーカーは、即座にその音声を自宅のWi-Fiを経由してAmazonのサーバーに送信する。サーバーはそれを文字に起こして解釈し、情報を求めて気象情報サービスにアクセスする。サーバーからの回答が届き、Alexaが優しい声でこう答える。「現在、アルゼンチン・ブエノスアイレスの気温は22度。天候は曇りです」

オフィスでも、AIは勤勉なアシスタントだ。仕事は速いし、反復作業も苦にしない。誰かの引用句を探して何百万ものページをめくったかと思うと、瞬時に出典を見つけ出す。これも驚異的な速度に達したコンピュータの計算能力のおかげである。

1945年、砲弾の軌道を計算するために、ペンシルベニア大学でENIACという電子計算機が製作された。プログラム可能なタイプとしては最初期のもので、1秒間に10桁の乗算を約360回実行した。重さ30トンの、まさに恐竜だった。現在のパソコンのプロセッサはその10億倍も速くなっており、数百GFLOPS（giga floating point operations per second）*1の演算性能を有する。また、画像処理に使われているGPU（graphics processing unit）の性能は、

*1　プロセッサが1秒間に行う演算回数を示す単位。1MFLOPS（mega floating point operations per second：メガフロップス）は、1秒間に100万（$10^6$）回の演算（「浮動小数点」の加算または乗算）を表す。1GFLOPS（ギガフロップス）は、1秒間に10億（$10^9$）回の演算を表す。つまり、1000MFLOPS。さらに、1TFLOPS（テラフロップス）は、1秒間に1兆（$10^{12}$）回の演算を表す。つまり、1000GFLOPS、100万MFLOPS。

数十TFLOPSに達する。GFLOPSにTFLOPSとかわいらしい名前がついているが、どちらもおそろしく巨大な単位だ。

この流れはもはや止まらない。最近のスーパーコンピュータには数万個のGPUが搭載されており、その演算能力は数十万TFLOPSにもおよぶ。そして、天気を予測したり、気候をモデル化したり、飛行機のまわりの気流やタンパク質の構造を計算したりといった、さまざまなシミュレーションのために膨大な計算を実行している。さらに、宇宙創生の瞬間、星の死、銀河の進化、素粒子の衝突、核爆発といった、気の遠くなるような事象のシミュレーションもこなしている。

このどれもが微分方程式（偏微分方程式）を解くシミュレーションであり、かつては数学者にしかできなかった芸当だった。とはいえ、この新たな計算王が往年の数学者と同じくらい頭がいいのかというと、もちろんそんなことはない。少なくとも今のところはそうだ。いつかその計算能力を、動物や人間の仕事とされている知的作業に役立てられるようにすること。それこそが人工知能の課題のひとつである。

何事も見かけで判断してはいけない。たしかに人工知能プログラムは優秀な生徒だ。ただし、それには限定が付く。2010年代、日本の国立情報学研究所（NII）で社会に対するコンピュータの影響を研究している新井紀子のチームが東大合格を目指すAIを開発し、模擬試験で好成績を収めた。「東ロボくん」の愛称をもつこのプログラムは、国語、数学、英語などのテストを受け、総合点で受験者の上位20%に入ったこともあった。とはいえ、システムの頭がよかったわけではない。なにしろこのプログラムは、自分が解答した内容を何ひとつ理解していなかったのだから。この好成績は、人工知能の実態のみならず、日本の大学入試制度の浅薄さも露呈させた。結局、「東ロボくん」は東大合格をあきらめたそうだ。それを聞いてみなほっとしている。

# 1-2 アーティストAI

人工知能はアーティストだ。独創性には欠けるが、匠の技で「大画家風」の作品を生成する。ありふれた写真をモネ風の絵に仕上げたり、冬景色を春の風景に変えたり、あるいは動画の馬をシマウマにしてしまうなんてこともできる[*2](フェイク動画にはくれぐれもご用心)。もっとすごいのもある。2017年、米国ラトガース大学のアーメド・エルガマルの研究チームは、システムを訓練し、専門家も欺くほどのオリジナル絵画を生み出すことに成功した[*3]。

音楽分野でも負けていない。多くの研究者が、音の合成や作曲にAI技術を利用している。GoogleのAIプロジェクト「Magenta（マゼンタ）」[*4]は、2019年3月21日にヨハン・セバスチャン・バッハの誕生日を祝して作られたGoogle Doodle[*5]で有名になった。これは、どんなユーザーでも有名な作曲家のスタイルでメロディーを作曲し、ハーモニーをつけられる仕組みになっている。もうひとつ忘れてはならないのは、2019年2月4日にロンドンのカドガンホールで行われたコンサートだ。イングリッシュ・セッション・オーケストラの66人の音楽家が、シューベルトの交響曲第8番「未完成」の特別バージョンを公演した。その夜、未完成交響曲はもはや未完成ではなかった。Huawei（ファーウェイ）社の研究所が開発した人工知能システムが、既存の2つの楽章を分析し、欠けている2つの楽章のメロディーを作り出したからである。ただし、オーケストラ用のアレンジには、作曲家ルーカス・カンターの手を煩わせる必要があった。

*2 https://github.com/junyanz/pytorch-CycleGAN-and-pix2pix

*3 https://arxiv.org/abs/1706.07068

*4 https://ai.google/research/teams/brain/magenta/

*5 https://www.google.com/doodles/celebrating-johann-sebastian-bach

## 1-3 人型ロボットのまやかし

2017年のスターのひとりは、謎めいた笑顔とガラス玉の瞳をもつ坊主頭の美女ソフィアだった。何十種類もの表情をもつ彼女の生き生きした顔とジョークの数々。「ハリウッド映画の見過ぎですよ」と言って、ロボットだらけの地球を危惧するジャーナリストをからかう。あまりにも人間味にあふれているので、その年、サウジアラビアは彼女にサウジアラビア国籍を与えた。けれども実際には、操り人形にすぎない。ソフィアのために、エンジニアが標準的な返答の仕方をプログラムに書き込んでおいただけの話だ。彼女に話しかけると、その内容はマッチングシステムによって処理され、予想回答集の中から最も適切な答えがひとつ選び出される仕組みだった。

ソフィアは見る者の目を欺く。「東ロボくん」と同じく、決して頭がいいわけではない。ただ彼女には身体があったので、その点で得をしていた。われわれ人間は、この生き生きとした物体につい感動して、そこに何らかの知性があると思い込んでしまったのだ。

## 1-4 GOFAIから……

AIの世界は絶えず揺れ動いており、その限界は絶え間なく押し広げられている。問題がひとつ解決されると、それは人工知能の領域を離れ、次第に一般技術の道具箱へと移される。

たとえば、コンピュータが草創期にあった1950年代には、数式をコンピュータが実行可能な命令に変換することすら人工知能の領域に含まれていたが、今ではコンパイラのごく基本的な機能にすぎない。コンパイラというのは、エンジニアが書いたプログラム言語を機械がすぐに実行可能な命令語に変換する（コンパイルする）ソフトウェアのことで、このコンパイル作業は、コンピュータ科学を専攻する学生なら誰にでもできる。

ルート検索のことを考えてみよう。1960年代には明らかにAIに属していた技術だが、今では日常的な機器にも搭載されている。グラフ（つながり合ったノードのネットワーク）の最短ルートを見つけるための効率的なアルゴリズムには、1959年のダイクストラのアルゴリズム[*6]や1969年のハート、ニルソン、ラファエルによるA*（「エイスター」と読む）アルゴリズム[*7]などがある。ルート検索は今ではGPSとも連動し、もはや先端技術とは呼べない。

1970～1980年代の人工知能の根幹をなしていたのは、論理と記号処理に基づくさまざまな自動推論技術だった。この伝統に連なる英語圏の研究者は、多少の自嘲を込めて、当時の人工知能を「good old-fashioned artificial intelligence（古きよき人工知能）」の頭文字をとって、GOFAI（ゴーファイ）と呼んでいる。

かくして、エキスパートシステムが登場する。事実にルールを適用し、そこから新たな事実を導き出す推論エンジンである。たとえば1975年には、医師が髄膜炎などの急性感染症を特定し、抗生物質による治療を推奨する助けとしてMYCIN（マイシン）が作られた。MYCINには、約600のルールがあった。たとえば、「感染性の生物がグラム陰性であり、かつその生物が棒状であり、かつその生物が嫌気性であれば、その生物は（60％の確率で）バクテリアである」といった具合だ。

MYCINは革新的だった。ルールには確信度が含まれており、システムがその値を組み合わせて結果の信頼度スコアを生成した。また、「後向き連鎖」（backward chaining）と呼ばれる推論エンジンを備えていた。これは、システムがひとつ以上の診断仮説を立て、一般医に患者の症状を質問するというものだ。システムは回答に応

---

*6 https://fr.wikipedia.org/wiki/Algorithme_de_Dijkstra〔日本語版：https://ja.wikipedia.org/wiki/ダイクストラ法〕

*7 https://fr.wikipedia.org/wiki/Algorithme_A*〔日本語版：https://ja.wikipedia.org/wiki/A*〕

じて仮説を修正しながら、最終的な診断を下し、ある程度の自信をもって抗生物質と投薬を提案した。

このようなシステムを構築するには、人工知能を熟知した「知識エンジニア」が専門家（エキスパート）である医師の隣に座り、その推論を説明してもらう必要があった。どのようにして虫垂炎や髄膜炎だと診断したのか？　どのような症状だったか？　こうして、いくつものルールが作られる。これこれの症状があれば、虫垂炎の可能性はこれくらい、腸閉塞の可能性はこれくらい、腎疝痛（じんせんつう）の可能性はこれくらいある。エンジニアは、こうしたルールを知識ベースに手作業で書き込んでいた。

MYCINとその後継機の信頼性はとても高かったが、実験段階から先には進まなかった。医学におけるコンピュータ化はようやく始まったばかりで、データ収集に手間取ったからだ。これは今でも変わらない。結局、こうした論理と木探索[訳注]に基づくエキスパートシステムは、開発が複雑で手間がかかることがわかった。廃れてはしまったが、今でも参考になるし、人工知能の教科書にも相変わらず記載されている。

論理の研究をきっかけに生み出された重要な応用技術もいくつかある。数学における方程式の記号的解法や積分の計算、プログラムの自動検証などがそうだ。たとえば、エアバス社は自動検証の技術を使って、自社の旅客機の制御ソフトウェアの精度と信頼性を検証している。

一部の研究者は今もこれらのテーマに取り組み続けているが、私も含めてそれ以外の研究者は、機械学習に基づく、まったく異なるアプローチに専心している。

---

**訳注**　根ノードから始めて、木のような形で展開し、目的のノードを探索する方法。例えば、囲碁や将棋で、現在の局面を根ノードとして可能な手を展開していくことで、有利な局面につながる指し手を探索できる。

## 1-5 ……機械学習へ

推論は人間の知能のごく一部にすぎない。われわれは経験によって少しずつ獲得した世界観を頼りに、類推(アナロジー)によって思考し、直観によって行動することも多い。知覚、直観、経験——いずれも学習（訓練）によって得られた能力だ。

こうした条件のもと、人間に近い知能をもつ機械を作ろうと思えば、機械に学習能力をもたせなければならない。人間の脳内には、860億個のニューロン（神経細胞）がつながり合ったネットワークが構成されており、そのうち160億個は大脳皮質にある。各ニューロンは、シナプスと呼ばれる接続部を介して、それぞれ平均約2000個のニューロンとつながっている。学習は、シナプスの生成と消滅、シナプスの伝達効率の変化によって生じる。最も人気のある機械学習の手法では、学習手順によってニューロン同士のつながり方が変化していくような、人工ニューラルネットワークを構築する。

一般的な原理をいくつか説明しよう。

機械学習には、2つの段階がある。第1段階は学習（または訓練）で、このあいだに機械はタスクを実行することを少しずつ「学習」する。第2段階である実行では、機械はもはや学習しない。

画像に車や飛行機が含まれているかどうかを答えられるように訓練するには、まず機械に飛行機や車が含まれている画像を何千枚も提示しなければならない。機械が画像をキャプチャするたびに、つながり合った人工ニューラルネットワーク（実際にはコンピュータが計算する数学的な関数）が、その画像を処理し、回答を出力する。正解の場合は何もせず、次の画像に移る。不正解の場合は、機械の内部パラメータ、つまりニューロン間のつながりの強さを微調整し、出力が所望の回答に近づくようにする。時間の経過とともに、システムは自己調整を行い、最終的には、すでに見た画像であろうとなかろうと、あらゆる物体を認識するようになる。これを汎化能力という。

このプロセスは脳の働きにヒントを得ているが、これから見るように、機械はまだその足もとにもおよばない。人間の脳内には86 × $10^9$ 個のニューロンが存在し、約1.5 × $10^{14}$ 個のシナプスでつながり合っている。各シナプスは、1秒間に約100回の「計算」を実行できる。このシナプスの計算力は、コンピュータ上での演算（乗算、加算など）約100回分、脳全体では1秒間に1.5 × $10^{18}$ 回分の演算に相当する（現実の脳内では、常に一部のニューロンしか活性化しない）。一方、GPUを搭載したグラフィックカードは、1秒間に $10^{13}$ 回の演算しかこなせない。人間の脳に近づくには10万枚が必要になる計算だ。だが、ここにひとつの落とし穴がある。人間の脳は、25ワットの電力に相当するエネルギーを消費する。対するGPUカードは、1枚でその10倍、つまり250ワットを消費する。電子機器は生物の100万倍効率が悪いのだ。

## 1-6 新旧のブレンド

現在の人工知能アプリケーションは、機械学習、GOFAI、古典的計算機科学をブレンドしたものが一般的だ。自律走行車を考えてみよう。路上の物体や視覚的な手がかりを検出、位置特定、認識するように訓練された車載視覚認識システムは、「畳み込みニューラルネットワーク」（第6章で詳しく述べる）と呼ばれる特殊なニューラルネットワークアーキテクチャを使用している。しかし、車線や歩道、駐車中の車や自転車を「見た」時点で車が下す判断は、従来の手書きによる軌道計画システムや、GOFAIに属するルールベースのシステムに依存している。

完全な自律走行車はまだ試験段階だが、2015年以降のテスラ（電気自動車）などの市販車には、すでに畳み込みニューラルネットワークを使ったドライバーアシスタンスシステムが搭載されている。視覚システムが組み込まれたクルーズコントロールシステムは、高速道路での自動運転を可能にする。車線を維持し、ウインカーを出すと自動的に解除され、後方に車がいるかどうかを検知する仕組みになっている。

## 1-7 定義の試み

本書では、このようにAIの実例をいくつも見ていくことになるが、その前にまず、このような人工知能システムのすべてに共通する特徴について少し考えてみよう。

私は、人工知能とは、通常は動物や人間が担っている知覚や推論、行動などの作業を機械が行う能力のことだと思う。それは、生物に見られる学習能力と切り離せないものである。人工知能システムは、高度に洗練された電子回路やコンピュータプログラム以外の何物でもない。しかし、そのストレージやメモリアクセスの能力、計算速度、学習能力によって、膨大なデータに含まれる情報を「抽象化」できるのだ。

知覚、推論、行動。第二次世界大戦中にドイツ軍の暗号システム「エニグマ」を解読したイギリスの数学者アラン・チューリングは、時代に先んじたコンピュータの先駆者でもあった。すでに学習の重要性を予感しつつ、彼はこう記していた。「大人の心を模倣するプログラムを作ろうとするのではなく、子どもの心を模倣するプログラムを作ってみてはどうだろう。このプログラムに適切な教育を施せば、大人の脳が手に入るはずだ」[*8]

アラン・チューリングの名は、有名なテストの名称に残っている。「チューリングテスト」では、人間の判定者が顔の見えない2人の対話者と書面で対話をする。対話者は一方が機械でもう一方が人間

---

*8 Alan Turing, “Computing machinery and intelligence”, *Mind*, October 1950, vol. 59, no. 236.

である[*9]。一定時間後、判定者がどちらが機械かを判定できなかった場合は、機械がテストに合格したことになる。しかし、AIの進歩は目覚ましく、このテストはもはや妥当なものとはみなされていない。対話能力はかなり特殊な形の知能にすぎないことが判明しているし、人工知能システムは人をだますのが得意なのだ。ただ東欧に住む口下手の少年という設定にすればいい。そうすれば、英語のつたなさも、意味の取り違いやぎこちない構文も、すべて言い訳が立つ[訳注]。

## 1-8 今後の課題

私は、ディープラーニングが人工知能の未来の一翼を担うと確信しているが、今のところ、論理的推論が可能なディープラーニングシステムはない。現状では、論理は学習と相いれないのだ。論理と学習が両立できるようなシステムの開発こそが、今後の課題である。

というわけで、ディープラーニングは今でも十分に効果的ではあるが、きわめて限定的でもある。チェス用に訓練した機械に囲碁は打てないのだ（その逆も同じ）。機械は、自分が何をしているのかについて少しも考えることなくプログラムを実行する。いまだに野良猫程度の常識さえ身につけていないのだ。人工知能システムの知的能力を、人間が100でネズミを1とする架空のスケール上に位置付けるとすれば、ネズミ寄りに配置されることになるだろう。厳密で限定的な作業におけるAIの性能はたしかに超人的ではあっても、そのことには変わりはない。

*9　Alan Turing, "Computing machinery and intelligence", *Mind*, October 1950, vol. 59, no. 236.

訳注　2014年、初めてチューリングテストに合格したのが、ウクライナ在住の少年という設定の人工知能プログラムだった。

# 1-9 アルゴリズムの外側

アルゴリズムとは、一連の命令のことである。ただ、それだけのことだ。そこには種も仕掛けもない。ひとつ例を挙げよう。昇順に並べたい数字のリストがあるとする。私なら次のようなコンピュータプログラムを書く。最初の数字を読み取り、隣の数字と比較する。最初の数字が2番目の数字よりも大きい場合は、たがいに位置を入れ替える。次に、2番目と3番目の数字を比較して、同じ操作をする。それをリストの最後の数字まで繰り返す。そうしたら、またリストの最初に戻って、数字を入れ替える必要がなくなるまで、同じ操作を何度も繰り返す。

リストの数字を並べ替えるこのアルゴリズムは、「バブルソート」と呼ばれている。このアルゴリズムを、架空のプログラミング言語を使って、一連の正確な命令に翻訳すると、こうなる[*10]。

```
bubbleSort(Table T)
    for i ranging from (T size) -1 to 1
        for j ranging from 0 to i-1
            if T[j+1] < T[j]
                swap (T,j+1,j)
```

ひとつの値を選んで、別の値と比較する、さらに別の値に加える、数学演算を行う、ループさせる、条件が真か偽かをテストする、などなど。アルゴリズムは料理のレシピにすぎない。

Facebookの「アルゴリズム」やGoogleの「アルゴリズム」といった表現をよく耳にするが、これは言葉の濫用(らんよう)だ。Googleの検索サイトについては、むしろ「アルゴリズムの集合体」と言うべきだろう。

---

***10** https://fr.wikipedia.org/wiki/Tri_à_bulles〔日本語版：https://ja.wikipedia.org/wiki/バブルソート〕

そのアルゴリズムの集合体が、検索語句を含むすべてのサイトのリストを生成しているのだ。サイトの数が何百あろうと、何千あろうと問題はない。これらの各サイトには、手作業や訓練によって作られた別のアルゴリズムが生成する一連のスコアが付与される。このスコアは、サイトの人気、信頼性、コンテンツのおもしろさ、検索語句が質問である場合にその回答が含まれているかどうか、ユーザーの関心に見合ったコンテンツになっているかどうかなどを総合的に評価したものであり、かなり複雑なことをしている。

しかし、システムが学習済みなら、そのシステムを実行してスコアを計算するコードは原理的にはきわめて単純で、スピードを気にしなければ数行で収まるだろう（実際には、高速で実行する必要があるため、少し複雑になる）。システムの本当の複雑さは、なにも出力を計算するコードにあるのではない。それはネットワークのニューロン間のつながりにこそあるのであって、ネットワークのアーキテクチャも学習も、すべてはそのつながりに依存している。

次章では、人工知能を搭載した機械の仕組みを探索する前に、20世紀中ごろ以降の AI の歴史をざっと見ておくことにしよう。私が早くからかかわっていたこの刺激に満ちた科学的冒険は、さまざまな論争や理想、障害や停滞が入り混じり、機械の論理にのみしたがう科学者と、神経科学やサイバネティクスに触発されて、AI の学習能力を開発しようと研究を続ける私のような研究者が相まみえる場所だった。

Chapter

# 2

# AIならびに私の小史

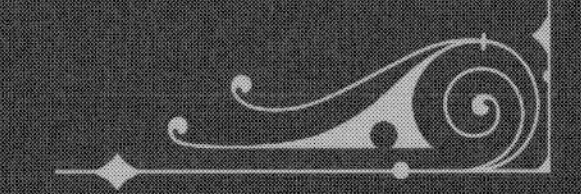

## 2-1 終わりなき探求

人工知能の歴史は、アメリカの作家パメラ・マコーダックが言うように、「神々を作り出したいという古代人の願望」から始まる。人間は長いあいだ、まるで生きているかのような自動人形（オートマタ）を作ろうとしてきた。20世紀には、諸科学と神経科学の進歩にともない、思考プロセスを機械化できるのではないかという期待さえ抱かせるようになった。1950年代に最初のロボットやコンピュータが登場すると、一部の夢想家は、機械が人間の知能を急速に進化させるだろうと予測した。SF小説がこうした夢想に具体的イメージを与えた。だが、今日に至るまで、その夢はまったく実現していない。

人工知能の歴史において、進歩は技術革新に依存している。どんどん高速化していくコンピュータ。ストレージは、外形寸法が小さくなる一方で、データ容量は増え続けている。1977年、スーパーコンピュータのCray-1は、160MFLOPS[*1]の計算能力を有し、重さは5トン、消費電力は115キロワット、価格は800万ドルだった。現在、多くのゲーミングPCで使われている300ユーロクラスのグラフィックカード（GPU）は、10TFLOPS[*2]、つまり6万倍の性能をもっている。遠からず、スマートフォンも同様の性能をもつようになるだろう。

歴史を語るには起点が必要になる。ここでは、ダートマス会議から始めることにしよう。「人工知能」という言葉はそこで生まれたからだ。1956年夏、ニューハンプシャー州ハノーバー近郊のダートマス大学で、小規模な研究会議が開かれた。この会議を企画したのは、マーヴィン・ミンスキーとジョン・マッカーシーという2人の先駆者である。ミンスキーは、学習する機械の製作に情熱を注

---

***1**　第1章の注1（16ページ）を参照。

***2**　同上。

いでいた。1951年、プリンストンの大学院生だった彼は、同じ大学の学生の協力を得て、SNARCという最初期のニューラルマシンを作った。これは初歩的な学習が可能な40個の「シナプス」をもつ、小型のニューラルネットワーク電子回路だ。一方のマッカーシーは、AIで広く使われているプログラミング言語Lispを開発した。チェスプログラム用の木探索アルゴリズム（第7章で詳しく述べる）も彼の功績だ。彼らの呼びかけに、ベル研究所（巨大電話会社AT&Tのニュージャージー州にある研究所）の電気工学エンジニア・数学者のクロード・シャノン、IBMのネイサン・ロチェスター、機械学習理論の先駆者レイ・ソロモノフら、20人ほどの研究者が応じた。会議では、生まれて間もないコンピュータ科学やサイバネティクスにかかわるホットなテーマ――自然システムと人工システムにおける制御の研究、複合情報処理、人工ニューラルネットワーク、オートマトン理論――をめぐって議論が交わされた。ごく限られた研究者によるこの会議で、マッカーシーが初めて「人工知能」という用語を提唱し、その後の人工知能研究の指針となる原則が示された。

## 2-2 まずは論理

当時、一部の科学者によって構想されていた知能機械というのは、木探索に基づくシステムやエキスパートシステムなど、もっぱら論理をベースにしたものだった。エンジニアがいくつかの事実と規則を与えると、システムはそれをもとに別の事実を推論する。その目的は、人間に代わって複雑な推論をしてくれる機械を作ることだった。カーネギーメロン大学（ピッツバーグ）のアレン・ニューウェルとハーバート・サイモンは、「Logic Theorist」というプログラムでその方向を示してみせた。これは、数式の変換で構成された木を探索することによって、簡単な数学公式を証明するプログラムだ。

希望に満ちあふれていた時代だった。

その後、AI は初めての「冬」を迎える。1970 年、アメリカ国防総省の機関 ARPA[*3] は、人工知能の基礎研究に対する予算を削減した。3 年後、イギリスがライトヒル報告に基づいて同様の措置をとるにおよび、この科学的熱狂はすっかり冷めてしまった。お金がなければ、研究はできない。

1980 年代初頭、ふたたび運命の輪が回り始めた。エキスパートシステムが大きな期待を集め、日本では、論理的推論能力を構造自体に組み込むという野心的な「第五世代コンピュータ」プロジェクトが開始された。うまくいけば、機械が会話をしたり、文章を翻訳したり、画像を解釈したり、あるいは人間のように論理的に推論することさえもできるようになるはずだった。だが、どれも失敗に終わった。すでに説明したように、MYCIN のようなエキスパートシステムの開発と商品化は、予想以上に難しいことが判明している。「知識エンジニア」が必要であるという原則がうまく機能しないのだ。知識エンジニアとは、医師や技術者のそばに座って、彼らが病気を特定しようとしたり、機器の不具合を診断しようとしたりしたときに、彼らの知的歩みを書き留めるエンジニアのことだが、専門家（医師や技術者）が自ら総動員した知識の総体を規則化するのは、思いのほか複雑で、コストがかかる。にもかかわらず、信頼性はそれほど高くない。

専門家の知識を再現するのが難しかったこの古典的知能とは異なり、似たような木探索では、いくつかの大成功を収めている。

---

*3　ARPA（Advanced Research Projects Agency）は、研究開発（R & D）プロジェクトに資金を提供する国防総省の機関。1972 年に DARPA（Defense Advanced Research Projects Agency）に改称。

# 2-3 ゲームの世界

1997年、チェスの世界チャンピオン、ガルリ・カスパロフは、ニューヨークでDeep Blueとの6番勝負のリベンジに挑んでいた。Deep Blueは、多国籍企業IBMがプログラムしたスーパーコンピュータで、高さ2メートル近く、重さ1.4トンの怪物である。1勝1敗3引き分けで臨んだ第6局、カスパロフはわずか19手で、お手上げだという仕草をして投了し、何百万人ものチェス愛好家を落胆させた。彼は、機械の探索力には敵わなかったと語っている。

Deep Blueについてもう少し記しておこう。このコンピュータは、盤上の駒の配置を精査するために特別に設計された480個の回路で強化された30個のプロセッサを搭載していた。この計算能力のおかげで、比較的古典的な木探索技術を使いながらも、1秒間に約2億通りの盤面の優劣を見極めることができたのだ。

その後、2011年2月14、15、16日に、IBMのスーパーコンピュータWatson（ワトソン）が、アメリカのTVクイズ番組「ジェパディ！」に出場し、3日間にわたる激戦の末、勝利を収めた。2人のクイズチャンピオンに挟まれたWatsonは、何本もの光線で覆われた地球儀で表されていた。コンピュータ科学者が書いたプログラムによって、Watsonは質問から不要な単語（冠詞や前置詞など）を取り除き、キーワードを特定する。次いで、正解を選択するために、約2億ページ分という驚くべき量のテキストデータベースから重要な単語を検索し、答えが含まれている可能性のある文章を選び出す。テキストデータは、ウィキペディア、百科事典、辞書、シソーラス、通信社のレポート、文学作品などから集められ、16テラバイト*4のRAMメモリに格納されていた（ハードディスクドライブでは遅すぎたの

*4　バイト（byte）は、デジタル情報の量（メモリの容量）を表す単位。テラバイトは1兆（$10^{12}$）バイトを表す。1バイトで最大256通りの値を符号化できる。

だ)。そのデータをもとにして、何十万もの事物や固有名詞からなる膨大な見出し語リストが作成された。各見出し語が、ウィキペディアの記事やウェブページなど、その語が含まれるテキストを参照する仕組みだ。Watsonは、まずデータベースの中に質問のキーワードが含まれている文書があるかどうかをチェックする。次は、その文書の中に正解が含まれているかどうかが問題になる。

たとえば、「バラク・オバマはどこで生まれたか」という質問の場合、Watsonは答えが地名になることを知っていた。データベースには、バラク・オバマに言及したすべての文書のリストがある。必ずどこかに「オバマ」「生まれ」「ハワイ」の文字が含まれている記事があるはずだ。だから、機械は正解に該当する「ハワイ」という単語を選択するだけでいい。Watsonはこのように、データへの優れた索引を備えた高速な情報検索システムで構成されていたが、システム自体は問題の意味を理解していなかった。小学生が参考書を開いて（あるいはウィキペディアを見て）宿題をやっているようなものだった。出された質問に対して、参考書の中に正解を見つけ、それを書き写すことはできたが、書いた答えの意味を理解することはなかったのである。

2016年、新たな偉業が成し遂げられた。ソウルで、韓国の囲碁チャンピオンが対戦相手のコンピュータAlphaGoに敗北を喫したのだ。AlphaGoは、Googleの子会社DeepMindが設計した途方もないAIシステムだ。18回も世界一に輝いたイ・セドルは、このAIシステムとの対局で5試合中4試合に敗れた。Deep Blueとは違って、AlphaGoは「訓練」されていた。畳み込みニューラルネットワーク、強化学習、モンテカルロ木探索（ランダム木探索）など、すでに知られていたいくつものテクニックを組み合わせ、自分自身と対戦することで自分を鍛えていたのだ。だが、先回りするのはよしておく。

# 2-4 神経科学とパーセプトロン

20 世紀半ば、論理と木探索に基づく古典的人工知能の先駆者たちがその限界を押し広げていたが、その一方で、機械学習のパイオニアたちが声を上げ始めていた。彼らは、コンピュータシステムに動物や人間がするような複雑なタスクをさせるには、論理だけでは不十分だと主張した。脳の働きをまね、学習メカニズムに基づいて自らをプログラムするようなシステムを作る必要があるというのだ。このディープラーニングと人工ニューラルネットワークに基づく研究こそ、私がひたすら取り組んできたテーマである。この考え方は現在、自律走行車をはじめとする、壮大なアプリケーションの数々で実現している。

1950 年代、人工知能を夢みる人たちのあいだでは、カナダの心理学・神経生物学研究者ドナルド・ヘッブが展開した理論が受け入れられていた。ヘッブは、学習におけるニューロン結合の役割について深く考えた人物である。彼は、人間の推論における論理的なつながりをそのまま再現しようとするのではなく、それを生み出す脳という途方もない生物学的処理装置（プロセッサ）を探究すべきだと主張した。

コンピュータ研究者の中にも、それまでの論理的または「逐次的な」方向性とは対照的に、生物の神経回路をモデル化することを目指す「ニューロン」的方向性に与（くみ）する人たちが現れ始めた。彼らが取り組もうとしていた機械学習は、生物の脳との類推によって「人工ニューロン」と名付けられた、まったく独自なアーキテクチャに基づく数学的な関数のネットワークだった。このネットワークが入力信号を受け取ると、ネットワーク内の人工ニューロンがその信号を出力で識別できるように処理する。きわめて単純な要素である人工ニューロンが複合的に作用することによって、パターン認識という複雑さが生まれる。これは、脳内で、ニューロンという基本的な関数ユニットの相互作用が思考を生み出すのと同じ仕組みだ。

この流れは1957年に端を発する。この年、コーネル大学の心理学者フランク・ローゼンブラットが、ヘッブの認知理論にヒントを得て、最初の学習機械、パーセプトロンを構築したのだ。パーセプトロンは訓練段階を経ると、パターンを認識できるようになる。今も機械学習の参照モデルのひとつであるパーセプトロンについては、次章で詳しく紹介する。

1970年代に2人のアメリカ人、当時サンノゼ州立大学（カリフォルニア州）の電気工学教授であったリチャード・デューダと、メンローパーク（カリフォルニア州）のSRI（Stanford Research Institute：スタンフォード研究所）[訳注]のコンピュータ科学者ピーター・ハートが、「統計的パターン認識」の現状を展望する著作を出版し[*5]、その一例としてパーセプトロンを取り上げた。この本は出版と同時にパターン認識研究の典拠になり、学生たちはみなこぞってこの本を読んだ（私もそのひとり）。

しかし、パーセプトロンは万能薬ではなかった。人工ニューロン層をひとつしかもたないこのシステムでは、処理能力に限界があったのだ。研究者は、ニューロン層をいくつか重ねることで効率を上げようと努力を重ねたものの、機械を完全に訓練することができるアルゴリズムはなかなか見つからず、タスクは相変わらず限定的なものにとどまっていた。

## 2-5 冬の時代

そんな折、1969年にマサチューセッツ工科大学（MIT）教授のシーモア・パパートとマーヴィン・ミンスキーが『パーセプト

---

**訳注** 現・SRIインターナショナル。

***5** Richard O. Duda, Peter E. Hart, *Pattern Classification and Scene Analysis*, Wiley, 1973.〔リチャード・O・デューダ、ピーター・E・ハートほか『パターン識別』尾上守夫監訳、新技術コミュニケーションズ、2001年（第2版の翻訳）〕

ロン』[*6]を出版する（パパートは1950年代に人工ニューラルネットワーク研究に熱中していた人物だが、その後は距離を置いていた）。その本には学習機械の限界がいくつも示されており、中には致命的な欠陥も含まれていた。彼らに言わせれば、ニューラルネットワークに進むべき未来はなかった。彼らMIT教授の権威は絶大であり、この著作は大反響を巻き起こした。研究助成機関は次々とこの分野への支援を取りやめた。こうして、GOFAIと同じく、ニューラルネットワーク研究も初めての「冬」を迎えることになった。

科学者の大半は、学習能力を備えた知能機械の構築などには見向きもしなくなった。ギャンブルを避け、もっと地に足の着いたプロジェクトへと移っていった。そこで彼らはニューラルネットワークから受け継いだ方法を活用し、「適応フィルタ」などの技術を生み出した。この手法は現在、多くの通信技術のもとになっている。かつては電話線を介してコンピュータ間のデータのやり取りをしようとすると、回線特性が劣悪なため、送信元からバイナリ信号（電圧0〜48ボルト）を送信しても、数km離れた受信先に着くころには使いものにならなくなっていた。それが適応フィルタのおかげで信号を復元できるようになった。このアルゴリズムは発明者のボブ・ラッキーにちなんで「ラッキーアルゴリズム」と呼ばれている。ラッキーは、私が1980年代後半に働いていたベル研究所で300人ほどの部門を統括していた人物である。

スピーカーフォンも、適応フィルタがなければ生まれなかった。この技術を使ったエコーキャンセラによって、自分がマイクに向かって話しているときは相手の話し声が聞こえないようになっているのだ（それでも、たまに自分の話し声が聞こえることもある）。エコーキャンセラには、パーセプトロンのアルゴリズムによく似たアルゴリズムが使われている。

---

***6** Marvin L. Minsky, Seymour A. Papert, *Perceptrons: An Introduction to Computional Geometry*, The MIT Press, 1969.〔M・ミンスキー、S・パパート『パーセプトロン：パターン認識理論への道』斎藤正男訳、東京大学出版会、1971年〕

モデムにも適応フィルタが使われている[*7]。この装置のおかげで、電話回線などの通信回線を介してコンピュータ間のデータのやり取りが可能になった。

## 2-6 「異端の過激派」

1970 年代から 80 年代にかけての冬の時代のさなかにも、頑なにニューラルネットワークに取り組む研究者がわずかながらいた。科学コミュニティにとっては、「異端の過激派（ルナティックフリンジ）」だった。中でも、フィンランド人テウヴォ・コホネンのことが頭に浮かぶ。ニューラルネットワークに近いテーマである「連想記憶」についての著作を書いた人物である。多くの日本人研究者もこの異端の系譜に連なる。日本人は、西洋のものとはかけ離れた、孤立した工学の伝統をもっている。数理工学者の甘利俊一、それから福島邦彦。福島は、コグニトロン（Cognitron）という機械に取り組んでいた。その名はパーセプトロンをもじったものだ。この機械は、1970 年代のコグニトロンと 1980 年代のネオコグニトロン（Neocognitron）の 2 種類がある。同時代のローゼンブラットと同じく、福島は神経科学の進歩、特にアメリカのデイヴィッド・ヒューベルとスウェーデンのトルステン・ウィーゼルの発見にヒントを得ている。

この 2 人の神経生物学者は、猫の視覚系の研究で 1981 年にノーベル生理学・医学賞を受賞している。この研究によって、視覚の仕組みが明らかになった。視覚は、視覚信号がいくつものニューロン層を通って、網膜から第一次視覚野へ、そこから視覚野の他領域へ、さらに下部側頭葉へと移動することによって生じる。さらに、これら各層のニューロンはきわめて特殊な機能をもっている。第一次視

*7　変調器と復調器からなる装置で、電話線や同軸ケーブルを通してデジタルデータを伝送するために使われる。

覚野では、各ニューロンは視野の小領域、つまり受容野にのみつながっている。この種のニューロンを「単純型細胞」(simple cell)という。次の層では、別のユニットが前の層の活性状態を統合して、視野内で物体が多少動いても画像表現が維持されるようにする。この種のユニットは「複雑型細胞」(complex cell) と呼ばれる。

そこで福島は、第1層に単純型細胞を使って画像を覆う小さな受容野内の単純なパターンを検出させ、その次の層に複雑型細胞を使うというアイデアを思いついた。ネオコグニトロンは、単純型細胞、複雑型細胞、単純型細胞、複雑型細胞、さらにパーセプトロンに相当する分類層の合計5つの層を備えていた。最初の4層に一種の学習アルゴリズムが使われていたが、このアルゴリズムは「教師なし」、つまり実行される最終的なタスクを考慮していなかった。これらの層は「ブラインド」で訓練され、最終層のみがパーセプトロンのように教師あり学習(第3章で詳しく述べる)で訓練された。ネオコグニトロンには、すべての層のパラメータを調整できるような学習アルゴリズムがなかった。しかし、このネットワークは、数字のような単純なパターンであれば認識することができた。

1980年代初頭、この領域を探っていたのは福島ひとりではない。北米のいくつかの研究チームもこの問題に取り組んでいた。ジェームズ・マクレランドやデイヴィッド・ラメルハートといった心理学者、ジョン・ホップフィールドやテレンス・セイノフスキーといった生物物理学者、ジェフリー・ヒントンをはじめとするコンピュータ科学者などがそうだ。ヒントンは、2018年度チューリング賞を私と共同受賞することになる。

## 2-7 舞台に上がる

私がこうしたテーマに興味をもち始めたのは1970年代のことだ。航空エンジニアであり、物作りの天才でもあった父が、ひまつぶしに電子工作をしているのを見て、好奇心が湧いたのだと思う。父はよくリモコンの模型飛行機を作っていた。私の記憶が確かなら、父が初めて小さな車とボートを操縦するリモコン装置を作ったのは、1968年のことだった。五月革命の一斉ストライキのせいで出勤できず、家にいたからだ。父の情熱が伝染したのは、家族で私だけではない。6歳年下の弟もコンピュータ科学者になった。アカデミックキャリアを経て、現在はGoogleで研究をしている。

私は幼いころから、テクノロジーや宇宙征服、コンピュータの成り立ちといったことに夢中だった。将来は古生物学者になることを夢みていた。人間における知能の誕生とその進化に興味があったからだ。今でも、人間の脳の見事さは生物界で最も不思議なものだと思っている。8歳のときに、パリの映画館の大きなスクリーンで『2001年宇宙の旅』を観た。両親だけではなく、SF好きの親戚のおじさんとおばさんとも一緒だった。私は8歳だった。宇宙旅行、人類の未来、スーパーコンピュータHALの反乱など、私のお気に入りがもれなく詰まった映画だった。自己の生存とミッションの成功のためなら、人間を殺すこともためらわないHAL。当時から、どうすれば機械の中に人間の知能を再現できるのかという問題に夢中になっていた。

そんな私だから、高校卒業後は具体的なプロジェクトに取り組みたいと思った。1978年、私はグランゼコール[訳注]のひとつであるESIEE（パリ電子電気工学技術高等学院）に入学した。この学校は、バカロレアを取得後、グランゼコール準備級を経ずに直接進学することができる。言うまでもないが、準備級だけが理系で成功する唯一の道ではない。私がそれを証明している。また、ESIEEでの勉強は自主性が重んじられているので、それを最大限に活用するつもりだった。

---

**訳注** エリート養成を目的とするフランス独自の高等教育機関。高校卒業後、2年間の準備級を経てから入学するのがふつう。

## 2-8 実りある読書

そこで読書に励むことにした。そのころに読んだ本の中では、有名なスリジー＝ラ＝サル国際シンポジウムの討論を記録した『生得的なものと後天的なもの』[*8]が印象に残っている。1980年に見つけた本だ。言語学者のノーム・チョムスキーは、話すことを学習するための構造が脳内にあらかじめ備わっていると述べた。一方、発達心理学者のジャン・ピアジェは、一部の構造も含め、すべては学習されるものであり、言語の習得は知能の構築にともない段階的に行われると主張した。だとすれば、知能は、外界との情報のやり取りに基づく学習の結果ということになる。この考えに魅了された私は、どうすればそれを機械に応用できるだろうかと考えた。この討論には、ほかにも著名な科学者が数多く参加している。シーモア・パパートもそのひとりだった。この本で彼は、パーセプトロンを単純なのに複雑なタスクを学習できる機械だと絶賛している。

私はその本で初めてパーセプトロンという学習機械の存在を知った。このテーマは私を魅了した。水曜の午後は授業がなかったので、ロカンクールにあるフランス国立情報学自動制御研究所（Inria（アンリア）：Institut national de recherche en informatique et en automatique）の図書館に通うことにした。イル＝ド＝フランス地域でコンピュータ科学の資料を最も豊富に所蔵しているのが、Inriaの図書館である。関連書籍を漁っているうちに、欧米ではもう誰もニューラルネットワークに取り組んでいないことがわかった。驚いたことに、パーセプトロンの研究にストップをかけたのが、またしてもパパートの本だった。

人工システムや自然の生物システムを研究するシステム論（1950

---

*8 *Théories du langage, théories de l'apprentissage: le débat entre Jean Piaget et Noam Chomsky*, débat recueilli par Maximo Piatelli-Palmarini, Centre Royaumont pour une science de l' homme, Seuil, “Points”, 1979.

年代にサイバネティクスと呼ばれていたもの）に関する本も、かなり熱心に読んだ。たとえば、人間の体温調節システム。人間の身体は、体温と外界温度の差をきちんと補正する一種のサーモスタットによって体温を37℃に維持している。

自己組織化という現象は、私をとりこにした。比較的単純な分子や物体が、自発的に複雑な構造へと自己を組織するようになるのはどうしてか？　相互作用する単純な要素、つまりニューロンの大規模な集合体から、どうして知能が出現するのか？

私は、コルモゴロフ、ソロモノフ、チャイティンによるアルゴリズム複雑性理論に関する数学的研究を詳しく調べた。先に触れたデューダとハートの本[*9]が枕頭の書になった。『バイオロジカル・サイバネティクス』誌も隅々まで読んだ。これは、脳や生体システムの働きの情報数理モデルを扱った専門雑誌だ。

AIの冬の時代に放置されていたさまざまな疑問が私の中で問題意識となり、私の信念は徐々に形成されていった。知能機械を構築したいのであれば、論理的に動作するだけでは十分ではなく、経験から学習し、自らを構築することができなければならないのだ。

読書を続けていくうちに、科学コミュニティの一部がこの直観を共有していることに気がついた。福島の研究を見出した私は、ネオコグニトロンというニューラルネットワークを効率化する方法を考えた。幸いなことに、ESIEEの学生は、当時としてはかなり高性能のコンピュータを利用できたので、私は学友のフィリップ・メッツと2人でプログラムを書いた。メッツの関心は児童学習心理学にあったが、私と同じくコンピュータオタクだった。数学の先生方にコンピュータの指導をしてもらえることになったので、みんなでニューラルネットワークのシミュレーションをしてみることにした。しかし、この実験は苦労の連続だった。コンピュータは遅いし、プログ

---

*9　Richard O. Duda, Peter E. Hart, *Pattern Classification and Scene Analysis*, Wiley, 1973. p. 6.〔リチャード・O・デューダ、ピーター・E・ハートほか『パターン識別』尾上守夫監訳、新技術コミュニケーションズ、2001年（第2版の翻訳）〕

ラムを書くのにもひと苦労した。

4年生のとき、この研究にはまっていた私は、確たる数学的な裏付けがあったわけではないが、多層ニューラルネットワークを訓練するための学習規則をひらめいた。信号をネットワークの出力から入力に向かって逆方向に伝播させ、エンドツーエンド[訳注1]で訓練するというアルゴリズムを思いついたのだ。私はこのアルゴリズムをダジャレでHLM（Hierarchical Learning Machine）[*10]と名付け、ひとり浮かれていた[訳注2]。HLMは、ディープラーニングシステムを訓練するために今日広く使用されている「誤差逆伝播」アルゴリズム（第5章で詳しく述べる）の草分けである。現在のように、ネットワークにおいて誤差勾配を逆向きに伝播するのではなく、各ニューロンに対する所望状態を伝播する。そうすることで、バイナリニューロン（第3章で詳しく述べる）を使えるようになる。当時のコンピュータは乗算に時間がかかったので、それは大きな利点だった。HLMは多層ニューラルネットワークの訓練に向けての第一歩だった。

## 2-9 学習のコネクショニズムモデル

1983年夏、工学修士号を取得した直後に、私は偶然、自己組織化システムやオートマトンネットワークに興味をもつフランス人の小グループ、ネットワークダイナミクス研究所（LDR）が発表した研究報告書を見つけた。このグループは、パリのモンターニュ＝サント＝ジュヌヴィエーヴにある旧エコール・ポリテクニークの使

*10 5-3節（170ページ）を参照。

訳注1 「端から端へ」の意味で、入力から出力を一気通貫して勾配を伝播させながら学習させることを指す。

訳注2 フランスでHLMといえば、まず公営の低所得者向け高層団地が思い浮かぶ。

われなくなった研究室を根城にしていた。メンバーはみなどこかの高等教育機関にポストを得ている研究者だったが、LDR は大学などとは関係のない独立した組織だった。彼らの資金は乏しく、予算がつく見込みもなかった。中古のコンピュータすら一台もなかった。このことからも、フランスにおける機械学習研究がいかに壊滅的だったかがわかるだろう。私は彼らに会いに行った。この科学者グループは、私と違って、ニューラルネットワークに関する過去の文献を調べてはいなかったが、私の知らないことを知っていた。

私は彼らに、ニューラルネットワークに興味があること、私が所属する ESIEE は設備が整っていることを説明し、LDR に入れてもらった。その一方で、パリ第6大学（Université Pierre-et-Marie-Curie）の大学院で学業を続けていた。1984 年、私は博士論文の執筆計画書を出す必要に迫られた。ESIEE から助手手当をもらっていたので金銭面での心配はなかったが、指導教官を見つけなければならない。私はパリ第5大学のコンピュータ科学の講師であるフランソワーズ・フォーゲルマン＝スーリエ（後にスーリエ＝フォーゲルマンに改名）と共同研究をしていたので、本来なら、彼女に論文指導をお願いするのが筋なのだが、国家博士号をもっていない彼女には、博士論文を指導する資格がなかった(博士論文指導資格（アビリタシオン）はヨーロッパの教育システムにおける特徴のひとつだ)。

そこで私は、コンピュータ科学の博士論文指導資格をもつ LDR 唯一のメンバーであるモーリス・ミルグラムにお願いすることにした。彼はコンピエーニュ工科大学のコンピュータ科学と工学の教授だった。彼は、ニューラルネットワークのことを何も知らないから、あまり助けにはならないだろうと弁明しながらも、引き受けてくれた。彼の親切は実にありがたかった。生涯忘れることはないだろう。その後、私の生活は ESIEE（とそのパワフルなコンピュータ）と LDR（とその知的環境）とに二分された。

私は未知の世界にいた。刺激的な毎日だった。

海外では、私の研究に近い論文が出始めていた。1984年の夏、私はフランソワーズ・フォーゲルマンと一緒にカリフォルニアを訪れ、ゼロックスの伝説的なパロアルト研究所（PARC）で1カ月間のインターンシップをした。

当時、ぜひとも会ってみたい研究者が2人いた。ジョンズ・ホプキンス大学（ボルティモア）の生物物理学者で神経生物学者のテレンス・セイノフスキーと、カーネギーメロン大学（ピッツバーグ）のジェフリー・ヒントンだ。ヒントンとは、ヨシュア・ベンジオと私の3人で、2018年度チューリング賞を共同受賞することになる。ヒントンとセイノフスキーは、1983年に「ボルツマンマシン」（Boltzmann Machine）に関する論文を発表した。ボルツマンマシンには、「隠れユニット」（入力と出力の中間に位置するニューロン層）を備えたネットワークのための学習手順が含まれていた。この論文は私をとりこにした。まさしく多層ニューラルネットワークの訓練について書かれていたからだ。それこそが、私の研究の核心をなす問題にほかならなかった。なんともすごい人たちがいたものである。

## 2-10 レズーシュでのシンポジウム

1985年2月、アルプス地方のレズーシュで開かれたシンポジウムに参加したことで、私の研究生活は激変することになった。そこで私は、ニューラルネットワークに関心をもつ世界レベルの研究者たちに出会った。物理学者、エンジニア、数学者、神経生物学者、心理学者。それから、科学コミュニティにとっては伝説的な場所であるベル研究所で新たに結成されたニューラルネットワーク研究グループのメンバー。レズーシュで培った人脈のおかげで、3年後、私はこの研究グループの一員として採用されることになる。

このシンポジウムを主催したのは、ともに研究をしている LDR

のフランス人研究者たちだった。フランソワーズ・フォーゲルマン、彼女の当時の夫でENS（パリ高等師範学校）の物理学教授ジェラール・ヴァイスブック、当時CNRS（フランス国立科学研究センター）にいた理論神経生物学者のエリ・ビーネンシュトック。このシンポジウムには、「スピングラス」に関心をもつ物理学者をはじめ、物理学や神経科学の第一人者が一堂に会した。

スピンとは素粒子や原子に見られる特性で、上向きまたは下向きの小さな磁石にたとえられる。この2つのスピンの値は、人工ニューロンの値（活性または非活性）と関連付けることができる。どちらも同じ方程式にしたがうのだ。スピングラスは一種の結晶で、内部の不純物原子がこのスピンをもっている。それぞれのスピンは、カップリングの重み付けに応じて、ほかのスピンと相互作用する。重み付けがプラスの場合は、同じ方向に揃う傾向がある。重み付けがマイナスの場合は、対向する傾向がある。値+1は上向きのスピン、-1は下向きのスピンにそれぞれ対応する。それぞれの不純物原子がとる向きは、隣接する不純物原子の加重和の関数になっている。言い換えれば、スピンが上向きになるか下向きになるかを決定する関数は、ニューロンが活性化するか不活性化するかを決定する関数に似ている。スピングラスとニューラルネットワークの類似性を明らかにしたジョン・ホップフィールドの画期的な論文[*11]の影響で、多くの物理学者が人工ニューラルネットワークや学習に関心を向け始めたが、この種のテーマは同僚のエンジニアやコンピュータ科学者にとっては、相変わらずタブーだった。

レズーシュでは、私が最年少の参加者だったにもかかわらず、多層ニューラルネットワークと私が設計したアルゴリズムHLM（誤差逆伝播法の草分け的方法）について英語で口頭発表することになっていた。博士論文に着手したばかりの若輩者としては、この綺

---

***11** John J. Hopfield, "Neural networks and physical systems with emergent collective computational abilities", *Proceedings of the National Academy of Sciences*, 1982, 79 (8), pp. 2554-2558, DOI:10.1073/pnas.79.8.2554.

羅星たちの前で話をするのかと思うと、どうにも緊張してしまう。
特に２人の人物が緊張の種だった。ひとりはラリー・ジャッケル。後に私が参加するにことになるベル研究所の部門長で、実に魅力的な人物である。それから、彼の右腕ジョン・デンカー。デニムのスーツにカウボーイブーツ、長く広がるもみあげといういでたちの、アリゾナ生まれの本物のカウボーイだ。この型破りな研究者は、博士号を取得したばかりだというのに、信じられないくらいに落ち着き払っていた。大御所の発言の後でも彼はひるまず反論し、ものの見事に相手をやり込める。といっても、少しも攻撃的ではなく、しっかりと根拠のある物言いをする男だった。フランソワーズ・フォーゲルマンが私にこう耳打ちした。「ベル研究所の若手は桁外れの優越感をもっているのよ。誰かが何かをしようとすると、それは10年前にベル研究所がやってしまったことか、そもそもうまくいかないことかのどちらかだというの」。なんともはや！
というわけで、私は多層ニューラルネットワークについての口頭発表をしたのだが、誰も理解してくれなかった（このときからすでにそうだったのだ）。最後にデンカーが手を挙げた。私は思わず身構えた。だが、質問ではなかった。「実によかった！　君のおかげでいろんなことが理解できたよ」。綺羅星たちの前で、彼はそう言ってくれたのである。１年後、デンカーと彼の上司のジャッケルから、ベル研究所で講演してほしいとの依頼を受ける。彼らは私のことを忘れずにいてくれたのだ。私は２年後に面接を受け、３年後に入社した。
ジェフリー・ヒントンのボルツマンマシンに関する論文の共著者テレンス・セイノフスキーに会ったのも、レズーシュにおいてだった。彼が到着したのは私の発表が終わってからだったが、私は午後の休憩時間に彼を捕まえて、多層ニューラルネットワーク研究の概要を説明した。彼の興味を引くだろうと思ったのだ。セイノフスキーは辛抱強く話を聞いてくれた。実は彼もジェフリー（ジェフ）・ヒントンと２人で誤差逆伝播法に取り組んでいたのだが、そのことは話してくれなかった。すでにジェフはそれを動作させることに成功していたのだが、そのことはまだ誰も知らなかった。もちろん、私もである。

すばらしいアイデアは伝染するものだ。ジェフのアイデアは、彼が数年前にポスドクをしたカリフォルニア大学サンディエゴ校のデイヴィッド（デイヴ）・ラメルハートに由来する。1982年、デイヴはその方法を思いついて、プログラミングしてみたが、うまくいかなかった。意見を聞きに来たデイヴに、ジェフは言った。「うまくいかないのは、局所的最小値の問題のせいです」[*12]。それを聞いて、デイヴはあきらめてしまった。しかし、ジェフはボルツマンマシンを研究中に、この局所的最小値の問題は思ったほど深刻な問題ではないことに気づいた。そこで彼は、自分のコンピュータ（Symbolics社のLispマシン）を使って、ラメルハートの方法をLisp言語でプログラミングしてみた。すると、動いたのだ！

だから、レズーシュでの議論の中で、セイノフスキーはすぐに私の手法HLMが誤差逆伝播法によく似ていることに気づいたはずだ。彼自身、すでに同じ誤差逆伝播法の応用に取り組んでいたのだから。数カ月後、その応用は大ヒットとなった。彼はそのことをおくびにもださなかったが、アメリカに戻って、ジェフにこう言ったそうだ。「フランスには、俺たちと同じことに取り組んでいる子（キッド）がいるぞ」

その年の春、私は初めて自分の発見に関する論文を書いた（実は、科学論文の規範からは少々逸脱してしまった）。その論文は、1985年6月にパリで開催されたコグニティヴァ会議で、どうにか発表することができた。基調講演者はジェフリー・ヒントンだった。彼はチュートリアル講演を行い、ボルツマンマシンについて語った。講演が終わると、彼のまわりに50人もの人垣ができた。私も近くに行きたかったが、どうにも方法がない。ジェフが会議の主催者のひ

---

*12　4-6節（139ページ）を参照。

とりであるダニエル・アンドラーのほうを向いているのが見えた。そして、「ヤン・ルカンとかいうやつを知ってるか？」と尋ねるのが聞こえた。ダニエルは周囲を見渡す。「ここにいます！」と私は声を張り上げた。実は、ジェフは会議の論文集に私の論文があるのを目にし、つたないフランス語で解読したらしい。それで、セイノフスキーから聞いていた「子ども」が私であることに気づいたのだ。

翌日、ジェフと私は、マグレブ料理のクスクスを囲んで昼食をともにした。そして、誤差逆伝播法について説明してくれた。だが彼は、私がそれを知っていることを知っていたのだ。ジェフは、執筆中の論文に私の論文を引用するつもりだと言った。私は有頂天になった。われわれは、おたがいの関心事や手法、考え方が似ていることをすぐに理解した。ジェフは、翌年、カーネギーメロン大学で開かれるコネクショニズムモデルをテーマにしたサマースクールに参加しないかと誘ってくれた。私はもちろん受け入れた。当時「コネクショニズムモデル」という用語は、認知科学の研究者が、まだタブー視されていたニューラルネットワークを指すのに好んで使った用語である。

## 2-11 誤差逆伝播法

発明は無からは生まれない。それは試行錯誤や落胆、交流の結果であり、その価値が認められるにはたいてい時間がかかる。人工知能の「フロンティア」は、発見の連鎖によって広がっていく。1980年代に誤差逆伝播法が普及したことで、数十万の接続をもつ数千個のニューロンが層状に組織された多層ニューラルネットワークの訓練が可能になった。ニューロンの各層は、前の層の情報を結合・処理・変換し、その結果を次の層にわたす。そして最終層で応答が出力される。この「ミルフィーユ」式アーキテクチャは、こうした多層ニューラルネットワークに驚くべき能力を与える。このあたりのことは、後ほどディープラーニングのところ（第5章）で述べる。

しかし、1985年当時は、多層ニューラルネットワークに対する学習手順が存在するという考えが受け入れられるには時期尚早だった。物理学者たちは、全結合ニューラルネットワーク（「ホップフィールド・ネットワーク」）とスピングラスの類似性に興味をもっていた。彼らはそこに脳内の連想記憶モデルを見ていた。プルーストのマドレーヌ[訳注]は、形、匂い、味を通して連想されるイメージや感情、つまり記憶を参照している。一方、多層ニューラルネットワークは、知覚に基づいて機能する。形だけでマドレーヌを識別するには、どのようなメカニズムが必要になるだろうか？　物理学者はこの問いに込められた意義をすぐには理解できなかった。

状況は1986年に一変する。テレンス・セイノフスキーが、「読むことを学習する」誤差逆伝播法によって訓練された多層ニューラルネットワークNetTalkに関する技術報告書を発表したのだ。これは、英語のテキストを一連の音素（音声の最小単位）に変換し、音声合成装置に伝達するシステムだ。フランス語ではテキストから音声への変換は簡単だが、英語ではきわめて難しい。システムは学習し始めのころ、話すことを学習する赤ちゃんのように、たどたどしい片言でしか話せない。それから、少しずつ発音がよくなっていく。セイノフスキーがパリの高等師範学校に講演をしに来たことがある。聴衆は唖然（あぜん）とするばかりだった。それからというもの、誰もが私と話したがるようになった。急に多層ニューラルネットワークが注目を浴び、その専門家が私だったからだ。

その前年、私は、ラグランジュ形式を使えば、誤差逆伝播法が数学的に定式化できることを発見した。古典力学や量子力学、「最適制御」理論のベースになっているのが、ラグランジュ形式だ（この

---

**訳注**　マルセル・プルーストの長編『失われた時を求めて』に、主人公が紅茶に浸したマドレーヌの香りに触れた瞬間、過去の記憶がまざまざとよみがえるという場面がある。

用語は、18世紀のイタリア生まれのフランス人数学者・天文学者のジョゼフ＝ルイ・ラグランジュにちなむ)。実は1960年代初頭に、最適制御の理論家が、誤差逆伝播法のアルゴリズムに似た手法をすでに提案している。これは、ケリー＝ブライソン・アルゴリズムまたは随伴変数法と呼ばれるもので、1969年に出版されたアーサー・ブライソンとユーチ・ホー（何毓琦）の教科書『Applied Optimal Control』に詳述されている。

彼らは、この手法を機械学習やニューラルネットワークに使おうとは考えもしなかった。関心の対象は、システムの計画と制御にあったからだ。具体的には、ロケットを別の宇宙船とランデブーさせるというような話で、その際、エネルギーの消費量を極力抑えつつロケットの軌道を巧みに制御し、正確な地球周回軌道に乗せなければならない。しかし数学的にみれば、この問題は、多層ニューラルネットワークにおけるシナプスの重みをどのように調整すれば、最終層の出力が望み通りになるのかという問題とよく似ている。

続いて私は、一部の研究者が誤差逆伝播法の発見に近づいているのを知ることになる。1960年代から70年代にかけて、誤差逆伝播法の勾配計算の基礎となる「リバースモードの自動微分」(reverse-mode automatic differentiation)を発見した人たちもいた。しかし、その用途は微分方程式の数値解法や関数の最適化を容易にするためであって、多層ニューラルネットワークの学習に使えると考えた人はいなかった。ただひとりの例外が、ハーバード大学の学生ポール・ワーボスである。ユーチ・ホーに学んだ彼は、1974年の博士論文で彼のいう「順序付き微分」を学習に使うことを提案した。しかし、彼が自分で編み出した方法を実際に試すことができたのは、かなり後になってからのことである。

1986年7月、私はピッツバーグに2週間滞在した。カーネギーメロン大学で行われたコネクショニズムモデルをテーマにしたサマースクールに参加したのだ。アメリカ行きには迷いもあった。妻が第一子を妊娠しており、帰国後4週間で出産の予定だったからだ。

その夏の旅行は、ニューラルネットワーク研究コミュニティの誕生記念イベントとして記憶に残っている。私はジェフ、それから博士論文を書き終えたばかりのマイケル・ジョーダンという男と親しくなった。どうしてマイケルだったかというと、彼がフランスかぶれだったからだ。私の英語よりも彼のフランス語のほうがうまかった。サマースクールのピクニックでは、彼はギターを弾きながらジョルジュ・ブラッサンスを歌った。

**図 2.1** 1986年にカーネギーメロン大学（ピッツバーグ）で開かれた、コネクショニズムモデルをテーマにしたサマースクールの参加者たち

スタニスラス・ドゥアンヌ（SD）、マイケル・ジョーダン（MJ）、ジェームズ・マクレランド（JMcC）、ジェフリー・ヒントン（GH）、テレンス・セイノフスキー（TS）、私（YLC）。このほかにも、写真に写っている参加者の多くは、機械学習、AI、認知科学の第一人者になった。アンドリュー・バート、デイヴィッド・トゥレツキー、ゲリー・テサウロ、ジョーダン・ポラック、ジム・ヘンドラー、マイケル・モーザー、リチャード・ダービン、その他大勢（©サマースクール主催者）。

私はまだ学生だったが、ジェフは私に講演をするようにと誘った。私の考えた独自の誤差逆伝播法を説明しろというのだ。ディナーの席で、ジェフは私がフランスから持参したとっておきのボルドーワインを飲みながら、1年後にカーネギーメロン大学からトロント大学に移る予定だと教えてくれた。「客員研究員として私のところへ来ないか？」。博士号の取得が1年遅れはするが、願ってもない誘いだった。

そのあいだにも革命は着々と進行していた。ラメルハート、ヒントン、ウィリアムズの誤差逆伝播法に関する論文の発表は、爆弾並の効果があった[*13]。セイノフスキーのNetTalkの成功は破竹の勢いで広がっている。ニューラルネットワーク研究コミュニティも急成長している。私が作ったニューラルネットワークのシミュレーションと誤差逆伝播法による学習のソフトウェア（相変わらずHLMという名前だった）は一部のフランス人実業家の関心をひき、トムソンCSF（現・タレス）にもひとつ買ってもらった。

1987年6月に博士課程を終えた私は、パリ第6大学での論文審査に松葉杖を突きながら臨んだ。というのも、4月に陸上ヨットを走らせる新たな方法を模索しているときに足首を骨折してしまったのだ。論文審査員は、ジェフリー・ヒントン、モーリス・ミルグラム、フランソワーズ・フォーゲルマン＝スーリエ、ジャック・ピトラ（フランスにおける記号処理的AI研究の中心人物のひとり）、ベルナール・アンジェニオール（トムソンCSFの研究グループのトップ）という面々だった。1カ月後、私は妻と1歳になった息子を連れて、トロント大学のジェフの研究室に加わった。妻は薬剤師としてのキャリアを中断し、北米にいるあいだ（長くても1年の予定だった）は、育児に専念することに同意してくれた。

私はジェフの研究室に、1987年の初めに知り合った友人のレオン・ボトゥを連れて行った。当時、彼はまだ学生で、エコール・ポ

---

***13** D. E. Rumelhart, G. E. Hinton, R. J. Williams, "Learning internal representations by error propagation", in D. E. Rumelhart, J. L. McClelland(dir.), *Parallel Distributed Processing: Explorations in the Microstructure of Cognition*, The MIT Press, 1986, vol. 1, pp. 318-362.

リテクニークで最終学年を送っていた。ニューラルネットワークに興味のあった彼は、最終学年のインターンを私とやることにしたのだが、私がまだ博士号を取得していないことが学校にばれないように気を使っていた。このとき私はすでに、ニューラルネットワークを作成・訓練するための新しいソフトウェアを作成する計画を立てていた。このソフトは、Lisp インタプリタ（非常に柔軟でインタラクティブなプログラミング言語）で操作するシミュレータだ。このLisp インタプリタの作成をレオンに依頼したところ、彼はなんと3週間で作り上げてしまった。私はCommodore（コモドール）社のAmigaというパソコンを使っていたのだが、レオンも同じ種類のパソコンをもっていることがわかって、2人の仲が深まった。Amigaは当時のPCやMacとは異なり、北米のIT関連の部署で普及していたワークステーションUnixと似たような特性をもっており、コンパイラgccとテキストエディタEmacsを使ってC言語でプログラムする。私はLaTeXを使ってAmigaで論文を書いた。レオンとは、Amigaをミニテル[訳注]に接続して、プログラムのやり取りをしたものだ。

われわれは、このプログラムを「Simulateur Neuronal（Neural Simulator)」の頭文字をとってSNと名付けた。これが、長きにわたるレオンとの協力関係と友情の始まりだった。現在、ニューヨークのFAIR[*14]のオフィスでは、レオンと私のデスクは隣り合わせになっている。

トロントで、私はSNを完成させ、頭の中で考えていた画像認識に適したニューラルネットワーク（畳み込みニューラルネットワーク）のアーキテクチャのアイデアを実現できるように修正した。これは福島のネオコグニトロンに触発されたものだが、ネオコグニ

訳注　インターネットに先駆けて、フランスで普及していた電話線経由の家庭用情報端末システム。

*14　Facebook Artificial Intelligence Research（Facebook人工知能研究所)。

トロンは古典的ニューロンを使っており、誤差逆伝播法で訓練される。同じころ、ジェフリー・ヒントンは、音声認識用にもっと単純な別種の畳み込みニューラルネットワークを開発した。彼はそれをTDNN（Time Delay Neural Network）と名付けた。

1987年末、私は講演依頼を受け、マギル大学に併設されているCRIM（モントリオールコンピュータ科学研究センター）に出かけた。講演が終わると、ひとりの修士課程の学生が矢継ぎ早に質問をしてきた。多層ニューラルネットワークの研究に真剣に打ち込んでいる様子である。当時、この分野の研究者は数えるほどしかいなかった。その学生は、音声やテキストのような時間的な信号をニューラルネットワークで処理するには、アーキテクチャをどのように修正すべきかに頭を悩ませていた。私は彼の名前を記憶にとどめた——ヨシュア・ベンジオ。質問があまりにも的を射ていたので、彼が学業を終えたら一緒に仕事がしたいと思い、その動向に絶えず気を配っておくことにした。博士号を取得後、MITで少しポスドク生活を送った彼は、私の誘いを受けてベル研究所に入ることになる。

## 2-12 大御所たちの殿堂

レズーシュでのシンポジウムは、ほかにもさまざまな副産物をもたらした。1986年、ピッツバーグで開かれたサマースクールに参加していると、そのことを聞きつけたラリー・ジャッケルとベル研究所適応システム研究部門のメンバーに、帰りにニュージャージーにあるベル研究所に立ち寄って講演をしないかと誘われた。ベル研究所を初めて訪れた日のことは、今でもよく憶えている。この威厳に満ちた研究の殿堂で（少なくとも1980年代はそうだった）、現代世界の技術の数々が発明されてきたのだ。そう思うと感慨深かった。物理学や化学、数学、コンピュータ科学、電気工学の大御所たちがこの研究所に集結していた。ラリー・ジャッケルの研究室の隣には、レーザーによる原子トラップの研究で2018年にノーベル物理学賞を受賞することになるアーサー・アシュキンの研究室があった。そのそばには、スティーヴン・チューの研究室もある。1997年にレーザーによる原子の冷却および捕獲に関する発見でノーベル物理学賞を受賞した人物だ。複数の拠点を合わせて1200人のスタッフを抱えるベル研究所「研究」部門のトップは、アーノ・ペンジアスだった。彼もまた、ビッグバン理論を証明する宇宙放射線の発見によってノーベル賞受賞者となった。頭がクラクラした。

研究所は、ニューヨークの南60kmに位置するホルムデルにある。建物自体が息をのむような美しさだった。フィンランドの有名な建築家、エーロ・サーリネンの設計によるものだ。8階建てで、横300メートル、縦100メートルのガラスでできた平行六面体を想像してみてほしい。その中で、エンジニアを中心とする6000人以上の従業員が働いていた。研究スタッフは約300人だった。

1987年春、ラリーはふたたび私をベル研究所に招いた。今回は就職の面接のためだ。私は彼に言った。「ぜひとも妻を招待してください。説得が必要なのは、私ではなく妻のほうなんです」。私が研究所のメンバーと話しているあいだに、ラリーは妻のイザベルと当時1歳半だったケヴァンをドライブに連れ出した。ラリーは妻にこの地域の利点を並べ立てた。緑が豊かで、アメリカンスタイルの大きな家に住める。近くには海もある。ニュージャージー州は「ガーデンステート」の愛称がぴったりの場所だ……。その夜はイタリアレストランでの会食。そこで、ケヴァンが疲れて泣き出した。長いもみあげを生やしたジョン・デンカーが息子を抱きかかえてレストラン内を歩き回る。ケヴァンはすぐに落ち着いた。後から知ったのだが、デンカーは4人兄弟の長男なので、小さな子の面倒をみるのは慣れていたのだそうだ。きわめて優秀な物理学者・エンジニアであることに加え、フランス語が読め、ヴォルテールやゾラの名言を引用する。アリゾナ出身のカウボーイにしては悪くない。翌日はラリーと2人の同僚に連れられて、マンハッタン見物に出かけた。ワールドトレードセンタービルの屋上まで上がりたかったが、その日はあいにく天気が悪く、警備員によしたほうがいいと忠告された。それでも、ツインタワーの片方からエレベーターに乗った。屋上に着くと、霧が濃すぎてもう片方のタワーが見えないくらいだった。とはいえ、こう手厚くもてなされては受け入れるほかなかった。イザベルと私は、ニュージャージーに1年か2年滞在することに合意した。

かくして1988年10月、私はベル研究所に採用された。ラリーが率いる部門は、適応フィルタアルゴリズムを発明した天才エンジニア、ボブ・ラッキーの部に属していた。ラッキーは、ホルムデルとその隣に位置するクロフォードヒルの研究者300人を抱える「BL113」部のトップだった。ニューラルネットワーク研究グループの創設を許可したのは彼である。何度か会ったことがあるが、すらりとした長身の個性的な人物で、何にでも興味をもった。もちろん通信技術もその例外ではなかった。私は、ベル研究所のもうひとりの大物、ジョン・ホップフィールドとも接点があった。スピングラスとニューラルネットワークを関連付けた人物で、彼とはすでに4年前、レズーシュで会っていた。

労働条件は、フランスとは比べものにならないほどよかった。設備は驚くほど整っているし、研究テーマもまったく自由に選べた。同僚たちはみな、それぞれの専門分野の第一人者だった。入所すると、Sun 4というコンピュータを独り占めできた。トロントでは40人でシェアしていた機種だ。「ベル研究所では、ケチケチしていては有名にはなれないんだ」という話だった。なんとも考えさせられる言葉だ。

## 2-13 ベル研究所時代

すでにトロントで畳み込みニューラルネットワークの試作を始めていたが、そのサンプルデータには、自分でマウスを動かして作った手書き風数字のごく小規模なデータセットを使うほかなかった。ところが、ベル研究所のチームは、米国郵便公社（USPS）から「本物の」手書き数字（封筒に書かれた郵便番号）の画像を 9298 枚も調達してきた。私のソフトウェア SN の畳み込みニューラルネットワークモジュールは、すでに準備が整っていた。そこで、入力が 16 × 16 ピクセルで、4 層からなる「大規模な」畳み込みニューラルネットワークを構築することにした。全体では、1256 個のユニット、6 万 4660 個の接続、9760 個の調整可能なパラメータ（畳み込みニューラルネットワークでは、複数の接続が同じパラメータを共有する）からなる。まさに怪物である。7291 枚の学習サンプルで訓練するのに、Sun 4 で 3 日かかった。それでも、2007 枚の評価用サンプルでエラー率 5% と、過去の記録を軽く更新した。この結果は、入所後 2 カ月足らずで得られたものだ。ラリーは大いに満足し、このネットワークを LeNet（Le Cun のもじり）と名付けた。すぐに毎秒 30 文字を認識できる小型のアクセラレータカード上で動かすことにも成功した。進歩は目覚ましく、続いて、4600 個以上のユニットと 10 万近くの接続をもつ新しい畳み込みニューラルネットワーク LeNet1 を開発した。エラー率も下がった。

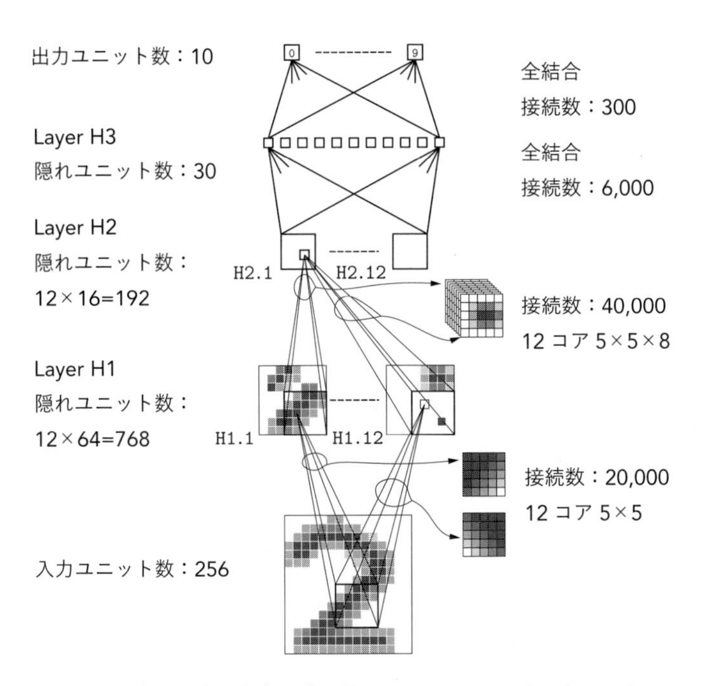


**図 2.2** 初の手書き文字認識用畳み込みニューラルネットワーク

1988 年末にベル研究所に入所後、初めて構築した畳み込みニューラルネットワーク。このネットワークは視覚野にヒントを得たもので、アーキテクチャは 4 層で構成されている。最初の 2 層のニューロンは、前の層の受容野と呼ばれる小領域に接続されている（畳み込みニューラルネットワークを論じた第 6 章を参照）。層を経るにつれ、特徴抽出はどんどん抽象的で包括的なものになっていく。

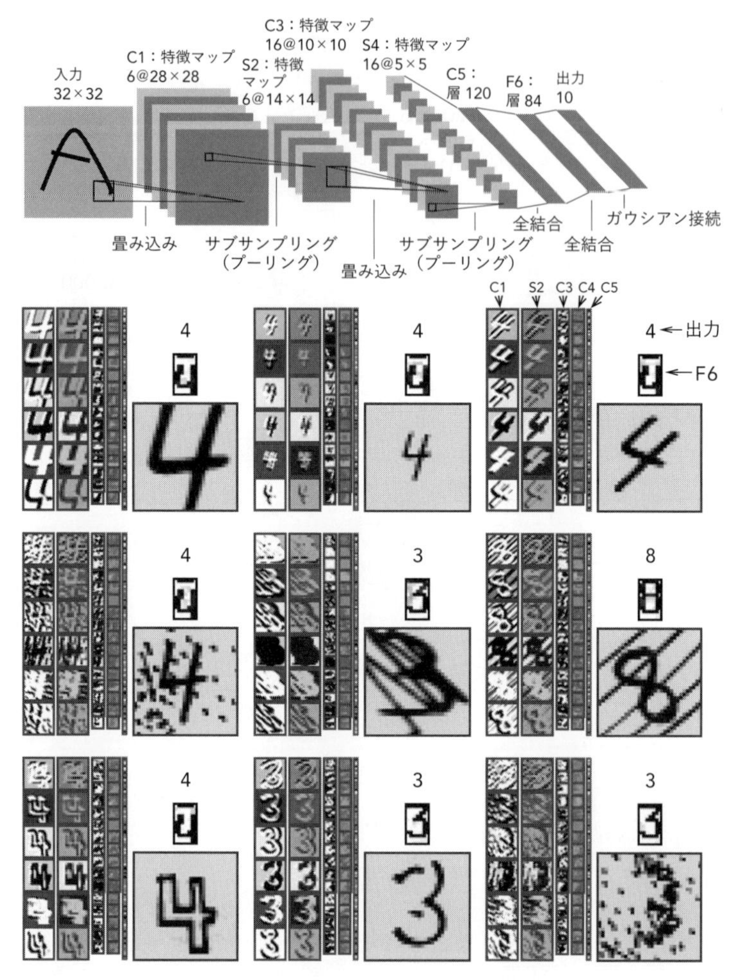


**図 2.3**　LeNet5：手書き文字認識用に商品化された畳み込みニューラルネットワーク

この第2世代ネットワークのアーキテクチャは、7層で構成されている。第1世代よりもかなり大掛かりで、畳み込み用とプーリング用にそれぞれ別個の層が使われている（第6章を参照）。くせのある数字でも認識できる。

すぐにラリーは、技術開発を進めて製品化につなげるために、ベル研究所のエンジニアリング部門でパートナーを探した。すると、このプロジェクトに興味を示す技術者グループが見つかった。われわれは協力し合って、すぐさま銀行小切手の金額を読み取るシステムを開発した。

このシステムには、20 × 20 ピクセルの「網膜」を備えた、接続数 34 万の「大規模」畳み込みニューラルネットワーク LeNet5 を使用した。私は同僚の友人たち、レオン・ボトゥ、ヨシュア・ベンジオ、パトリック・ハフナーの助けを借り、技術者たちと協力しながら開発を進めた。このシステムは小切手の約半数の金額を読み取った。エラー率は 1% 未満である。残りの半分は機械から排出されてしまうので、後は手作業で処理するほかなかった。システムの精度が実用に足るレベルに達したのはこれが初めてである。

タイミングよく、ベル研究所の親会社 AT&T の子会社 NCR が銀行向けの小切手スキャナとキャッシュディスペンサーを商品化することになり、これらにわれわれの自動読み取り装置が搭載されることになった。市場へは 1994 年に投入され、NCR キャッシュディスペンサーがフランスの銀行クレディ・ミュチュエル・ド・ブルターニュに設置された。このシステムは、機械に挿入された小切手の金額を自動的に読み取ることができた。

1995 年、高速読み取りシステムが初展開される。それを記念して、われわれは研究所から数 km 離れたレッドバンクという魅力的な小都市に繰り出し、イタリアレストランで祝賀会を開いた。ちなみに、レッドバンクは、ジャズマンのカウント・ベイシーや映画監督のケヴィン・スミスの生まれ故郷である。

その帰り道、AT&T 経営陣が会社をいくつかの独立企業に分割することを決定したとの情報が入った。数カ月後、NCR が製品の開発と商品化を担当していたグループを引き連れて独立した。続いて、新会社ルーセント・テクノロジーズが、「ベル研究所」ブランドと研究所の大半をもらい受けて分離した。われわれと共同作業をしていたエンジニアのグループもこの会社に属することになった。しかし、われわれの研究チームはそのまま AT&T に残り、AT&T

研究所という新しい組織に属することになった。残念ながら、プロジェクトは中止を余儀なくされた。

NCRとルーセントは製品の販売を継続しており、1990年代後半には、アメリカで発行された小切手の10～20%をわれわれのシステムが読み取っていた。これは、1990年代におけるニューラルネットワークの最も目覚ましい成功例のひとつである。

一方、新しいAT&Tは電気通信サービス会社となり、この種のテクノロジーには関心がなかった。1996年、部門長に昇格した私は、グループの新しいプロジェクトを見つける必要に迫られた。当時はインターネットが大流行していたころだった。そこで、高解像度でスキャンした紙文書をインターネットで配信することを想定し、そのための画像圧縮に取り組むことにした。世界中の図書館がスキャンした蔵書を、インターネット上で利用できるようになればいいなと思ったのだ。夢を実現するには、それに適した技術が必要になる。その技術は1998年に、DjVu（フランス語風に「デジャヴュ」と発音）という名で導入されることになる。DjVuは、高解像度カラースキャンしたページを約50キロバイトに圧縮することができ、JPEGやPDFの10倍の圧縮率を実現していた。

残念ながら、AT&TはDjVuの商品化に失敗した。大企業が自社の研究室が生み出した革新的技術をうまく商品化できないのは、よくある話だ。たとえば、ゼロックスの歴史に残る大失態を考えてみればいい。カリフォルニア州にあるゼロックスのパロアルト研究所（PARC）は、現代のオフィスオートメーションを発明した。パーソナルワークステーション、コンピュータネットワーク、マルチウィンドウのグラフィックディスプレイシステム、マウス、レーザープリンタ。しかし、ゼロックスはこれらの技術を商品化することができず、スティーヴ・ジョブズのApple社にコンセプトを模倣されるがままにした。その結果生まれたのが、LisaやMacintoshである。

AT&Tも似たようなものだった。R&D（研究開発）部門であるベル研究所の発明の数々は、たしかに社内には一定の影響を与えてきた。しかし、ほかの企業は、トランジスタ、太陽電池、CCDカメラ、オペレーティングシステムUnix、プログラミング言語のCやC++などで大きな利益を得た。AT&Tは自前の技術をないがしろにし、DjVuのライセンスを、すでに画像市場に参入していたシアトルの企業LizardTechに1000万ドルで売却してしまったのだ。結局、そのLizardTechも商品化に失敗してしまう。LizardTechにはぜひ、ベースコードをオープンソースで配布することをお勧めしたい。新しい規格を受け入れてもらうには、誰もがアクセスできるようにしておくしかないからだ。それなのに何たることか、彼らはコードを秘密にしておかないと、コントロールが効かなくなって利益を独り占めできなくなると思い込んでいる。そのうち考えも変わるだろうが、そのときにはもう遅い。結局、自分で自分の首を絞めているのだ。だが、それはまた別の話だ。

## 2-14 タブー視されるニューラルネットワーク

1995年から、新たな暗黒時代に突入した。畳み込みニューラルネットワークというわれわれの考え方は、もはや顧みられることもなく、ましてや別の分野へ応用されることもなくなった。私は、モントリオールに戻ってからも私の勤めるAT&T研究所に非常勤で所属し続けていたヨシュア・ベンジオや、トロントを離れてロンドンで理論神経科学の研究所を設立したジェフリー・ヒントンら、ごく少数の仲間とともに、孤高の信念を貫き通していた。どうして機械学習コミュニティでニューラルネットワークへの関心が低下してしまったのか？　これは謎であり、科学史家や科学社会学者にぜひとも解明をお願いしたいところである。ニューラルネットワークはふたたびタブーも同然になった。畳み込みニューラルネットワークはジョークのネタにされた。あんなややこしいものを動かせるのは、ヤン・ルカンくらいのものだ、と言われていたのだ。アホ抜かせ！

おそらく技術上の壁が普及を妨げていたのだと思う。畳み込みニューラルネットワークは膨大な計算が必要となるが、当時のコンピュータは遅い上に高価だった。データセットの規模も小さすぎた。なにしろインターネットが爆発的に普及する前の話だから、データも自分で集めなければならない。それには費用もかかるので、開発するアプリケーションも制限される。結局、SN のようなニューラルネットワーク用ソフトウェアは、研究者自身がすべて手書きで書かなければならなかった。莫大な時間の投資だ。さらに、AT&T は、私が開発したニューラルネットワークシミュレータ SN をオープンソースで配布することを許可していなかった。許可されていれば、畳み込みニューラルネットワークはもっと早くに受け入れられていたかもしれない。先に見たように、当時の企業は「自分の身は自分で守れ」を実践していたのだ。

レオン・ボトゥは 1991 年に博士号を取得するとすぐにベル研究所に加わった。しかし、アメリカが性に合わず、1 年後にフランスに戻り、以前に数人の友人と設立していたスタートアップ Neuristique に復帰した。この会社は SN のバージョンのひとつを商品化し、ニューラルネットワークを導入したい企業にサービスを提供していた。彼らのシステムはあまりにうまく機能したので、導入を検討している顧客に疑念を抱かせることも少なくなかった。こうした顧客にアドバイスを求められた専門家は、いくら議論の余地のない結果が出ていようとも、Neuristique がやっていることは「ありえない」と答えていたらしい。この体制を数年続けたレオンは、研究の道に戻ることにした。彼は会社を去り、今度は腰を落ち着ける考えで、アメリカに戻ってきた。そして、ふたたびベル研究所で顔を合わせることになった。

そういう時代だったので、ニューラルネットワークは見捨てられ、サポートベクターマシン（support vector machine：SVM）（第 3 章で詳しく述べる）や「カーネル法」が人気を博していた。皮肉なことに、カーネル法は、1992年から1995年にかけて、イザベル・ギヨン、ウラジーミル・ヴァプニク、ベルンハルト・ボザーというベル研究所当時の同じ部門の同僚の友人たちによって発明されたものだ。このテクニックは、1995年から2010年にかけて機械学習の主要なアプローチとなった。また、ベル研究所の別部門の同僚だったロバート・シャピアとヨアフ・フリューンドが開発した技術、「ブースティング」(boosting)にも関心が集まった。みな仲のいい友達だ。このことからも、当時のベル研究所の、知的な議論の一端を窺い知ることができるだろう。すっかり衰退したニューラルネットワークは、新たに15年近く冬の時代を過ごすことになる。

1995年、畳み込みニューラルネットワークの未来をまだ信じていたラリー・ジャッケルは、SVMのほうが人気になっている現状を残念に思っていた。ウラジーミル・ヴァプニクは数学者なので、動作が数学的に保証されているSVMを好んでいた。ニューラルネットワークが気に入らないのは、動作が複雑すぎて美しい理論で説明できないからだった。そこでラリーは、ヴァプニクに2通りの賭けをもちかけた。ひとつ目の賭けはこうだ。2000年3月14日までに、ニューラルネットワークがきちんと動作する理由を説明できる数学理論が見つかるかどうか？　ラリーは見つかるほうに賭けた。ヴァプニクは見つからないほうに賭けた。ただし、例外となる条件がひとつ。その数学理論を発見したのがヴァプニク本人であれば、ヴァプニクの勝ち。ラリーは、ヴァプニクにこの理論を展開させたいがために、こんな賭けを思いついたのだった。

2つ目の賭け。2005年3月14日以降も、ニューラルネットワークを使っている人がいるかどうか？　ヴァプニクはいないほうに賭け、ラリーはいるほうに賭けた。2人は賭けの書面にサインをした。私も証人としてサインをした。それぞれの賭け金は、一流レストランでのディナーだ。

結局この勝負は、ラリーは最初の賭けに負け、ヴァプニクは2つ目の賭けに負ける。立会人である私は、結果がどうであれ、2回のディナーにありつける。なんともおいしい賭けだった。

1. Jackel bets (one fancy dinner) that by March 14, 2000, people will understand
quantitatively why big neural nets working on large databases are not so bad. (Understanding means that there will be clear conditions and bounds)

Vapnik bets (one fancy dinner) that Jackel is wrong.

But .. If Vapnik figures out the bounds and conditions, Vapnik still wins the bet.

************************************************************

2. Vapnik bets (one fancy dinner) that by March 14, 2005, no one in his right mind will use neural nets that are essentially like those used in 1995.

Jackel bets ( one fancy dinner) that Vapnik is wrong

____________________ 3/14/95
V. Vapnik

____________________ 3/14//95
L. Jackel

____________________ 3/14/95
Witnessed by Y. LeCun

**図 2.4** 1995 年にラリー・ジャッケルとウラジーミル・ヴァプニクが行った賭け

1. 2000 年 3 月 14 日までに、大規模データベースで訓練された大規模ニューラルネットワークがきちんと動作する理由を理解する研究者が現れるかどうか？　ジャッケルは、現れるほうに賭けた（賭け金はおいしいディナー)。「理解」とは、明確な条件と限界を見つけるという意味。ただし、解決策を見つけたのがヴァプニクだった場合は、ヴァプニクの勝ち。ヴァプニクは、ジャッケルが不正解なほうに賭けた。
2. 2005 年 3 月 14 日までに、まともな人で、1995 年のものと本質的に同じニューラルネットワークを使っている人は誰もいなくなるかどうか？　ヴァプニクは、いなくなるほうに賭けた（賭け金はおいしいディナー)。ジャッケルは、ヴァプニクが不正解なほうに賭けた。

結局、ひとつ目の賭けはヴァプニクが勝ったが、2 つ目の賭けはジャッケルが勝った。

2001年、レオン・ボトゥと私はDjVuプロジェクトに終止符を打った。5年あまりのあいだ、われわれは機械学習にはほとんど手をつけていなかったが、1990年代前半に行った研究の詳細を伝える長い論文を何本か書いた。これらの論文は私にとって、一時的な休戦を告げる白鳥の歌のようなものだった。コミュニティはもはやニューラルネットワークに興味をもってはいなかったが、ニューラルネットワークがどのように機能するのかを彼らに示しておきたかったのだ。ほかにも、啓蒙的で包括的な試論を新たに書いて、1998年に権威ある専門誌『*Proceedings of the IEEE*』に掲載された。ルカン、ボトゥ、ベンジオ、ハフナーによる論文「Gradient-based learning applied to document recognition」[*15]は、今では名の知れた論文である。

この論文は、畳み込みニューラルネットワークを機能させる方法を詳しく解説したもので、パラメータ化された微分可能なモジュールを組み立てることで学習システムを構築するという考えが展開されている。また、古典的ニューラルネットワークでは数の集まりしか操作できないのに対し、「グラフトランスフォーマーネットワーク」(graph transformer network)という最新の手法を使えば、モジュールでグラフを操作するシステムの訓練も可能になる、ということも述べられている。さらに、文字認識システムの構築・訓練方法も提示してある。1998年から2008年までは、論文の被引用数が1年に数十件と大した反響はなかったが、2013年以降は指数関数的に増大し、2018年には5400件に達した。論文が最初に発表されたのが10年前であったにもかかわらず、今では多くの人がそれを畳み込みニューラルネットワークの草分け的論文とみなしている。2019年には被引用数が2万件を超え、私の論文の中でも一番の花形論文だ。

---

***15** Yann LeCun, Léon Bottou, Yoshua Bengio, Patrick Haffner, "Gradient-based learning applied to document recognition", *Proceedings of the IEEE*, 1998, 86 (11), pp. 2278–2324.

**図 2.5**　AT&T 研究所画像処理研究部門発足時の記念写真

私は 1996 年から 2002 年初頭まで、この研究部門の部門長を務めていた。（後列、左から右）ウラジーミル・ヴァプニク、レオン・ボトゥ、ヤン・ルカン、ヨルン・オステルマン、ハンス＝ピーター・グラフ。（前列）エリック・コサット、パトリシア・グリーン、フージー・ファン、パトリック・ハフナー。ヴァプニク、ボトゥ、グラフ、コサット、ファンは、2002 年初頭に私とともに NEC に移籍。

2001 年末、インターネットバブルはすでにはじけてしまっていた。AT&T は、光ファイバーと同軸ケーブルを介してすべての家庭にインターネットとテレビを供給するという計画を立てていたが、ウォール街は納得せず、株が暴落した。どうにもならなかった。DjVu の売却後に受け取ったストックオプションは、紙切れ同然になった。音声認識のパイオニアである AT&T 研究所副所長ラリー・ラビナーは、まだそんな年齢でもないのに、3 カ月後に退職すると発表した。彼の研究への熱意と、キャリアのすべてを過ごした研究所への献身ぶりを知っている私には、その知らせが世界の終わりの前触れのように思えた。私はひそかに別の研究職のポストを探した。

ギロチンの刃は 2001 年 12 月に落ちた。経営陣はまたもや会社を分割すると発表し、研究スタッフの半分を解雇することに決めた。

私にはすでに日本の企業NECからオファーが来ていた。だから、ほかの研究スタッフと一緒に研究所を去ろうと思った。私は上司に言った。「会社が何に興味をもっているかなんてどうでもいい。私は、視覚、ロボット工学、神経科学の研究をするつもりだ」。発言に嘘はなかったが、わざとクビにしてもらおうとしてそう言ったのだ。私は彼がそのとおりにしてくれたことに感謝している。レオン、ヴァプニク、私の3人は、2002年の初めにAT&Tをやめ、プリンストンにある日本電気（Nippon Electric Company）の名門研究所であるNEC研究所に移った。そして、ニューラルネットワークの研究を再開した。

AT&Tを去る前に、研究室のメンバーの写真を何枚か撮った。

当時、ヴァプニクは名声と権勢の絶頂にあった。記念になる写真を撮ろうと思ったが、ふといたずらをしてみたくなった。私はホワイトボードに彼の名を冠した学習理論の公式を書いた。ヴァプニクを有名にした公式である。ボードの前でポーズをとってもらった。「代表作」の前で写真を撮るというので、彼はとても喜んでいた。しかし、私は公式の下に「All your bayes are belong to us」という文章を付け足した。これはできの悪いダジャレで、少し説明が必要だ。当時、インターネット上では、日本のビデオゲーム「ゼロウィング」をからかう「ミーム」[*16]が流行っていた。日本語のセリフの英訳がいい加減だったのだ。銀河の覇者といった役回りの登場人物が、つたない英語でこう言う。「All your base are belong to us.」元の日本語は、おそらく「君たちの基地はすべてわれわれがいただいた」といった感じなのだろう。英語があまりに変なので、有名になったセリフだ。説明を続けると、ヴァプニクの学習理論に対抗するアプローチにベイズの定理に基づくものがある。この定理は結合

---

*16 ミーム（meme）とは、人々が拡散することによって複製される観念。進化生物学者リチャード・ドーキンスによる造語で、複製方法が似ていることから「gene（遺伝子）」をもじって名付けられた。

**図 2.6**　ウラジーミル・ヴァプニク（2002 年）

彼を有名にした学習理論の公式を背に撮影。その下の文章は、当時インターネット上で流行っていたミームに触発されて作ったできの悪いダジャレだ。

確率と条件付き確率を関連付けるもので、その名は 18 世紀イギリスの数学者・牧師トーマス・ベイズ（Thomas Bayes）にちなむ。ベイズ理論が嫌いだったヴァプニクは、語頭に「v」の音を響かせる独特のロシア語なまりで、「wrong（ヴロング）（デタラメな）」理論だと言っていた。そこで私は、有名なミームの「BASE」を「BAYES」に書き換えて、ヴァプニクを機械学習という銀河の覇者に仕立てあげたのだ。2002 年にこの写真を私のウェブサイトに投稿したところ、すぐにヴァプニクの「公式」写真となり、彼のウィキペディアのページでも参照されている。ヴァプニクがこのジョークの細かな意味や文法の間違いに気づいていないと思うと、とても愉快だ。

NEC に移ってから 2 週間後、Google の CEO ラリー・ペイジから電話がかかってきた。当時 Google はまだ 600 人規模のスタートアップだったが、すでに話題の的になっており、誰もがそのサービスを利用していた。聞けば研究部長を募集しているという。ラリーが私のことを知っていたのは、彼がDjVuびいきだったからだ。私は面接に合格した。Googleは約束のポストを用意してくれたが、結局、辞退することにした。ひとつには、私の家族がカリフォルニアに引っ越したがらなかったということがある。また、たとえオファーが魅力的であったとしても、それまでの6年間、部門長を務め、応用研究プロジェクト（DjVu）を取りまとめてきたので、そろそろ基礎研究に戻って、学習やニューラルネットワーク、神経科学、ロボット工学の研究に取り組みたいと思っていたということもある。まだ利益の出ていない600人のスタートアップでは、管理職に就いてしまえば、なおさらこの目標を追求できる見込みはないと考えたのだ。

ところが、こともあろうに、NECはその後1年も経たないうちに財政難に直面し、会社の利益に直接結び付くアプリケーションを作るようにと、プリンストン研究所にプレッシャーをかけてきた。一流の物理学者や生物学者、視覚研究者らが次々と辞めていった。NECの経営陣は、機械学習には興味がないと伝えてきた。研究所長が更迭され、後任に研究歴のない事務方役員が送り込まれた。研究組織をつぶすには最も確実な方法だった。

1年半ほどNECに在籍した後、私は2003年にニューヨーク大学（NYU）に教授として着任することになる。ほかにもいくつかの大学に応募書類を提出しており、イリノイ大学アーバナ・シャンペーン校と豊田工業大学シカゴ校からは内定をもらっていた。しかし、NYUからは返事がなく、不安が募った。

応募を勧めてくれた人物に連絡を取ると、彼は驚いて、「応募したの？　何にも届いてないよ」と言うではないか。実は、応募書類を管理している担当者のパソコンに不具合が生じ、半数の応募者のデータが消えてしまっていたらしい。期限が迫っていたが、NYUはなんとか面接試験の場を設けてくれた。当日は、研究実績の口頭発表から始まった。もちろんコンピュータ科学科の科長も聞きに来ている。

科長の名はマーガレット・ライト。オペレーションズリサーチの第一人者だ。彼女も以前ベル研究所に在籍していたので、彼女のことは知っていた。マーガレットとは、その数年前にカリフォルニア大学バークレー校で開かれたワークショップで少し口論になったことがある。彼女はオペレーションズリサーチの有名な成果の一部が機械学習に適用できると考えていたが、私はその意見に同意しなかった。そのことを忘れていてくれればと祈る思いだったが、そう都合よくはいかない。私が発表を終えると、マーガレットはそのときの議論を正確に振り返りながら質問をしてきた。これで間違いなくニューヨーク大学教授のポストは御破算になったと観念した。だが、早とちりだった。彼女がずっと忘れずにいたのは、あの日、私から何かを学んだということだったのだ。2003年9月、私はニューヨーク大学の教授に採用された。これでニューラルネットワークの研究計画を再開できる。私は、それが機能することを何としてでも証明しようと決意を新たにした。

1990年代後半以降、畳み込みニューラルネットワークの次なる成功は画像の物体認識の分野で起きると私は確信していた。だから、1997年のCVPR（Computer Vision and Pattern Recognition）で論文を発表したが、興味を示す人はほとんどいなかった。それでも、この分野の大物の中には、コンピュータビジョンにおいて機械学習が重要な役割を果たすことになるだろうと見抜いている人もいた。イリノイ大学のデイヴィッド・フォーサイスもそのひとりだった。彼は、世界的科学者が集うシチリア島でのワークショップに私を誘ってくれた。そのワークショップでは、当時イリノイ大学のジャン・ポンス（現在はパリ高等師範学校で教えている）、カーネギーメロン大学のマーシャル・ヘバート、カリフォルニア大学バークレー校のジテンドラ・マリク、オックスフォード大学のアンドリュー・ジッサーマン、カリフォルニア工科大学のピエトロ・ペローナら、多くの人たちに出会った。意外なことに、彼らはみな畳み込みニューラルネットワークの性能の高さに驚いていた。2000年にはCVPR

での講演を依頼された。コミュニティの中に居場所もでき、私は後に実を結ぶことになる人脈を広げていった。2000年代に入ると、機械学習はコンピュータビジョンにおいて重要性を増していった。しかし、畳み込みニューラルネットワークがコンピュータビジョンの主流となるのは2014年以降のことだ。この分野の先達者たちは新しい考え方に理解を示してくれたが、われわれの論文を審査する彼らの後輩はそれほど寛容ではなかった。

## 2-15 「ディープラーニングの陰謀」

そこで私は、ジェフリー・ヒントン、ヨシュア・ベンジオとともに、ニューラルネットワークに対する関心を科学コミュニティによみがえらせようと決意した。われわれは、ニューラルネットワークがうまく機能し、画像認識や音声認識を大幅に向上させることができるとずっと確信していた。幸いなことに、われわれに興味をもってくれた団体があった。CIFAR（シーファー）(Canadian Institute for Advanced Research) というカナダの財団だ。よくできたネーミングで、「遠くを見る」という意味の英語「see far（シー ファー）」との語呂合わせになっている。2004年、CIFARは5カ年プログラム「神経計算と適応知覚」(Neural Computation and Adaptive Perception：NCAP) を立ち上げた。ジェフリー・ヒントンが代表になり、私は科学顧問を任された。NCAPは、即席の小さな科学コミュニティのような場所だった。そこにみんなで集まり、ワークショップを開催したり、学生を招いたりした。

多くの研究者は、相変わらずニューラルネットワーク研究をばかげたものだとみなしていた。そこで、われわれは「ディープラーニング」という新語をひねり出した。私は、われら3人組（トリオ）を「ディープラーニングの陰謀」(the deep learning conspiracy) と名付けた。事実に基づくジョークだ。

われわれの論文はなかなか受理されなかった。2004年から2006年にかけて投稿したディープラーニングに関する論文は、機械学習関連の主要な学会であるNIPS（Neural Information Processing Systems）[*17]、ICML（International Conference on Machine Learning）で、ほとんどが却下された。当時、機械学習系の論文は、カーネル法、ブースティング、ベイズ確率的手法を扱ったものが多く、ニューラルネットワークは影が薄かった。CVPRやICCV（International Conference on Computer Vision）といった応用分野の学会からもいい返事はもらえなかった。

とにかく信じ続けることだ。とはいえ、決意が揺らぐこともある。話は少しさかのぼるが、1987年12月6日、ジェフリー・ヒントンはトロント大学の研究室に憔悴（しょうすい）しきって戻ってきた。ジェフらしくもない不機嫌な顔をしていた。イギリス人の例にもれず、普段はすばらしいユーモアのセンスの持ち主である彼だが、この日はジョークがさえなかった。部屋に入ってきた同僚にも無愛想なままだった。しばらくしてから、ジェフが口を開いた。「今日で40歳になった。研究生活もこれでおしまい。お先真っ暗だ」。40歳は節目の年で、それを越えると精神が干からびてしまう――彼はそう信じていた。脳の機能についてもう何も発見できないと思い込んでいた。20年後に新しいアイデアを思いついても遅すぎる。どうせ傲慢な多数派の壁に阻まれるだけだ、と。

しかし、CIFARのプログラムのおかげで、少しずつ仲間の輪が広がっていった。2006年以降は、輪の広がりが臨界値を超えたのか、学会に論文を投稿すると、査読者の中にわれわれの考えに同調する専門家が含まれていることが多くなった。われわれの論文はあちこ

---

*17 ちなみにNIPSは2018年に名称を変更し、現在はNeurIPSと呼ばれている。NIPSには性差別的な意味合いがあるとの指摘を受けたからだ（英語の「nips」は、乳首を意味する「nipples」を縮めた語）。指摘を受けるまで、誰もそんなことは考えもしなかった。2017年10月にアメリカで誕生した、女性に対する性的・性差別的な暴力を糾弾する世界的運動「#MeToo」の成果のひとつ。

ちで読まれ、広く知られ始めていた。

2007年、機械学習の主要学会であるNIPSの総会で、新たな屈辱を味わうことになった。2018年には9000人の参加者を迎えたこの会議も、当時は1000人に届くのがやっとだった。ジェフリー・ヒントンとヨシュア・ベンジオと私は、毎年参加していた。機械学習に関して最も興味深い議論が行われる場所だからだ。総会の日程は1週間。そのうち、全体会議が3日、自由な議論が交わされるワークショップが2日ある。

ワークショップは、その年の総会開催地バンクーバーの近郊にあるウィンタースポーツリゾートで開かれることになっていた。参加者は木曜日の午後にバンクーバーからバスに乗り込む。その年、われわれはディープラーニングのワークショップを主催者に提案したが、何の説明もなく拒否された。でも、こんなことでくじけるわけにはいかなかった。CIFARの資金で無許可のゲリラワークショップを企画し、参加者を運ぶバスを自前で借りた。このワークショップには300人という記録的な人数が集まった。NIPSの中でも一番の人気だった。専門家の文献に「ディープラーニング」という言葉が記されるようになったのは、このワークショップがきっかけである。

## 2-16 畳み込みニューラルネットワークの有効性が立証される

*ここから先の読み方としては、ディープラーニングにあまりなじみのない読者は、次章以降を先に読んでからこの続きを読んだほうがいいかもしれない。というのも、後ほど詳しく説明するいくつかの基本的概念が参照されているからだ。*

2003年から2013年にかけて、ニューヨーク大学の私の研究室では、畳み込みニューラルネットワークのアプリケーションを次々に開発した。2003年には、向きや照明に依存しない単純な物体の認識と顔検出（図2.7と図2.8を参照）*18に取り組んだ。私はすでに1991年にも、当時半年ほど出入りしていたフランスのパレゾーにあるトムソンCSFの中央研究所で、顔検出システムを作成したことがある。このシステムは1993年に公表されていたが、科学コミュニティには知られていなかった。

**図2.7** 畳み込みニューラルネットワークによる顔検出

左の画像は、1991～1992年に、画像内の物体検出に適用された初の畳み込みニューラルネットワークの結果。論文は1993年と1994年に発表された。右の画像は、2003～2004年にNECで開発された高性能システム。「スタートレック」に登場する宇宙人のような変わった顔でも検出でき、顔の向きや角度を推定できる。

*18 第6章の図6.12（ヤン・ルカンの祖父母の結婚式の写真）の説明を参照。

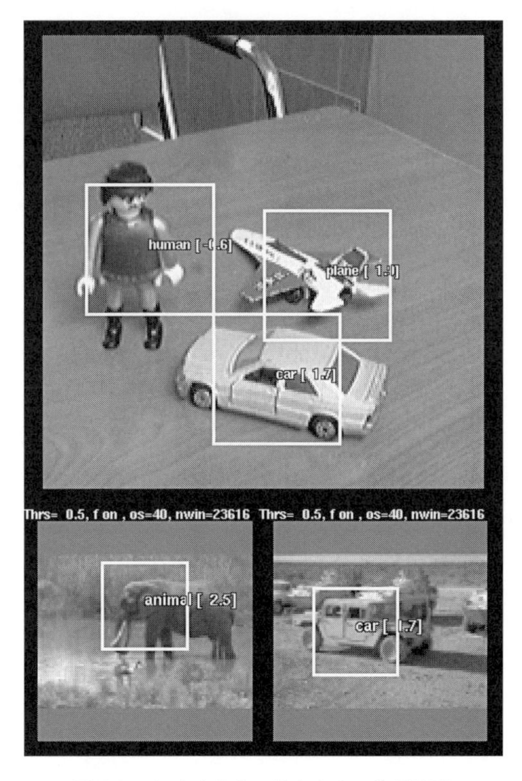


**図 2.8**　角度や向きに依存しない物体認識

5つのカテゴリ（人間、動物、飛行機、車、トラック）に分類されたおもちゃの画像を使って、畳み込みニューラルネットワークを訓練した。その結果、おもちゃとは見た目の違う一般画像でも認識できることが判明した。

2003～2004年のDAVEプロジェクトでは、かなり満足のいく結果が得られた。2台のカメラを搭載した小さなトラック型ロボットに、自然の中を自走させるというプロジェクトだ。もちろん、最初に訓練をしなければならない。人間のリモコン操縦者が1～2時間、公園や庭、林など、さまざまな環境でロボットを走らせる。システムは、2台のカメラの画像とハンドルの位置の両方を記録する。次に、入力画像からハンドルの角度を予測できるように畳み込みニューラルネットワークを訓練し、人間の操縦者がハンドルを切って目の前の障害物を避けるのと同じ振る舞いができるようにする。コンピュータでのデータ処理には数日かかる。この学習段階を経ると、システムがロボットを操縦できるようになる。

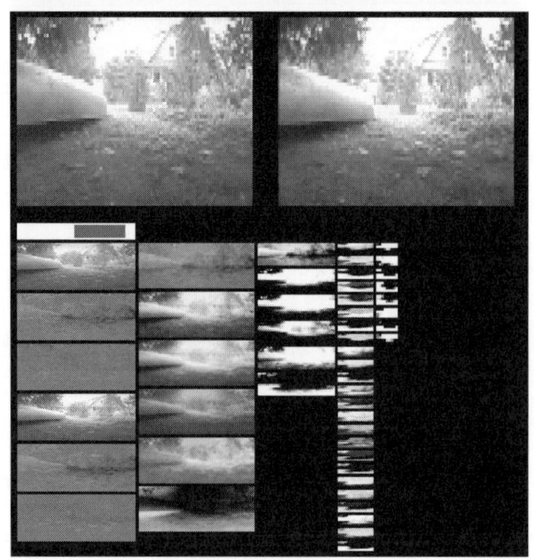

**図 2.9**　ロボット DAVE（2003 年）

この小型のラジコンカーには、カメラが 2 台搭載されている。人間のリモコン操縦者の行動を模倣するように訓練された畳み込みニューラルネットワーク（下）によって、このラジコンカーは障害物を避けながら自律的に運転できるようになる。ネットワークの入力は、2 台のカメラによる画像（中段）。ネットワークの出力は、ハンドル角度（ここでは右に切っている。画像下の明るいバーで表示）。下段のサムネイル画像は、ネットワークの一連の層におけるユニットの活性状態を表している。

しかし、この模倣学習の能力に関する実証実験は、研究コミュニティになかなか受け入れられなかった。論文がようやく受理されたのは、2006年のことである。その代わり、DARPA（Defense Advanced Research Projects Agency：国防高等研究計画局）上層部の理解が得られ、機械学習を移動式ロボットの操縦に適用する大規模な研究プログラムLAGR（Learning Applied to Ground Robots）プロジェクト（2005～2009年）が開始されることになった。これについては、第6章で詳しく述べる。この結果は、多くの自律走行車操縦プロジェクトに刺激を与えることになる。

2005年に話を戻そう。ニューヨーク大学でのこの1年は、実りあるものだった。われわれは、畳み込みニューラルネットワークがセマンティックセグメンテーション（画像の各ピクセルにそれぞれが属する物体のカテゴリをラベル付けすること、第6章で詳しく述べる）に利用できることを明らかにし、このテクニックを顕微鏡による生物画像の解析に適用した（図2.10を参照）。セマンティックセグメンテーションは、後に自律走行車やロボットの制御に大いに役立つことが明らかになった。たとえば、画像の各ピクセルを通行可能領域か障害物かにラベル付けすることができる。

さらに、畳み込みニューラルネットワークに画像同士を比較させる訓練も実施した。これは「距離学習」（metric learning）と呼ばれるもので、私が1994年に署名検証用に提案した「シャムネットワーク」（Siamese Network）という考えに基づいている。この手法を使えば、2枚のポートレート写真に写っている人物が同一人物なのかそれぞれ別人なのかを見分けられるようになる。この考え方については、第7章の畳み込みニューラルネットワークによる顔認識システムを説明する際に、詳しく述べることにする[*19]。

---

***19** 7-2節（229ページ）を参照。

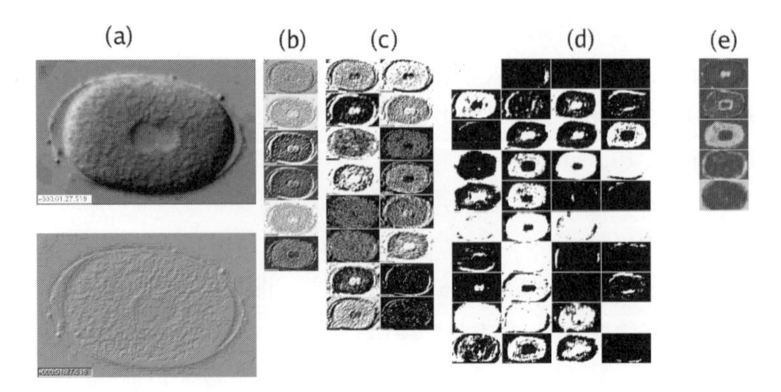


**図 2.10**　生物画像のセマンティックセグメンテーション用の畳み込みニューラルネットワーク

入力画像の各ピクセルは、5つのカテゴリ（細胞核、核膜、細胞質、細胞膜、外部環境）のいずれかに属する。(a) ネットワークの入力に線虫の胚細胞（はいさいぼう）の画像が提示される。(b) (c) (d) 畳み込みニューラルネットワークの一連の層が画像から特徴を抽出する。(e) 出力は、5つの領域カテゴリにそれぞれ1枚ずつ、合計5枚のサムネイルで構成されている。出力の各サムネイルにおいて、明るいピクセルは、入力画像の対応するピクセルが、サムネイルに結び付けられたカテゴリに属するものとして認識されたことを示している。

2007年は、一般画像の物体認識に取り組んだ。おもちゃの画像を使っての物体認識はすでに済ませていたので、今回は現実世界を写した一般的な写真を処理して、写真の主要な被写体を認識させることが目標だった。ただ残念なことに、コンピュータビジョン研究者のあいだで使われている画像データベースはあまりに小規模だった。Caltech-101のデータベースは、100ほどのカテゴリに分けられていたが、画像は各カテゴリに30サンプルずつしかなく、畳み込みニューラルネットワークを訓練するにはあまりにも数が少なすぎた。この条件なら、手作りの特徴抽出器とサポートベクターマシンベースの分類器を使う「古典的」方法のほうが有利だった。サンプル不足のため、教師なし学習（第5章で詳しく述べる）に力を入れるようになった。これは、畳み込みニューラルネットワークのすべての層を事前に訓練しておき、特定のタスクに結び付けることなく汎用的なパターンを抽出するという考え方である。要するに、ネットワークのひとつの層を訓練して、その層の入力を再構成できるような表現を生成するわけだ。これはオートエンコーダと呼ばれている。しかし、オートエンコーダには活性化するニューロンの数を最小化してしまうという特性がある。これでは、どうがんばっても古典的システムと似たりよったりの性能しか出せない。ところが、この方法でも従来の記録を上回れるアプリケーションがひとつあった。それは歩行者の検出だ。自律走行車にとても有用な歩行者の検出は、十分なデータがあった数少ないアプリケーションのひとつだった。論文は2013年6月に掲載された。この方法はふたたび話題になりつつある。

**図 2.11** 都市画像のセマンティックセグメンテーション

画像の各ピクセルは畳み込みニューラルネットワークによって、それぞれが属する物体のカテゴリ（自動車、車道、歩道、建物、木、空、歩行者など）にラベル付けされている。

LAGRプロジェクトに続き、私の研究室はDARPAの出資によるディープラーニングプロジェクトに取りかかった。これは、われわれの関心と一致した初の理想的プロジェクトだった。しかし、2009年に入ると、大統領が変わったせいで、DARPAの上層部は慎重な構えを見せた。プロジェクトに対する出資は、承認から延期、削減へと変更されていった。プロジェクトがスタートしたかと思うと、DARPAの担当者が戦意を喪失して辞任してしまった。後継者はプロジェクト自体を中止しようとした。われわれは彼に掛け合って、こちらからすれば2次的なテーマに取り組むことを条件に、なんとかプロジェクトの継続を認めてもらった。そんな状況にもかかわらず、われわれは、これまでの精度と速度を上回る、一般画像のセマンティックセグメンテーションシステムを生み出した。

コンピュータビジョンのコミュニティは依然として懐疑的で、好結果を出しているにもかかわらず、われわれの論文は2012年のCVPRに受け入れられなかった。論文を審査した査読者たちは、それまで聞いたこともない畳み込みニューラルネットワークなるものが、これほどまでにうまく機能することが理解できなかったのだ。そんな状況に、私は古いジョークを思い出した。「たしかに現実的にはうまくいっているが、はたして理論的にうまくいくのだろうか?」。彼らには、ビジョンシステムをエンドツーエンドで訓練することの利点が見えていなかったのだ。手作業での概念形成がほとんど要らないというのに、査読者のひとりの反対理由は驚くことに、機械がすべてを学習するのなら、科学コミュニティはビジョンという問題について何の知見も得られない、というものだった。幸い、この論文は数カ月後に、機械学習の主要学会のひとつICMLで受理された。

そのあいだにも、ディープラーニングは進歩し続けていた。新たな画像データベースが登場し、そのサイズも、大規模な深層ニューラルネットワークを訓練するのに十分な大きさになった。

2010年ごろ、音声認識に関して、ディープラーニング初の成果が生まれた。まだ畳み込みニューラルネットワークではなかったが、その日が来るのも間近だった。この分野で最先端を走っていたのは、Google、Microsoft、IBMの3社だ。ジェフリー・ヒントンは、天才的なアイデアをもっていた。彼の研究室に所属する3人の博士課程の学生を、サマーインターンシップを利用してその3社に送り込み、各社のシステムのコアモジュールを深層ニューラルネットワークに置き換えるよう指示したのだ。ものは試しだ。そしたら、なんと成功してしまった。システムのパフォーマンスが目に見えて向上したのである。それから1年半もしないうちに、3社はディープラーニングをベースにした新しい音声認識システムを展開し始めた。それ以降は、仮想アシスタントに話しかけると、畳み込みニューラルネットワークが音声をテキストに変換してくれる。その進歩は目覚ましく、音声に反応する一般消費者向け製品も発売されるような時代になった。

一方、ハードウェアも負けてはいなかった。グラフィックプロセッサ（GPU）の進歩にともない、コンピュータの計算能力は大幅に向上した。2006年には、私の友人でベル研究所の元同僚であるMicrosoft Researchのパトリス・シマールが、GPUをニューラルネットワークに使った初めての実験を行っていた。ほかにも、スタンフォード大学、スイスのAI研究機関IDSIA[*20]、モントリオールやトロントの研究者もこの研究を続けていた。2011年には、未来を担うのは、GPU上で大規模ニューラルネットワークを訓練できるものだということがはっきりした。GPUはディープラーニングという新たな革命の乗り物となるだろう。

2012年が節目の年だった[*21]。新しい時代が幕を開け、畳み込みニューラルネットワークの有効性が確立されたのである。畳み込みニューラルネットワークについては第6章で詳しく述べる。

---

***20** イタリア語で、Istituto Dalle Molle di Studi sull' Intelligenza Artificiale（ダッレ・モッレ人工知能研究所）。所在地はスイスのマンノ。1988年にアンジェロ・ダッレ・モッレが、彼の名前を冠した財団を通して設立した。

***21** Yann LeCun, Yoshua Bengio, Geoffrey Hinton, "Deep learning", *Nature*, 2015, 521, pp. 436-444.

Chapter

# 3

# 単純な学習機械

機械を訓練すれば、ハンドルの回転角度の決定や文字の認識といった単純なタスクをこなせるようになる。この訓練はコンピュータ科学と数学の中間に位置するもので、機械に関数 f(x) を設定し、入力信号（画像、音声、テキスト）から望ましい出力（識別された画像、音声、テキスト）が生成されるようにする。

## 3-1 発想の源アメフラシ

神経科学者たちのお気に入りだった軟体動物がいる。アメフラシだ。この生物に見られる基本的反応は、シナプス接続における適応を示しており、学習機械のモデルとして役立つ。

アメフラシの原始的な神経系（ニューラルネットワークシステム）は、呼吸のために突き出しているエラを制御している。人が指でエラに触れると、アメフラシはエラを引っ込める。

もう一度触れると、アメフラシはまたエラを引っ込め、しばらくしてから元に戻す。さらに同じことを繰り返すと、やはり引っ込めてしまうが、最初ほど奥には引っ込めない。やがてほとんど反応しなくなり、すぐにエラを出すようになる。いじられることに慣れてしまうのだ。最終的にアメフラシは、人にいじられることはあまり深刻な事態ではなく、無視しても問題ないと判断する。

精神科医で神経生物学者のエリック・カンデルは、アメフラシのニューラルネットワークを調べ、その振る舞いの変化を制御する仕組みを追究していた。エラの引き込みは、接触を検出するニューロンと引き込みを制御するニューロンとをつなぐシナプスの伝達効率の変化によって生じる。アメフラシに刺激を与えれば与えるほど、伝達効率が低下し、エラが引き込まれなくなっていく。カンデルは、シナプスの値を変化させ、最終的にアメフラシの振る舞いを変更させる生化学的メカニズムを解明した。要するに、アメフラシがどのように適応するかを解き明かしたわけだ。その功績により、彼は2000年にノーベル生理学・医学賞を受賞している。

シナプス伝達効率の変化による適応や学習のメカニズムは、神経系をもつほぼすべての生物に存在する。念のために言っておくと、脳とはシナプスによってつながり合ったニューロンのネットワークであり、シナプスの大部分は学習によって変化する。これはあらゆる生物に当てはまる。体長1mmの小さな線虫カエノラブディティス・エレガンス(*Caenorhabditis elegans*)から、1万8000個のニューロンをもつアメフラシ、25万個のニューロンと1000万個のシナプスをもつショウジョウバエ、7100万個のニューロンと10億個のシナプスをもつマウスに至るまで、ひとつの例外もない。ウサギとタコのニューロンは5億個、猫とカササギのニューロンは8億個、犬とブタのニューロンは22億個、オランウータンとゴリラのニューロンは320億個、人間のニューロンは860億個、シナプスは約150兆個。まったく知能というのは不思議なものだ。生物の知的な振る舞いは、相互作用するごく単純なユニットで構成されたネットワークの、ユニット間の接続が変化することで生じるのだ。

この知的現象を機械で再現することが、人工ニューラルネットワークをベースにした機械学習の研究目標である。シナプス伝達効率の調整による学習は、統計学者が20世紀半ばから「モデルのパラメータ同定」と呼んでいるものの一例である。

## 3-2 学習と誤差の最小化：その一例

人間のドライバーをまねて自動運転する車を作りたいとしよう。どのような手順で進めればよいだろうか？

まずは熟練ドライバーが運転する様子を記録したデータを集めなければならない。具体的には、高速道路上での車の位置と、ドライバーが車線の中央から車がずれないようにするために、ハンドルを回して車の位置をどのように修正しているかを記録する必要がある。

車線上の車の位置を測定するには、白線を検出するカメラの画像を解析すればいいだろう。白線に対する車の位置とハンドルの角度を10分の1秒間隔で記録する。こうして大量のデータが手に入る。1時間測定すれば、車の位置とハンドルの角度のデータ数は3万6000個にもなる。

このデータをグラフにプロットしてみよう。横軸の変数xが車の位置だ。これがシステムの入力になる。高速道路の車線幅が4mとすれば、真ん中に車がある場合はxが0、タイヤが右の白線にかかっている場合は2m、左の白線にかかっている場合は-2mとなる。同様に、ハンドルの角度は、グラフの縦軸の変数yである。これがシステムの出力になる。ハンドルの角度は度(°)で測定される(左に少し曲がるときは5°、直進するときは0°、右に少し曲がるときは-5°)。

運転中のドライバーを記録すれば、道路上の位置とハンドルの角度で構成されたデータが何千組(x,y)も手に入る。多くのサンプルを集めて、各要素に番号を振ったXとYの数値を2つの表にまとめていく。このデータリスト内の特定のサンプルを指定するには、その番号を角括弧で示す。たとえば、X[3]とY[3]はサンプル3を示す(これはコンピュータ科学者が好んで使う表記法だ)。p個のサンプル(たとえば、p = 36000)の集合が「学習セット」である。

```
A = {(X[0],Y[0]),(X[1],Y[1]),(X[2],Y[2]),...,(X[p-1],Y[p-1])}
```

この学習セットを使って、道路上の車の位置に応じて取るべきハンドル角度を予測するよう機械を訓練するのが狙いである。言い換えれば、人間のドライバーの振る舞いを可能なかぎり再現することで、機械に人間の運転手を「模倣」させようというわけだ。

そのために、学習セットの各xに対応するy(つまり、X[0]に対するY[0]、X[1]に対するY[1]など)を生成する関数f(x)を求める。関数f(x)が見つかると、それを使って、学習セットに存在しない x の値であっても、任意の x に対応する y を補間して計算できる。これが教師あり学習である。

## 3-3 x の関数 y を予測する f(x) を求める

完璧なドライバーを思い描いてみよう。そのグラフは、学習サンプルが 1 本の直線上に配置された図 3.1 のようになる。各点はまっすぐに並んでいるので、これらの点を通る直線を求めることにする。この関数の選択はやや恣意的で、傾きを求めやすいように直線を選んだ。

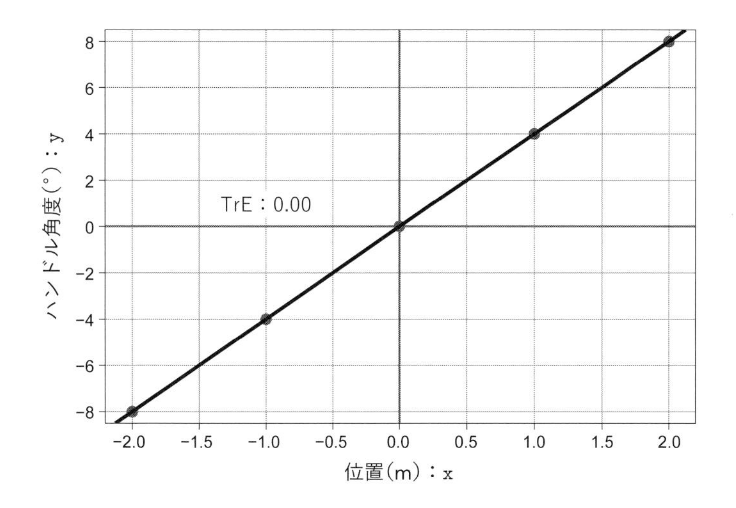


**図 3.1** 車線上の車の位置のずれと車を真ん中に戻すためのハンドル角度の関係

横軸は高速道路上の車線幅の中心に対する車の位置（m）を表し、縦軸は車を車線の中心に戻すのに必要なハンドルの角度（°）を表す。位置が負の値（車線中央から左）の場合は、ハンドルに負の角度（時計回り）を適用する必要がある。ここでは、1 m のずれは 4° の角度で修正される。

この関数はこう書ける。

```
f(x) = w*x
```

これは私をはじめ、コンピュータ科学者がよく使う表記法で、記号 * は乗算を表す。この関数は 0 を通る直線で、その傾きは数値 w である。ここから先は、f を 2 つの変数 x と w をもつ関数とみなすほうが便利だ。コンピュータ上で、この関数を Python 言語[*1]を使ってプログラムする場合は、次のように記述する。

```
def f(x,w): return w*x
```

記号 w と x は変数で、その関数が w*x と書かれた積を計算する。変数は「引き出し」、またはコンピュータのメモリ内の箱のようなもので、そこにはひとつの数値を格納できる。たとえば、変数 w を作ってそこに値 4 を入れ、続いて、変数 x を作成して値 2 を格納してみよう。

```
w = 4
x = 2
```

記号 w と x は、対応するメモリ区画の名前を表しているにすぎない。x と w の値をもつ関数を計算するには、こう書く。

```
yp = f(x,w)
```

ここで、記号 yp は、このモデルが生成する y の予測値を表す。この命令を受けて、変数 yp には値 8（4 × 2）が格納される。

---

*1　Python は柔軟で扱いやすいプログラミング言語で、機械学習に携わる技術者の多くが利用している（www.python.org）。

この関数を学習サンプル3に適用するには、以下のようにすればいい。

```
x = X[3]
y = Y[3]
yp = f(x,w)
```

すべての点を通る直線を見つけるということは、結局、この関数のパラメータwの正しい値を見つけることと同じである。データ点がA = [[0.0,0.0], [0.9,3.6]]の2つしかない場合を想像してみよう。

この2点を通る直線は1本しかない。この場合、4*0.9 = 3.6となり、wの正しい値は4である。3つ目の点(-0.8,-3.2)を追加してみよう。3点が完全に1列に並んでいる。wの正しい値はやはり4である。

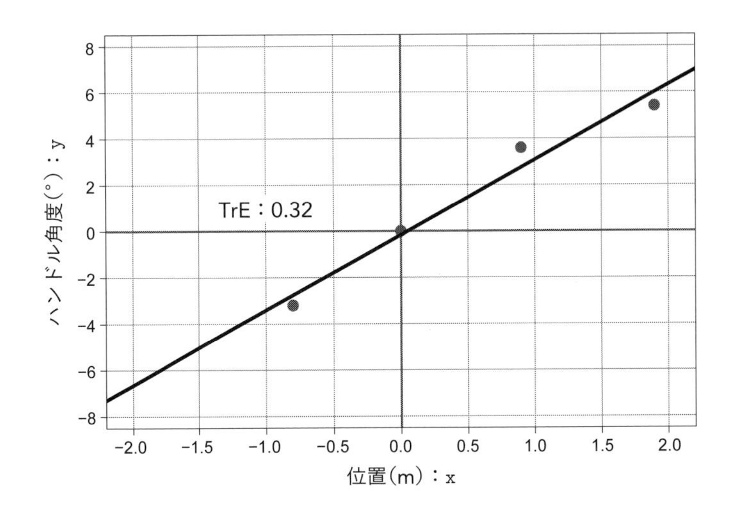


**図 3.2** まっすぐに並んでいない各点のできるだけ近くを通る直線

4点のうち3つが1列に並んでいる。傾き4の直線（図3.1）はこのうちの3点を通るが、4点目は通らない。そこで、妥協点を見出すことが必要になる。それは、4点の「できるだけ近く」を通る直線を見つけることだ。その直線は正確にはどの点も通らない。

しかし、これはあまりにもできすぎた状況で、現実にはめったにお目にかかれない。

4つ目の点 (1.9,5.4) を想像してみよう。

w に同じ値の 4.0 を使うとすれば関数 yp = f(x,w) による予測値は、5.4 ではなく、7.6 = 4*1.9 になる。先に述べたように、記号 yp は、このモデルが生成する y の予測値を表している。この点は、最初の3点と一列に並んでいないので、その直線上にはない。では、どうすればいいのか？

すべての点を通る直線を見つけることは、もはや不可能だ。ここは妥協するしかない。多少の誤差と引き換えに、すべての点の「できるだけ近く」を通る線を選ぶことにしよう。

## 誤差を減らす

w = 4.0 なら、直線による予測値は 7.6 となる。しかし、サンプル4の観測値は 5.4 である。4つ目の点には -2.2 = 5.4-7.6 の誤差が生じる。w の値を変化させれば、直線を4つ目の点に近づけることができるが、ほかの3つの点からは遠ざかることになる。すべての点を通ることは不可能なので、このサンプルでは、傾き約 3.2 の直線が最良の妥協点となる。

任意の値 w に対して、各点では、（新しい直線上の）関数による予測値 yp と、（各学習サンプル内の）観測値 y とのあいだに誤差が生じることになる。

この4点全体の平均誤差を測定できる。各点に対して、誤差は正または負のどちらもありうるが、正負にかかわらず、重要なのは予測値 yp と観測値 y のあいだの距離だ。この距離を定量化するのに、以下では誤差の2乗を使っているが、絶対値（常に正）を使ってもいいだろう。

w の値が与えられたときのサンプルの誤差、たとえばサンプル3(X[3],Y[3]) の誤差は、(Y[3]-w*X[3])**2 に等しい。ここでもコンピュータ科学者の記法を使って、2乗は **2 と書くことにする[*2]。

システムの不確かさの尺度 L(w) は、学習サンプルのすべての誤差の平均である。

```
L(w) = 1/4((Y[0]-w*X[0])**2+(Y[1]-w*X[1])**2
      +(Y[2]-w*X[2])**2+(Y[3]-w*X[3])**2)
```

この量は w に応じて変化する。したがって、w の関数である。これはコスト関数と呼ばれるもので、w はこの関数で唯一調整可能なパラメータである。L(w) の値が小さいほど平均誤差も小さくなる。つまり、機械が出力する結果もよくなる。したがって、このコスト関数 L(w) を最小化する w の値、w̃ を求めなければならない（図 3.3 を参照）。

> p個の学習点をもつコスト関数は、0からp-1までのインデックスiのすべての値に対する項の総和を記号で表すために、ギリシャ文字シグマ $\sum_{i=0}^{p-1}$ を使って、以下のようにコンパクトに記述する。
>
> $$L(w) = (1/p)*\sum_{i=0}^{p-1}(Y[i]-w*X[i])**2$$
>
> この式にはwの2乗が含まれているので、2次多項式である。つまり放物線だ。

*2　Python 言語で、べき乗演算子は ** と書く。たとえば、x の 2 乗は x**2。

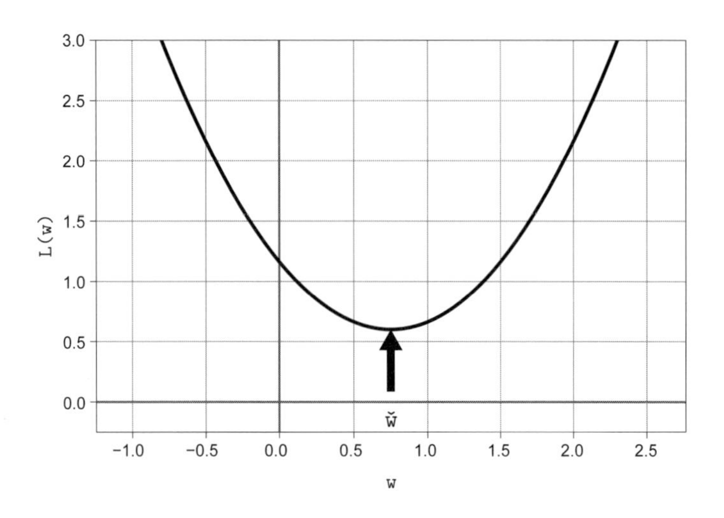


**図 3.3** 2次コスト関数を表す放物線

コスト関数が w の関数の 2 次多項式である場合、ひとつの最小値をもつ放物線になる。その解（コストの最小値を生み出す w の値）は、グラフ上の w̌ で示されている。

そのための方法がひとつある。「確率的勾配降下法」（stochastic gradient descent：SGD）である。小難しい名前が付いているが、いたって単純な方法だ。

これは、ひとつのデータ点を取り、その点に近づくように少しずつ直線を調整していくというアイデアだ。次いで、学習セットの次の点に移動し、その新しい点に近づくように少しだけ直線を調整する。誤差が小さくなれば、それに合わせて調整も小さくする。言い換えれば、調整は誤差に単純に比例する。サンプル 3 を処理する場合、w の調整式は以下のようになる。

```
w = w+e*2*(Y[3]-w*X[3])*X[3]
```

これは数式とは異なり、コンピュータ科学者の記法で書かれており、変数 w（等号の左側）をその現在の値（等号の右側）にプラス記号の右側の量を加えたものに更新することを意味している。

この式を詳しく見てみよう。変数 e は「勾配ステップ」(gradient step) である。この変数には、w の更新サイズを決定する小さな正の数が含まれている。X[3] が正であり、かつ、その直線が点 (X[3],Y[3]) より下にある場合、つまり差 (Y[3]-w*X[3]) が正である場合は、w の値を増やす必要がある。この式でしているのはそういうことだ。逆に、直線が点より上を通る場合、差は負になり、w が減少する。直線が点に近づくにつれて速度が低下し、直線が点を通過するときに停止する。X[3] が負のとき、更新は反転し、傾き w が小さすぎると正の誤差が生じる。その逆も同じだ。

この試行をひとつひとつ繰り返し、その都度、直線の傾きを少しずつ調整していくと、e の値が減少し続けているかぎり、最終的には、L(w) を最小化する w の値に向かって収束していく。「確率近似法」(stochastic approximation) と呼ばれるこの手法は、1951 年にアメリカの統計学者ハーバート・ロビンズとサットン・モンローによって考案された。

## 3-4 数学好きのための補足

確率的勾配降下法を一般化してみよう。
C(x,y,w) は、与えられたサンプルに対するコスト関数である。このサンプルでは、データ点 (x,y) に対して C(x,y,w) = (y-w*x)**2 なので、確率的勾配降下法による w の更新式は、以下のようになる。

```
w = w-e*dC(x,y,w)/dw
```

ここで、e は「勾配ステップ」、dC(x,y,w)/dw は w に対する C の導関数（勾配ともいう）である。
(y-w*x)**2 の w に対する導関数は -2*(y-w*x)*x となり、更新式は、以下のようになる。

$$w = w+2*e*(y-w*x)*x$$

これは先に見たものと同じである。このことは直観的にも想像がつく。C(x,y,w) の傾き（導関数）が正であれば、w は減少する。傾きが負であれば、w は増加する。これを繰り返すことで、最終的に w は C(x,y,w) の底に落ちる。最小化したいのは、すべての点に対する C(x,y,w) の平均 L(w) である。

$$L(w) = (1/p)*\sum_{i=0}^{p-1} C(X[i],Y[i],w)$$

ロビンズとモンローは、少しずつ減少しているかぎり、これをすべての点に繰り返し適用すれば、この手順で L(w) の最小値に収束することを証明した。
確率的勾配降下法は、現代の機械学習システムの訓練に最もよく使われている手法である。だから、ここに記しておくのがよいと判断した。この方法については、パーセプトロン、ADALINE、多層ニューラルネットワークを扱うときにもう一度説明する。
しかし、われわれの関心事である、点の集まりにできるだけ近い直線を通すということに対しては、確率的勾配降下法は計算に少し時間がかかり、結局は役に立たない。先ほどの放物線を描くコスト関数は、次のよう変形できる。

$$L(w) = (1/p)*\sum_{i=0}^{p-1} (Y[i]**2+(w**2)*(X[i]**2)-2*w*X[i]*Y[i])$$

または、

$$L(w) = (\sum_{i=0}^{p-1} (1/p)*X[i]**2)*w**2-(\sum_{i=0}^{p-1} (2/p)*X[i]*Y[i])*w+\sum_{i=0}^{p-1} (1/p)*Y[i]**2$$

w の 2 次多項式であることはわかっているので、その係数もわかる。この多項式の最小値は、その導関数が相殺される w の値である。

$$(\sum_{i=0}^{p-1} (2/p)*X[i]**2)*w-(\sum_{i=0}^{p-1} 2*X[i]*Y[i]) = 0$$

ここから直接、解が導かれる。

$$w = (\sum_{i=0}^{p-1} X[i]*Y[i])/(\sum_{i=0}^{p-1} X[i]**2)$$

**まとめ**

教師あり学習で訓練される機械は、以下の基本原理にしたがう。

1. 学習セットを集める。

   `A = {(X[0],Y[0]),...,(X[p-1],Y[p-1])}`

2. モデルを提示する。つまり、パラメータ`w`をもつ第1の関数`f(x,w)`を提示する。`w`の数は、数個の場合もあれば、数百万個の場合もある。この場合、個別に`w[0],w[1],w[2]...`と番号を振る。その全体が`w`である。
3. 第2の関数であるコスト関数`C(x,y,w)`を提示する。この関数から、学習セットの誤差（たとえば、`C(x,y,w) = (y-f(x,w))**2`）と学習セットの平均値`L(w)`を計算する。
4. コスト関数`L(w)`を最小化する関数`f(x,w)`のパラメータの値を求める。一般的には確率的勾配降下法が使われる。

   `w = w-e*dC(X[i],Y[i],w)/dw`

# 3-5 ガリレオとピサの斜塔

しかし、関数`f(x,w)`は直線以外の場合もある。石を落として一定時間の移動距離を測定すると、その距離は落下時間の2乗に比例して増加する。

ガリレオがピサの斜塔を上っている姿を想像してみよう。彼は2階で立ち止まる。小石を落とし、地面に落ちるまでの時間を測定する。次に3階まで上る。ふたたび小石を落とし、その落下時間を測定する。さらに上の階に上って、同じことを繰り返す。

ひとつの法則によって落下時間 x と小石を落とす高さ y が結び付けられている。

だから、落下するまでにかかった時間の関数として、石が落とされた高さを求めることができる。この関数は放物線である。

x（落下時間）と y（高さ）を結び付ける式は、`y = 1/2g*x**2`。ここで、g は重力加速度、つまり 9.81 m/s$^2$。ガリレオは自ら実施した観測の結果から、この法則を導き出した。この法則によって、落下時間から落とされた高さを予測できるようになり、また式を逆にして、高さの関数として落下時間を予測することが可能になった。

ガリレオはこのようにして、科学的方法の基礎を築いた。科学的方法とは、ある変数と別の変数を数式で結び付けることによって、ひとつの法則を確立しようと試みることである。要するに、彼は物理学の土台作りをしたのだ。観測結果からいくつもの法則を導き、それらの法則に基づいてさまざまな現象を予測した。

まさしく、これこそが機械学習がしていることにほかならない。

## 3-6 画像その他を認識する

根底にひそむ規則を発見するという原理は、パターン認識にも適用される。入力 x は画像である。ところで、画像というのは多数の数値の集まりにすぎない。たとえば 1000 × 1000 ピクセルのモノクロ写真は、各ピクセルの濃淡値を示す 100 万個の数値で表現されている。カラー画像なら、各ピクセルは赤、緑、青の 3 つの値で表される。

機械の応答 y（画像認識）は、ひとつの数値で表されることもあれば、一連の数値で表されることもある。たとえば、機械に猫の画像（x）を与え、「これは猫です」（y）と答えるよう指示する。この場合、`y = 1` は猫に対応し、`y = -1` は猫以外のものに対応する。ここで必要になるのは、入力画像を 2 つのカテゴリに分類する関数である。

カメラを搭載した車を自走させる訓練もできる。これは少し複雑だ。システムに与えられる入力 x は、数百万個の数値からなる画像であり、その画像から道路上の車の位置を推定しなければならないからだ。出力 yp は、ハンドル角度とペダルにかかる圧力である。

機械が車の画像と飛行機の画像を区別することを学習する場合は、何千枚もの車の画像と何千枚もの飛行機の画像が必要になる。まず車の画像を１枚入力する。機械が正解を出した場合は、そのまま何もしない。答えが間違っていれば、システムのパラメータを調整して答えが正解に近づくようにする。つまり、誤差が少なくなるようにパラメータを調整するわけだ。

すべての教師あり学習システムは、同じ原理で動作する。つまり、

- 入力 x:画像（コンピュータプログラム内の数の集まり）、音声信号（マイクを通してアナログデジタル変換器から出力される数字の列）、翻訳すべき文字（これも数字の列で表される）など。詳細は後ほど説明する。
- 所望出力 y：入力 x に対して期待される理想的な出力。
- 出力 yp：機械が生成した応答。

## 3-7 ローゼンブラットとパーセプトロン

ここで「線形分類器」というきわめて単純な機械について触れておこう。その一例としてパーセプトロンを取り上げる。

学習機械の元祖にあたるパーセプトロンは、1957 年にバッファローのコーネル航空研究所で考案された。設計したのはアメリカの心理学者フランク・ローゼンブラットである。当時、一部の人工知能研究者は、人間や動物の知能を特徴付ける「学習」の探求に取り

組んでいた。

ローゼンブラットもそのひとりで、彼が参考にしたのは神経科学におけるさまざまな発見だった。そのころ、心理学や生物学の研究者たちは、脳の機能やニューロンの相互接続の仕組みを解明すべく努力を重ねていた。彼らは、生物の神経細胞（ニューロン）を、複数の突起をもつ星の形で表現した。ニューロンの各突起の先には1本を除いて樹状突起（入力部）が形成されており、樹状突起はシナプスと呼ばれる接触領域を介して、そのニューロンと上流ニューロンをつないでいる。残りの1本の突起は軸索と呼ばれ、下流ニューロンに向かう唯一の出力部である。ニューロンは上流からの電気信号を受信して処理し、必要に応じて下流に独自の信号を送信する。この出力部は、活動電位または「スパイク」と呼ばれる一連の電気パルスで構成されており、その頻度がニューロン活動の強度を表している。この頻度は数値で表される。

1943年、サイバネティクスと神経科学の研究をしていた2人のアメリカ人、ウォーレン・マカロックとウォルター・ピッツが、生物のニューロンをかなり単純化した数理モデル（一部の人に言わせれば「カリカチュア」）を提案した。この「人工ニューロン」は、上流のニューロンの活動を表す数値の加重和を計算する。加重和が一定のしきい値を下回ると、ニューロンは不活性のままである。反対に、このしきい値を超えると、ニューロンが活性化する。スパイク列が生成され、軸索を通って下流のニューロンに伝播する。この頻度も数値で表される。

このマカロック＝ピッツ・モデルの出力は、活性か非活性か（1か−1か）の2進法（バイナリ）である。各バイナリニューロンは、それぞれがつながっている上流ニューロンの出力の加重和を計算する。その和がしきい値より大きければ、出力として1を生成し、そうでなければ、−1を生成する。以下の例では、しきい値は0だ。

これは次の式で表せる。

s = w[0]*x[0]+w[1]*x[1],...,w[n-1]*x[n-1]

ここで、s は加重和、x[0],x[1],x[2],...,x[n-1] は入力、w[0], w[1],w[2],...,w[n-1] は重み、つまり加重和にかかわる係数である。このような n 個の数値の集まりを「n 次元ベクトル」という。ベクトル内の各数値には番号が振られている。数学的表記法を使えば、この式はもっとコンパクトに書ける。

$$s = \sum_{i=0}^{n-1} w[i]*x[i]$$

このようなベクトル同士の演算を内積（スカラー積）という。この計算を行うコンピュータプログラムを（Python 言語で）書くと、以下のようになる。

```
def dot(w,x):
    s = 0
    for i in range(len(w)):
        s = s + w[i]*x[i]
    return s
```

このコードは、2 つのベクトル w と x を引数とする関数 dot(w,x) を定義している。この関数は、w と x の内積を計算し、その結果を返す。命令 for は、len(w) で得られた次の命令（w の次元）を実行するループである。次の命令は、変数 s に w の項と x の項の積を蓄積する。最後の命令 return で、呼び出し元のプログラムに s の値を返す。
3 次元ベクトルを 2 つ作成すれば、以下のような関数を呼び出せる。

```
w = [-2,3,4]
x = [1,0,1]
s = dot(w,x)
```

この場合、以下の計算の結果により、変数 s には 2 が入る。

-2*1+3*0+4*1 = 2

しきい値が0に等しいとすると、s が少しでも0を上回る場合は、ニューロンの最終出力は +1 になり、s が0を下回るか等しい場合は −1 になる。これも小さな Python プログラムで計算できる。

```
def sign(s):
    if s > 0: return +1
    else: return -1
def neuron(w,x):
    s = dot(w,x)
    return sign(s)
```

このように定義された符号関数 sign は、引数が0より大きければ +1 を生成し、そうでなければ −1 を生成する。

マカロックとピッツによれば、このバイナリニューロンは論理計算をしているのであり、脳は論理的推論機械と考えられるという[*3]。

この仮説が、心理学者フランク・ローゼンブラットにヒントを与えた。パーセプトロンには、マカロックとピッツが提案した、しきい値をもつバイナリニューロンが使われている。ローゼンブラットは、信号がニューロンに伝達されると、ニューロンがその入力の加重和を計算し、和が0より大きい場合に活性化する、というマカロックとピッツの考えを採用した。さらに、ローゼンブラットは生物のニューロンの模倣を押し進め、加重和の重みの修正により誤差の調整を行いながら機械が適応していくという手順を提案した。これは、脳内での学習によってシナプスの伝達効率が変わるというアイデアに触発されてのことだった。この発想のルーツは、19世紀末スペインの神経解剖学者サンティアゴ・ラモン・イ・カハルの研究にまでさかのぼる。

---

*3 Warren S. McCulloch, Walter Pitts, "A logical calculus of the ideas immanent in nervous activity", *The Bulletin of Mathematical Biophysics*, 1943, 5 (4), pp. 115–133.

ローゼンブラットはカナダの心理学者ドナルド・ヘッブの著作も読んでいた。ヘッブは1949年に出版された『行動の機構』*4 において、2つのニューロンをつなぐシナプスは、両方のニューロンが同時に活性化すると強化されるという仮説を提案した。これはヘッブ学習と呼ばれている。この仮説は1960年代にその妥当性が認められ、1970年代にエリック・カンデルが有名なアメフラシの研究に取り組んだ際、その生化学的なメカニズムを解き明かした。

だからパーセプトロンは、その基本構造において、重みの修正によって学習する独自なマカロック＝ピッツ・ニューロンなのだ。訓練段階では、操作技師が機械に、たとえばCの文字の画像を示して、期待出力（文字がCなら+1、別の文字なら-1）を伝える。すると機械は、出力が要求された値に近づくように、その重みを調整していく。この操作は、Cの画像と別の文字の画像を何枚も用意して、何度も繰り返す必要がある。調整を繰り返すことで、すべての（またはほとんどの）Cを認識可能な重みの設定になる。

機械が十分に訓練されたかどうかを確認するために、訓練では使わなかったCやその他の文字の画像を見せてテストする。満足のいく結果が得られれば、次の段階に向けての準備が完了したということだ。

ローゼンブラットの機械は、ニューヨーク州バッファローで1957年に完成した。その姿は巨大な金属製キャビネットのようで、そこからは何千本もの配線がスパゲッティのようにはみ出していた。また、一種の人工網膜（入力画像をキャプチャする光電管のグリッド）と、アンプのボリュームを思わせる電動つまみが何百個もついており、重みはこれらのつまみによって表現されるようになっていた。つまみの実体は、小型の電気モーターの付いた可変抵抗器である。パーセプトロンの電子回路は可変抵抗器で重み付けされ、

---

*4 Donald Olding Hebb, *The Organization of Behavior: A Neuropsychological Theory*, Wiley, 1949.〔D・O・ヘッブ『行動の機構：脳メカニズムから心理学へ』（上・下）鹿取廣人ほか訳、岩波書店、2011年〕

網膜から出力される電圧の加重和を計算する。加重和がしきい値を超えると出力ランプが点灯し、しきい値を超えなければランプは点灯しない。

パーセプトロンが革新的な点は、その学習手順にある。画像とそれに対応する所望出力が提示されるたびに、重みを自動的に調整するのだ。概念としてなら、データに基づいてモデルのパラメータを調整するという考え方は、何世紀も前から統計学において存在してきた。斬新だったのは、この考え方をパターン認識に応用したことだ。

## 3-8 25ピクセルのグリッド

パーセプトロンの原理を確認しておこう。入力では「網膜」が低解像度の単純な画像を記録する。出力では、画像が認識されればランプが点灯し、認識されなければ点灯しない。

| −1 | −1 | −1 | −1 | −1 |
|---|---|---|---|---|
| −1 | +1 | +1 | +1 | −1 |
| −1 | +1 | −1 | −1 | −1 |
| −1 | +1 | −1 | −1 | −1 |
| −1 | +1 | +1 | +1 | −1 |

**図 3.4** 5×5ピクセルのグリッド上のCの文字の画像

画像とはピクセルが縦横に並んだ表であり、各ピクセルはそのピクセルの色を示す数値である（ここでは、黒が +1、白が −1）。つまり、画像は数値の表である。この点で、この画像は、結び付けられた数値がグレーの強度を表す一般の白黒画像とは異なる。カラー画像の場合は、各ピクセルが赤、緑、青の強度を表す3つの数字に結び付けられている。

例を挙げよう。パーセプトロンに、5×5ピクセル、つまり25ピクセルの画像を提示する。25ピクセルのグリッド上に描かれたこの画像は、「網膜」によって25個の数字に変換される（黒ピクセルは+1、白ピクセルは-1）。パーセプトロンはこの数字を導線の電圧で表現していた。今日では、パソコンのメモリに収まる数値だ。図3.4に示したCの文字の画像には、25個の一連の数値が対応する（以下はその一部）。

```
x[0]=-1, x[1]=-1, x[2]=-1, x[3]=-1, x[4]=-1,
x[5]=-1, x[6]=+1, x[7]=+1, x[8]=+1, x[9]=-1,
...
```

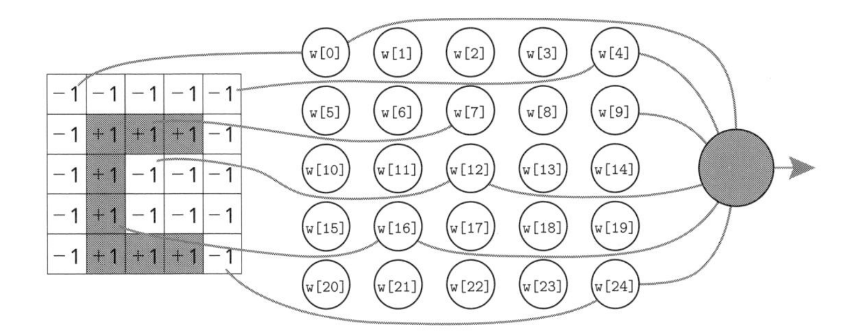


**図 3.5**　画像につないだニューロン

ニューロンは入力の加重和を計算する。ニューロンの入力は25個。これは1枚の画像を構成するピクセルの数である。それぞれの入力値は、+1または−1。各ピクセルの値には、そのピクセルとニューロンをつなぐ重み w を掛ける。それぞれの積を合計したものが加重和である。重みは、ニューロンがその応答を修正するために調整する部分だ。次に、加重和をしきい値と比較する。加重和がしきい値より大きければ、ニューロンの出力は+1。そうでなければ−1になる。重みはシステムのメモリである。（わかりやすいように、図には一部の接続のみを表示）。

一連の数字（ベクトル x[0], ..., x[24]）は、入力画像を表す。1番目のピクセルはニューロンの1番目の入力 x[0] につながり、2番目のピクセルは2番目の入力 x[1] につながっている。

機械は25個の重みをもち、それぞれがひとつのピクセルに接続されている。この25個のパラメータとその接続スキーマが、機械のアーキテクチャを構成している。この接続スキーマは固定されており、同じピクセルは常に同じ重みで同じ入力に接続されている。

学習を始める前は、すべての重みが0である。そのため、画像に関係なく、加重和は0、出力は-1になる。

## 3-9 CとDを区別する

学習手順は、機械が重みを調整するためにある。機械にCの文字とDの文字を区別する訓練をしてみよう。この方法は先に紹介したので、すでにおなじみのはずだ。機械にそれぞれの文字のサンプルを何枚も続けて提示する。その都度、機械が正解を出した場合は何もせず、間違えた場合は、重みを調整して（ボリュームのつまみを回して）、Cはプラス、Dはマイナスになるように加重和を変化させる。

詳しく説明しよう。サンプルがCで、機械が間違えた場合は、重みの設定が間違っていて、加重和が0（しきい値）以上ではなく、0未満であることを意味する。だから、機械（つまりエンジニアが書いた学習アルゴリズム）は、この加重和が増えるように重みを修正しなければならない。そこで、対応する入力が+1の重みの値を増やし、対応する入力が-1の重みの値を減らす。

逆に、サンプルがDで機械が間違った答え（+1、「これはCです」）を出した場合は、加重和が0未満ではなく、0以上であることを意味する。この場合、学習アルゴリズムは、対応する入力が+1の重みを減らし、対応する入力が-1の重みを増やす必要がある。

重みはその都度、少しずつ修正される。調整後の新しい重みの値は、以前の値を上書きする。1回きりの調整では十分ではない。何度も繰り返し更新を続けて、ようやく正解が得られる。

CとDに対する重みの提示・認識・調整を繰り返すうちに、うまくいけば、アルゴリズムが決定した重みの設定が、安定した状態に収束し、どんなCやDでも認識できるようになる。

ひとつの学習サンプルが与えられたとき、25 個のピクセル値はベクトル x に、重みはベクトル w にあたる。変数 y は所望出力（+1 または −1）であり、yp はニューロンが計算した出力（+1 または −1）である。その差 (y-yp) は、機械が的確な応答を生成した場合は 0 になる。所望の応答は +1 だが生成された応答が −1 である場合は、+2 になり、その逆の場合は、−2 になる。以下の式により、それぞれの重み w[i] は、先に述べたように、対応する入力 x[i] を使って更新される。

```
w[i] = w[i] + e*(y-yp)*x[i]
```

変数 e は更新のサイズを決める正の定数である。加重和は、重みの修正に応じて、正しい方向に増減する。
この手順は数行のプログラムにまとめられる。たとえば、サンプルが C の場合を考えてみよう。所望出力は +1 である。
先に定義した関数 neuron(w,x) を使って加重和を計算し、以下のようにひとつずつ重みをもれなく調べ、すべての重みを更新する。

```
yp = neuron(w,x)
for i in range(len(w)) :
    w[i] = w[i] + e*(y-yp)*x[i]
```

ローゼンブラットのパーセプトロンは、重さ数トンの電子機械だった。現代テクノロジーの魔法が、それをこの数行の小さなプログラムに置き換えてしまったのだ。

先のサンプルでは、機械は C と D の「ステンシル(切り抜き型紙)」の違いを学習する。C に固有のピクセルは正の重みをもち、D に固有のピクセルは負の重みをもつ。C と D のどちらにも現れないピクセルや両方に現れるピクセルは重みが 0 になる。

ところで、パーセプトロンの学習手順は、システムの調整可能な重みをパラメータとするコスト関数の最小化と見ることもできる。先にわれわれが開発した車の例で説明した手順がそれに該当するが、コスト関数の最小化については第 4 章で詳しく説明する。

少し話が逸れるが、パーセプトロン以前にも、ばらつきがあってもパターンを認識できるちょっとした手法があった。「最近傍法」

だ。これはパーセプトロンとは異なり、単純にある画像と別の画像を比較する方法である。コンピュータのメモリにすべての訓練画像が格納してあり、認識すべき画像が現れると、それをカタログの画像と比較する。たとえば、その2枚の画像でたがいに異なるピクセルの数を数えて最も似通った画像を見つけ出し、その似通ったカタログ画像のカテゴリを出力する。それがDなら「D」が出力される。この方法は、少数のフォントで印刷された文字など単純な画像ならうまく機能する。しかし、手書き文字の場合は結果がよくなく、さらにコストもばかにならなかった。最近傍法を使って犬や椅子を認識しようとすると、犬や椅子の位置や照明、構成、環境が異なる何百万枚もの写真が必要になるからだ。だから現実的ではなく、どのみちうまくはいかなかったと思う。

## 3-10 教師あり学習と汎化

学習機械の重要な特性は汎化である。つまり、学習中には見なかったサンプルに対しても正解を出せる能力だ。学習セットに字体のばらつきが少ないCとDのサンプルが十分にあれば、パーセプトロンは、初めて見るCとDでも正しく認識できる。学習サンプルとかけ離れたものでなければ問題ない。

汎化の原理を類推によって例証してみよう。人間は346 × 2067の答えを出すときに、ありとあらゆる乗算の結果を暗記しているわけではない。人間はどんな乗算も可能な原理を発見したのだ。パーセプトロンはもっと巧妙なことをする。Cの文字を認識する場合、この機械はCのあらゆるパターンを格納しているわけではない。要求された認識を実行できる独自なモデルを巧妙に作り上げるのだ。その仕組みを見てみよう。

パーセプトロンを訓練する操作技師は、25ピクセルのグリッド上に置かれたCの文字のサンプルを数多く、おそらく数百枚、あるいは数千枚収集する。各サンプルは、Cの置かれた位置、大きさ、フォントがそれぞれ異なっている。Dでも同じことをする。

Cのサンプルが+1、Dのサンプルが-1となるように訓練する場合、学習手順によって、Cでは黒、Dでは白のピクセルに正の重みが与えられ、Cでは白、Dでは黒のピクセルに負の重みが与えられる。その結果、全体の重みはCとDを識別するための情報を表すことになる。

不思議なことに、このようにして「訓練」された機械は、サンプルで示されたもの以外でも識別できるようになる。学習の魔法である。

## 3-11 パーセプトロンの限界

先ほど説明した方法は、CとDのそれぞれのサンプルにあまり違いがない場合に有効だ。形、大きさ、位置などにばらつきがありすぎると（極端に小さかったり、画像の隅にあったり）、パーセプトロンはCのサンプルとDのサンプルを区別できるような重みの組み合わせを見つけられない。そのため、パーセプトロンでは一部のパターンが識別不可能であることが判明している。この限界はすべての線形分類器に共通しており、パーセプトロンも例外ではない。その理由を見てみよう。

線形分類器の入力はn個の数値のリストであり、n次元ベクトルでも表現できる。数学的に言うと、ベクトルは空間上の点であり、その座標は点を構成する数値である。入力が2つのニューロンであれば、入力空間は2次元（平面）であり、入力ベクトルは平面内の点である。ニューロンが3つの入力をもつ場合、入力ベクトルは3次元空間の点を示す。先ほどのCとDのサンプルでは、入力空間は25次元である（画像の25個のピクセルが、それぞれニューロンの25個の入力につながっている）。つまり画像は、この25次元空間内の点を示す、25個のピクセルの数値からなるベクトルである（といっても、超空間（ハイパースペース）なので、視覚化するのが難しいが）。

線形分類器（しきい値をもつマカロック＝ピッツ・ニューロン）は、入力空間を、たとえばCの画像とDの画像といった具合に2つに分離する。空間が平面の場合（2つの入力をもつニューロンの場合）、両半分の境界は線になる。空間が3次元なら、境界は両半分のあいだの平面である。空間が25次元なら、境界は24次元の超平面ということになる。一般には、入力数をnとすると、その空間はn次元をもち、境界はn-1次元の超平面になる。

この境界がたしかに超平面であることを納得してもらうために、2次元の加重和の式、つまりベクトルw（重み）とベクトルx（ピクセルの入力値）の内積の式をもう一度書いておく。

```
S = w[0]*x[0]+w[1]*x[1]
```

この加重和が0のとき、線形分類器で区切られた空間の境界上に位置することになる。したがって、境界の点は以下の方程式を満たしている。

```
w[0]*x[0]+w[1]*x[1] = 0
```

次のようにも書ける。

```
x[1] = (-w[0]/w[1])*x[0]
```

これは直線の方程式だ。
2つのベクトルの内積を計算する場合、2つのベクトルが直交していれば内積は0になる。ベクトルが90°より小さい角度で交わる場合、内積は正になる。90°より大きい角度の場合は負になる。したがって、ベクトルwとの内積が0である平面のベクトルxの集合は、ベクトルwと直交するベクトルの集合であり、n次元ではn-1次元の超平面を形成する。

さて、ここに問題がある。これについて考えてみよう。

25個の入力（5×5ピクセルのグリッド）ではなく、2つの入力をもつパーセプトロンを考える。つまり、このパーセプトロンには、

2つの入力をもつニューロンがひとつある。このパーセプトロンに3つ目の「仮想」入力を追加してみよう。その値は、常に –1 に等しくなるはずだ。この追加パラメータがない場合、境界線は必ず原点を通るが、パラメータを追加すると、クラス[訳注]の境界線が必ずしも原点を通るとは限らない。境界線は、対応する重みを変えることで自由に動かせる。

このごく初歩的な機械では、明らかに一部の入力画像を分類できない。4つの学習サンプル (0, 0)、(1, 0)、(1, 1)、(0, 1) は、4つの点で表せる。それをグラフ上に配置してみよう（図 3.6 を参照)。

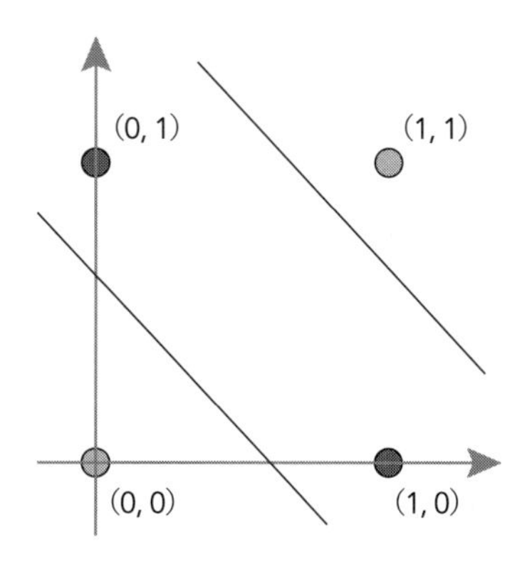


**図 3.6**　2つの入力をもつパーセプトロン

黒の点 (0, 1) と (1, 0) に +1 を、グレーの点 (0, 0) と (1, 1) に –1 を関連付ける関数を「排他的論理和」(exclusive OR) という。黒点とグレー点を分割する直線は存在しないので、別な言い方をすれば、線形分類器（たとえばパーセプトロン）は排他的論理和を計算できない。図中の線は、AND 関数［(1, 1) に +1、それ以外は –1］と OR 関数［(0, 0) に –1、それ以外は +1］を表している。2次元では、16個のブール関数のうち、2個だけは線形分離不可能である。高次元では、線形分離可能な関数はごく一部しかない。

パーセプトロンが実現できる関数は、各点を2つの集合に分類できる関数、言い換えれば、各点を分類するために2つに分離できる

---

**訳注**　分類を行う際の組、あるいはカテゴリに相当するもの。たとえば、画像認識では「猫」「犬」などがクラスになる。また、ImageNet データセットでは「ペルシャ猫」「シャム猫」などがクラスとして付与されている。

関数（重みの設定）である。

グラフを見ると、(1, 1) と (0, 0)、(1, 0)、(0, 1) を分離する直線は引ける。(0, 0) と (1, 0)、(1, 1)、(0, 1) のあいだにも直線が引ける。しかし、(0, 0) と (1, 1) を (1, 0) と (0, 1) から分離する直線は引けない。

(0, 0) に対して 0、(1, 1) に 1、(1, 0) に 1、(0, 1) に 0 を生成する関数を「排他的論理和」という。排他的論理和は「線形分離可能」ではないと言われている。出力が 1 の入力点は、出力が 0 の入力点から線、平面、超平面で分離できない。

表の各行は、2つのバイナリ入力のありうる4つのパターンを示している。番号が振られた各列は、4つの入力パターンに対する特定のブール関数（第4章で詳しく述べる）の出力を表す。ありうる関数は2の4乗、つまり16個ある。そのうち14個の関数は線形分類器によって実現可能だが、残りの2つは実現不可能である（最後の行にNで示した）。

| 入力 | 0 | 1 | 2 | 3 | 4 | 5 | 6 | 7 | 8 | 9 | 10 | 11 | 12 | 13 | 14 | 15 |
|---|---|---|---|---|---|---|---|---|---|---|---|---|---|---|---|---|
| 00 | 0 | 1 | 0 | 1 | 0 | 1 | 0 | 1 | 0 | 1 | 0 | 1 | 0 | 1 | 0 | 1 |
| 01 | 0 | 0 | 1 | 1 | 0 | 0 | 1 | 1 | 0 | 0 | 1 | 1 | 0 | 0 | 1 | 1 |
| 10 | 0 | 0 | 0 | 0 | 1 | 1 | 1 | 1 | 0 | 0 | 0 | 0 | 1 | 1 | 1 | 1 |
| 11 | 0 | 0 | 0 | 0 | 0 | 0 | 0 | 0 | 1 | 1 | 1 | 1 | 1 | 1 | 1 | 1 |
| 実現可能？ | Y | Y | Y | Y | Y | Y | N | Y | Y | N | Y | Y | Y | Y | Y | Y |

この表が示しているのは、画像の2つのピクセル（関数の2つの入力）に対応する2次元空間の点である。つまり、平面上の点だ。平面なら視覚化できる。
ところが、本物のパーセプトロンは多次元空間で使われる。少し複雑なパターンや位置などが異なるパターンをパーセプトロンに区別させようとすると、先ほど述べたような状況に陥ることがよくあるが、今度は「高」次元である。
パーセプトロンでは、入力ベクトルが重みベクトルに対して鋭角をなす場合、加重和は正になる。鈍角の場合は負になる。正と負を分ける境界は、w と x の内積が0なので、重みベクトル w に直交する点 x の集合である。n 次元での境界の方程式は、

```
w[0]*x[0]+w[1]*w[1]+w[2]*w[2]+...+w[n-1]*x[n-1] = 0
```

これは、n-1 次元の超平面の方程式である。

パーセプトロンは空間を超平面で2つに分割する。そこで、超平面の一方の側にはCの検出器を活性化するすべての点があり、もう一方の側にはCの検出器を非活性化する点があるようにしたいわけだ。もしそのような超平面を見つけることが可能なら、パーセプトロンは、その学習手順によって、何度も学習サンプル上を通るうちに、最終的にはその超平面を見つけるはずだ。しかし、そのような超平面が存在しない場合、つまり点が直線で分離できない（線形分離不可能な）場合、パーセプトロンは、安定した重み設定に収束することなく、重みを修正し続けることになる。

なぜこの考察を詳しく説明したのかというと、このことが、1960年代初頭にパターン認識コミュニティが味わった失望感を如実に物語っているからだ。研究者たちはそのとき、パーセプトロンの能力には限界があり、自然画像の被写体認識には使えないことを悟ってしまったのだ。

実際、入力次元が高く、たとえば犬や猫、テーブル、椅子の写真が何千枚もあるなど、サンプルが多くて複雑な場合は、カテゴリが線形分離できない（ピクセルに直接接続されたパーセプトロンでは実現できない）可能性が高い。単純なCとDのみの場合でも、文字の形や位置、大きさなどにばらつきがありすぎると、パーセプトロンではその分類ができなくなる。

シーモア・パパートとマーヴィン・ミンスキーが1969年に出版した『パーセプトロン』[*5]は、パーセプトロンの未来を葬り去り、

*5 Marvin L. Minsky, Seymour A. Papert, *Perceptrons: An Introduction to Computational Geometry*, The MIT Press, 1969.〔M・ミンスキー、S・パパート『パーセプトロン：パターン認識理論への道』斎藤正男訳、東京大学出版会、1971年〕

パターン認識の研究者を落胆させた。この機械学習研究に対する強烈なカウンターパンチは、人工知能の歴史における大きな節目となる。かくして、AI 研究は初めての冬を迎えることになった（すでに述べたように、AI の歴史には冬の時代がちりばめられている）。行く手を阻まれた科学コミュニティは、方向転換を余儀なくされた。

この考察に関しては、歴史的意味は抜きにしても、現代の読者が学習機械の仕組みに親しむという別の利点がある。

## 3-12 解決策：特徴の抽出

そういうわけで、単純なパーセプトロンでは、特定のパターンを識別できないことが明らかになった。解決策は早くから見つかっており、現在もその方法が使われている。その方法とは、入力画像とニューロン層のあいだに「特徴抽出器」（feature extractor）という中間モジュールを配置することだ。特徴抽出器は、入力画像に含まれる特定パターンの有無を検出する機能を備えており、そのパターンの存在または不在、強度を記述するベクトルを構築する。このベクトルはパーセプトロン層で処理される。

考察に戻ろう。

画像（たとえば C の文字）の各ピクセルに直接パーセプトロンをつなげると、「改良ステンシル」方式（重みで符号化された画像が、C をほかのカテゴリと区別するピクセルを示す方式）を通過するのに苦労する。サンプルにばらつきがありすぎると、パーセプトロンは「飽和」してしまい、重みはそれ以上識別を実行できなくなる。これはパーセプトロンをばらつきの大きな C で訓練した場合に生じる。すべての文字を十分認識できる解像度の画像（約 20 × 20 ピクセル）のそれぞれに、大きな C や小さな C、活字の C や手書きの C、さまざまなフォントや書体の C、中央ではなく画像の隅に配置されている C など多様な C が描かれているとする。形、位置、大きさなどがあまりにも違いすぎる場合は、パーセプトロンではもはや分類できない。あらゆるばらつきに対応できる独自の改良ステンシルなどないからだ。

20 × 20 ピクセルの画像で、フォントや書体に関係なく C と D を見分ける方法のひとつとして、文字の角部や線の終端部の有無を

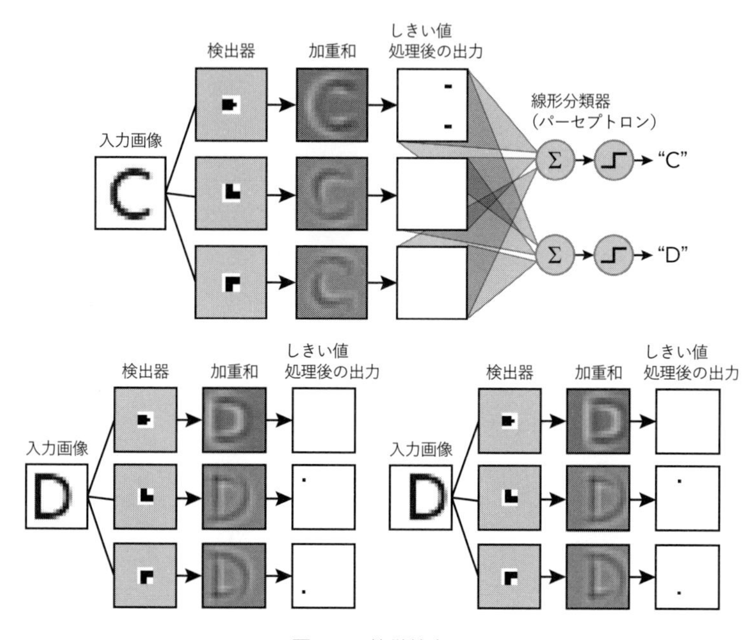


**図 3.7**　特徴抽出器

特徴抽出器は、入力画像における特徴的パターンの存在を検出し、その出力を訓練可能な分類器、たとえばパーセプトロンに送る。最初のステンシルは、右方向の線の端部（「C」）を検出する。他の 2 つのステンシルは、角部（「D」）を検出する。このマップがパーセプトロンの入力になる。訓練終了後、パーセプトロンは特徴が存在するかぎり、大きさや位置に関係なく、C と D を区別できるようになる。

このサンプルの入力画像は、C が 1 枚、位置が異なる D が 2 枚の 3 枚である。抽出器はバイナリニューロン層とみなせる。白のピクセルは値 −1、グレーのピクセルは 0、黒のピクセルは +1 を表す。3 つの検出器は､入力画像上を通る一種の「ステンシル」（5 × 5 ピクセル）だ。ステンシルの各位置に対して、ステンシルの 25 個の重みを加えた、入力ウィンドウの 25 個のピクセルの加重和が計算される。結果の画像は、ウィンドウの中身がステンシルに似ているほど、各ピクセルが黒くなっている。次に、加重和がしきい値と比べられ、対応する場所でパターンが検出された場合は値 +1、そうでない場合は値 0 の特徴マップが生成される。

検出する方法がある。Dは角部を2つもつ閉じた図形だが、Cは線の両端に終端部をもつ開いた曲線だ。画像内の位置に関係なく、終端部や角部の存在を知らせる特徴抽出器を構築してみよう。そのためにまず、バイナリニューロンで構成される第1層を設計する。この層の入力は、入力画像上の5×5ピクセルの小さなウィンドウである。重みは「手動」で設定する(学習アルゴリズムでは決定されない)。これで3種類の検出ニューロン、終端部検出ニューロンと2つの角部検出ニューロンが得られる。入力画像上の各ウィンドウ(5×5ピクセル)は、各タイプのニューロンをひとつずつ、3つのニューロンを取り込む。各ニューロンの出力は、5×5ピクセルの入力画像と重みによって形成された画像が似ている場合は+1、そうでない場合は0となる。うまく形成されたCに対しては、終端検出器が作動し、うまく形成されたDに対しては、角検出器が作動する。最終層は単純なパーセプトロンだ。このパーセプトロンは、角部と終端部の数を数えるだけで、位置、大きさ、字体に関係なくCとDを区別できる。

パーセプトロンのアーキテクチャを修正すれば、もっと複雑な処理も実行できる。パーセプトロン層の前に「特徴抽出器」を配置してもいい。その場合、特徴抽出器は訓練されておらず、手作業で構築することになる(エンジニアがその関数のプログラムを設計する)。この設計は複雑で時間もかかる。さまざまなアプリケーションに適した特徴抽出器を構築する方法が数多く提案されており、2015年以前の科学雑誌には、数多くの関連論文が見られる。

このように、一般的な特徴抽出器は、入力画像内の単純で小さなパターンを検出する。たとえば文字の場合は、終端や角だけでなく、縦棒、横棒、輪などのパターンも検出できる。特徴抽出器の出力は、これらのパターンの存在とその位置を知らせる一連の数値である。入力画像のピクセルに直接パーセプトロンをつなぐのではなく、こうした抽象的な特徴をパーセプトロンに与えてやるわけだ。

パーセプトロンで車を検出する場合、特徴抽出器は複数のステンシルを組み合わせたものになるだろう。たとえば、ひとつ目は車輪を検出し、2つ目はフロントガラスの角度、3つ目はフロントグリルを検出する。複数のステンシルは画像上をくまなく通過し、どれかのパターン上を通過すると反応する。続いて、これらのすべての特徴がパーセプトロンに入力される。同じようにして、顔の検出もできる。目を形づくる暗い部分、2つの鼻孔の小さな暗い点、口のやや濃くなった線を検出できれば、これらの特徴を使って、手頃な顔検出器を構築できる。

ローゼンブラットのパーセプトロンの特徴抽出器は、実際には、入力画像からランダムに選択されたピクセルの小グループにつながる一連のバイナリニューロンである（ほかによいアイデアがなかったからだ）。ニューロンの重みは学習によって修正することはできず、ランダムな値で固定されていた。ランダムにつながっているので、どれが役に立つかを確かめる術がなかった。第1層がその役割を果たすには、特徴を抽出する中間ニューロンが大量に必要になる。その結果、最終ニューロン（唯一訓練可能なニューロン）への入力数が膨れ上がる。2013年以降はほとんど使われなくなってしまったが、一部の分類システムとパターン認識システムでは、特徴抽出器の出力数は数百万個にもなった。特徴の数が多ければ多いほど、パーセプトロンの分類作業がはかどる。だがその分、コストもかさむ。

視覚野の連続した領域における構造は、研究コミュニティに絶えず刺激を与えてきた。研究者たちはそこから、パーセプトロンを改良し、ニューロン層をいくつか追加することを思いついた。システムの最初の段階では、ごく単純な特徴を抽出する。次の層では、円や角などの基本パターンを形成するために、抽出した特徴の輪郭をもつ部分の検出を試みる。次のレベルでは、物体の一部などに対して、基本パターンの組み合わせを検出する。

この特徴抽出器を構築するには、ほかにももっとスマートなサポートベクターマシン（support vector machine：SVM）という方法がある。この方法は、イザベル・ギヨン――2015年からパリ第11大学（オルセー）教授——が、ウラジーミル・ヴァプニクとベルンハルト・ボザーの協力のもとに考案した。3人とも当時は、ベル研究所のわれわれのグループの一員だった。SVMは、1995年から2010年まで、主要な分類方法だった。友人や同僚たちには敬意を払いつつも、私は実のところ、この方法にはあまり興味がなかった。SVMでは、この特徴抽出器の自動訓練に関する致命的な問題を解決できないからだ。しかし、この方法は多くの人を魅了した。

SVMはカーネルマシンと呼ばれるもののひとつで、実際には2層のニューラルネットワークの一種だ。カーネルマシンの支持者はこのような関連を認めないかもしれないが、私はそう思っている。第1層は学習セットのサンプルと同数のユニットをもち、第2層は一般的なパーセプトロンと同じく加重和を計算する。第1層のユニットは、入力xを学習サンプルX[0], X[1], X[2], ..., X[p-1]のそれぞれと「比較」するが、それにはカーネル関数k(x,q)が使われる。ここで、xは入力ベクトル、qは学習サンプルのひとつである。たとえば、この第1層のユニット3は、出力z[3] = k(x,X[3])を生成する。

関数kの典型的な例は、2つのベクトル間の距離の指数関数k(x,q)= exp(-v* $\sum_{j=0}^{n-1}$ (x[j]-q[j])**2)である。この種のユニットは、xとqが隣り合っているときは出力値が大きく、離れているときは出力値が小さくなる。

第2層では、この出力を「教師あり」で学習した重みと結合する。この種のパーセプトロンでは、最終層だけが「教師あり」で訓練される。とはいえ、第1層も学習サンプルの入力（x）を利用しているので、ある程度は訓練されている[*6]。

この極度にシンプルなモデルを主題として、すばらしい数学書が

*6　この学習は、所望出力（y）が使われていないので、教師あり学習ではない。

何冊も書かれている。SVM やカーネル法が成功したのは、研究者が数学的な美しさに惹かれたことも一因である。その美しさが方法の限界を覆い隠してしまったのだ。われわれはそのような時流に反して、カーネルマシンの性能はパーセプトロンとほとんど変わりないということを懸命に訴えかけたが、無駄だった。コミュニティの中には、ヴァプニクをはじめ、多層アーキテクチャの有用性をいまだに納得していない者もいる。

SVM は、学習サンプル数が極端に少ない場合でも（1990 年代半ばごろはそういうことが多かった）、信頼性が高く、動かしやすかった。その上、当時はインターネットの草創期であったが、SVM のプログラムはオープンソースで公開されていた。「新しいものは美しい」という時流に乗って、まさに破竹の勢いだった。1990 年代は、カーネル法がニューラルネットワークを圧倒した。ニューラルネットワークの強みである多層アーキテクチャはすっかり忘れ去られた。

ところで、パーセプトロンでは人工ニューロン層をひとつ以上追加することで、層ひとつでは効率よく計算できなかった複雑な関数の計算もできるようになる。たった 2 つのニューロン層だけですべての計算が可能なことが、数学的に証明されている。そのことも SVM 人気に拍車をかける要因のひとつだった。しかし、多くの場合、中間層は巨大なものにならざるをえない。第 1 層のニューロン数は、先に見たように、開始時点の画像のピクセル数よりもはるかに多い。25 ピクセルの小さな画像であっても、ニューロンの数は数百から数千に達する。

1960 年代の研究者は、こうした多層の訓練に絶えず苦労していた。パーセプトロンの学習手順では最終層しか訓練できない。特徴抽出器の第 1 層はまだ訓練されておらず、手動で決定しなければならなかった。

機械に入力される画像ごとに数千、数百万個の重みを手動で調整するなんてできるわけがない。1960 年代の終わりに、エンドツーエンドで訓練可能な知能機械というアイデアが AI 研究で放棄されたのも同じ理由からだった。以降、AI 研究はひたすら応用技術に取り組み、統計的パターン認識の分野を打ち立てる。不完全なものではあったが、パーセプトロン流のアーキテクチャは、2010年代初頭まで機械学習研究の主流であり続けた。信号を受け取ると、それをまず手作業で設計した特徴抽出器に通し、次いでパーセプトロンなどの統計的学習法を使った分類システムに通す。まさしくパターン認識における「怪力馬(ベルシュロン)」だった。

## 3-13 まとめ

パーセプトロンは、いわゆる「教師あり機械学習」の端緒となった。機械の内部では、学習手順にしたがい、出力が所望出力に近づくようにパラメータが調整される。一度訓練されると、適切に構築された機械は、見たことのないサンプルでも認識できるようになる。これが汎化の特性である。

ただし、この方法には限界がある。研究者たちはその限界を押し広げるために、画像を符号化し、タスクの実現に役立つ特徴を抽出してから、パーセプトロンなどの古典的分類器につなぐようになった。1960年代から2015年まで、研究者たちは、個々の問題に見合った特徴抽出器の設計に途方もないエネルギーを費やした。何千本もの論文が書かれ、何千人ものアカデミックキャリアがこの仕事の上に築かれた。私が常々考えていたのは、特徴抽出器を手作りするのではなく、それを訓練する方法を見つけることだった。しかし、このアイデアは長らくコミュニティに受け入れられなかった。しかし、それこそが多層ニューラルネットワークとディープラーニングの扉を開くカギだった。

Chapter

# 4

# 最小化学習、学習理論

# 4-1 あらまし

教師あり学習の基本原理は常に同じである。つまり、パラメータを調整して、コスト関数を減少させる。コスト関数は、学習サンプルセットにおいて、システムの実際の出力と所望出力の平均誤差を測定する関数だ。このコスト関数を減少させることとシステムを訓練することは、ひとつの同じ行動にほかならない。

この原理は、パーセプトロンのように最終層だけが訓練される単純なモデルだけでなく、ほぼすべての教師あり学習、特にエンドツーエンドで訓練される多層ニューラルネットワーク（次章で述べる）にも適用される。

そのため、コスト関数の最小化による学習は、人工知能の働きのカギを握る重要な要素であり、その全体を欠点も含めて理解することは、われわれ人間の学習について考えてみるいい機会にもなる。

# 4-2 コスト関数

**重要ポイント：学習とは調整である。**

もう一度、確認しておこう。学習とは、システムが生み出す誤差を少しずつ減らしていくことだ。試行錯誤しながら再調整を繰り返す。パラメータを再調整するたびに、パラメータ値が上書きされていく。誤差とは、ある学習サンプル、たとえば出力 y に結び付けられた画像 x に対して、機械が生成する出力 yp = f(x,w) と所望出力 y の距離を示す単純な数値である。ちなみに、w はパラメータベクトルだ。各学習サンプルのそれぞれのペア (x,y) に対し、誤差はコスト関数 C(x,y,w) によって測定される。コストを表現するひとつの方法は、システムが生成する出力と所望出力 y との差を 2

乗することだ。

```
c = (y-f(x,w))**2
```

コスト関数には、ほかにも多くの種類がある。上の式は、機械の出力がひとつしかない場合、つまり、yp と y が単なる数値の場合に適用される。

犬、猫、鳥の画像を認識するシステムを作ろうと思えば、3つの出力が必要になる。この場合、出力は数値ではなくベクトルで表される。各出力は、3つのカテゴリのそれぞれに対するスコアを出す。たとえば、1番目の出力が「犬」、2番目が「猫」、3番目が「鳥」のカテゴリに対応する場合、[0.4,0.9,0.2] の値をもつ出力ベクトルは、最も高いスコアを得たのが「猫」カテゴリなので、これはシステムが猫と認識したということを意味する。訓練時の所望出力は、それぞれ犬カテゴリが [1,0,0]、猫カテゴリが [0,1,0]、鳥カテゴリが [0,0,1] となる。

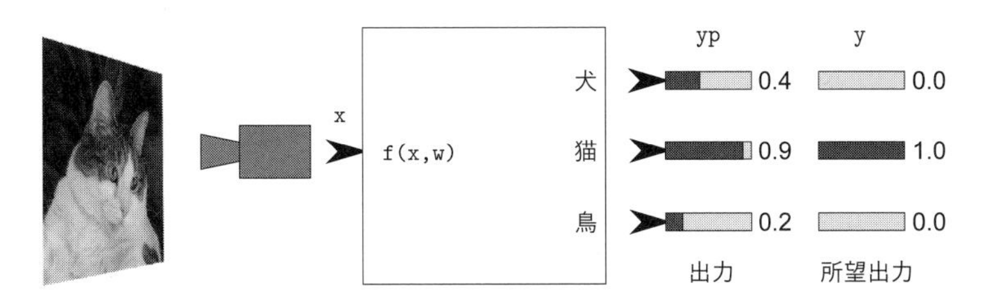


**図 4.1** 3カテゴリ分類器

機械は、各カテゴリにひとつずつ、3次元ベクトルの形で3つのスコアを生成する。この例では、生成されたスコアベクトルが [0.4,0.9,0.2] なので、画像は「猫」に分類される。猫カテゴリの所望出力は、ベクトル [0,1,0] である。

コストを求めるには、生成された出力と所望出力の距離、たとえば、3つの出力に対する誤差の2乗の和を計算する。

```
yp = f(x,w)  # ypは3次元ベクトル
c = (y[0]-yp[0])**2+(y[1]-yp[1])**2+(y[2]-yp[2])**2
```

実際の作業では、多クラス分類のモデルは、確率に似たスコア（0から1のスコアで、総和が1）を生成するように構築されることが多く、「交差エントロピー」という別のコスト関数が使われる。これは所望カテゴリの出力を1に近づけ、それ以外のカテゴリを0に近づける関数だが、原理は変わらない。

このコスト関数C(x,y,w)は、Pythonを使って、コンパクトに計算できる。

```
# サンプルのコスト計算
# x：入力ベクトル
# y：所望出力ベクトル
# w：パラメータベクトル
def C(x,y,w) :
    yp = f(x,w)  # 出力計算
    c = 0  # コストを cに蓄積する
    for j in range(len(y)): # 出力をループ処理
        c = c+(y[j]-yp[j])**2  # コストを蓄積する
    return c  # 出力でのコストの総和を返す
```

p個のサンプルをもつ学習セット、つまりベクトルX（各要素はそれ自体が入力ベクトル）

```
[X[0], X[1], X[2],..., X[p－1]]
```

とベクトルY（各要素はそれ自体が所望出力ベクトル）

```
[Y[0], Y[1], Y[2],..., Y[p－1]]
```

が与えられたとき、この関数を呼び出せば、任意の学習サンプルのコストを計算できる。サンプル3の場合なら、

```
c = C(X[3],Y[3],w)
```

次に、学習コスト、つまり、学習セットにおけるコスト関数の平均値を計算する。

```
L(X,Y,w)=1/p*(C(X[0],Y[0],w)+C(X[1],Y[1],w)+...
        +C(X[p-1],Y[p-1],w))
```

今度も、そのためのコンパクトなプログラムを書いてみよう。

```
# サンプルセットの平均コスト計算
# X：データセットの入力表
# Y：所望出力表
# w：パラメータベクトル
def L(X,Y,w) :
    p = len(X)  # pはサンプル数
    s = 0  # コストの総和を蓄積するための変数
    for i in range(p)  # サンプルをループ処理
        s = s+C(X[i],Y[i],w)  # コストを蓄積する
    return s/p  # 平均コストを返す
```

学習セットx,yの学習コストの計算は、こう書ける。

```
cost = L(X,Y,w)
```

この関数では、for ループがすべての学習サンプルを通り、各学習サンプルのコストを変数 s に蓄積する（総和を出す）。最後に、積み重ねた総和をサンプル数 p で割った値を返す。このプログラムが計算する値は、関数 C(x,y,w) を介してパラメータベクトル w に依存している。同様に、関数 C は f(x,w) に依存し、f(x,w) は w に依存する。

システムは学習手順にしたがい、パラメータ w を調整することで、つまり、L の最小値を生成する w の値を求めることで、このコストを最小化しようとする。与えられた学習サンプルセットに対し、コ

スト値は、パラメータ w の各設定、つまり各点に対応する。

現代の訓練可能なシステムは、調整可能なパラメータを数百万、さらには数十億個も備えている。これはつまり、ベクトル w が数百万次元、さらには数十億次元に達する可能性があるということだ。それでも人間の脳のシナプス数に比べれば、まだまだ控えめな数字である。

## 4-3 谷底を見つける

このコスト関数の最小値を求めるには、どうすればいいのだろうか？ 話を簡単にするため、訓練可能なパラメータが2つ（w[0] と w[1]）だけの機械を想像してみよう。与えられた学習セットに対し、コスト値は各座標点（w[0],w[1]）に対応する。

最初は重みがランダムに設定されている。だから学習を始めるときは、おそらくコストが高い。このコストを減らすために、ネットワークはパラメータを調整していく。

X と Y に格納されているひと組の学習セット[*1]が与えられたとき、w[0] に 6.0、w[1] に 5.0 の値を代入すれば、以下のように対応する学習コストを計算できる。

```
w[0] = 6.0
w[1] = 5.0
cost = L(X,Y,w)
```

コスト関数を一種の山岳風景と見ることもできる。風景内の特定の場所は、パラメータの2つの値（経度 w[0] と緯度 w[1]）に対応する。これが、この場所の座標である。高さ（高度）は、このパラメー

*1 先に述べたように、コンピュータプログラムの変数は、データを記録するメモリ領域の名前である（3-3 節（89 ページ）を参照）。

タ値の組み合わせに対するその点のコスト値を示す。この風景内の等高線は、コスト関数の値が同じであるすべての点を結んでいる。

道に迷ったとしよう。あたりは真っ暗闇で、天気も悪く、何も見えない。谷底の村に戻ろうにも道がないので、最も傾きが急なルート（最大傾斜線）をたどって下ることにする。最大傾斜線の下方向を確認し、その方向に歩を進める。一歩一歩下っていくと、最後には谷に出る。傾きが最大の方向（最大傾斜方向）をコスト関数の勾配という。谷底はコスト関数の最小値であり、その座標はコストを最小化するパラメータの値だ。

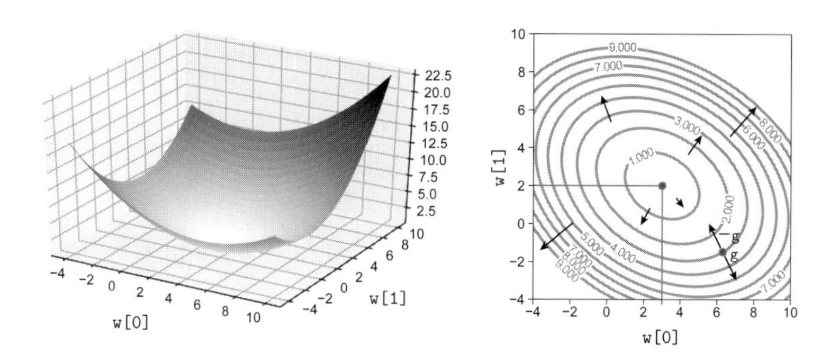


**図 4.2** 学習コスト関数

コスト関数は山岳風景に似ている（左）。等高線を付けると右のようになる。機械を訓練するとは、谷底を見つけること、つまり、最も低いコスト値を生成する訓練可能なパラメータの値を見つけることにほかならない。このサンプルでは、経度と緯度は２つの訓練可能なパラメータ w[0] と w[1] であり、最小値は座標 (3, 2) にある。訓練開始時には、この風景の形や最小値の位置がまだわからない。しかし、パラメータの値に対しては、その高度、つまりコスト値の計算が可能だ。さらに、最大傾斜方向（上向き）の勾配ベクトル g を計算することもできる。勾配（矢印で表す）は点ごとに異なる。勾配の逆方向 -g のパラメータを修正しながら、谷底へと歩を進める。修正とは、ベクトル w をその値から勾配ベクトルを引き、ステップサイズを制御する定数 e を掛けたもので置き換えることであり、その目的は、パラメータ設定のテスト回数をできるだけ少なくして谷底の点を見つけることである。

谷底の点をいち早く見つけるのが目的である。テストには多くの時間とリソース面でのコストがかかる。学習データベースに何百万ものサンプルがある場合は、なおさらだ。そこで、ひとつの方法として「勾配降下法による関数最小化」が使われている。この方法は現在、学習手法として人工知能に広く使われている。

まずは原理を理解することから始めよう。最大傾斜線を求めるには、勾配を計算する。勾配の逆方向が、ある地点で最も下降する方向である。その方向を探すために、パラメータをわずかに摂動して(動かして)、コストがどのように減少または増加するのかを観測する。ふたたび山の比喩を使えば、任意の方向に一歩を踏み出すことで、その一歩が下りなのか上りなのかがわかるのだ。これが機能するためには、パラメータのわずかな摂動がコスト関数のわずかな摂動にきちんと対応している必要がある。これは数学者が「連続性」と呼ぶ特性で、段差や断崖を描く関数は許されていない。

2つのパラメータを連続して摂動させてみよう。まず、w[0] の方向（つまり東）に向きを変える。小さなステップを実行して対応する高度の変化を測定する。その差をステップサイズで割れば、傾き g[0] が評価できる。高度が下がれば、その方向に一歩進む（ステップを実行する)。この歩幅（ステップサイズ）は傾きに比例する。正しい方向に進んでいる場合は、傾きが急であるほど、大きな一歩を踏んだほうがいい。傾きがなだらかな場合は、むしろ小さな一歩を踏む。しかし、パラメータを摂動させて高度が上がるようなら、下降するには逆方向に歩を進めなければならない。

次に 90 度向きを変えて、w[1] の方向(つまり北)に進む。そして、この操作を繰り返す。傾き g[1] を評価し、その結果に応じて、順方向または逆方向の傾きに比例したサイズのステップを実行する。この 2 つのステップを組み合わせることで、谷底に近づくことができる。もはや下降しなくなるまで何度も同じ操作を繰り返せば、最終的に谷底の点に到達する。

傾き [g[0],g[1]] を成分とするベクトル g を勾配という。図 4.2

の矢印は、この勾配ベクトルを表している。定義により、このベクトルは最大傾斜線に沿って上を向いており、この方向の傾きがベクトルの長さである。勾配の逆方向に歩を進めれば、谷底に向かって移動する。ベクトル g の逆方向は、符号を反転した [-g[0],-g[1]] を成分とするベクトル -g である。

一般に、勾配降下法は以下の手順で行われる。

1. （現在位置における）パラメータベクトルの現在の値に対する学習コストを計算する。
2. 各軸における傾きを測定し、その傾きを勾配ベクトル g に代入する。
3. 勾配と逆方向のパラメータベクトルを修正する。そのために、勾配成分の符号を反転させてから、ステップサイズを制御する定数 e を掛ける。
4. 最後に、得られたベクトルをパラメータベクトルに加える。言い換えれば、パラメータベクトルの各成分を、現在の値から、勾配ベクトルの対応する成分にステップサイズ e を掛けたものを引き、置き換える。
5. この勾配ステップのサイズは重要だ。小さすぎると、最終的には最小値が見つかるものの、一歩ごとに進める距離がわずかなので、時間がかかる。逆にステップが大きすぎると、最小値を通り過ぎ、反対側の山の斜面を再上昇してしまうおそれがある。だから定数 e は、パラメータが現在の山の斜面から反対側の山の斜面にはみ出さないくらいにしなければならない。
6. 谷底に落ちるまで、つまり学習コスト値の減少が止まるまで、同じ操作を繰り返す。

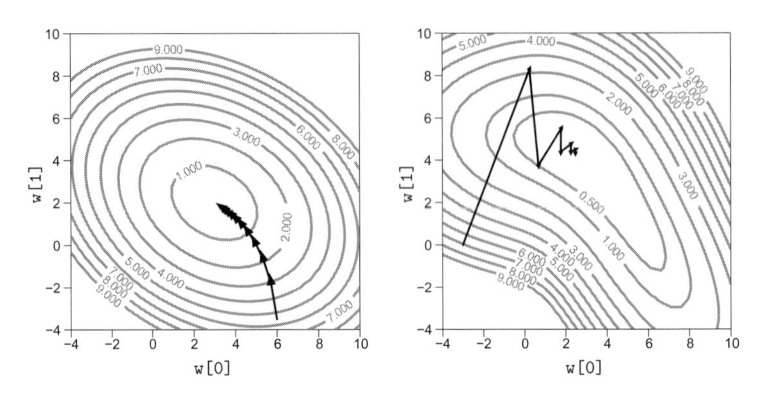


**図 4.3**　勾配降下法のたどる経路

勾配降下法の手順は、勾配の向きとは逆に最大傾斜線を下って谷底に到達するまでの一連のステップで構成されている。ステップサイズは勾配ステップ e に比例する。右：e は少し大きいので、軌跡の振動を引き起こす。勾配ステップが大きすぎると、非収束の原因になる。

### 考察

われわれは現在、座標 `[w[0],w[1]]` に位置しており、この場所の高度（学習コスト）は `h = L(X,Y,w)` である。以下、単純だが効率の悪い、摂動による勾配降下法の手順を説明する。まず、追加のパラメータベクトル `wa` を作成する。このベクトルは、`w[0]` の値を少量（`dw`）摂動させることで得られる。

```
wa[0] = w[0]+dw
wa[1] = w[1]
```

次に、新しい位置の高度 `a = L(X,Y,wa)` を計算する。摂動による高度の変化は `a-h`、摂動方向の傾きは比 `(a-h)/dw` である。どうしてこの比なのかというと、それが、問題にしている山の傾き、つまり、ステップサイズを掛けて高度の変化を得る必要がある量だからだ。
同様に、以下のように `w` を `w[1]` 方向に摂動させれば、

```
wb[0] = w[0]
wb[1] = w[1]+dw
```

高度 b = L(X,Y,wb) を計算できる。w[1] 方向の傾きは、比 (b-h)/dw である。両方の傾きをベクトル g に格納すると、

```
g[0] = (a-h)/dw
g[1] = (b-h)/dw
```

ベクトル g をコスト関数の勾配という。コスト関数の勾配は各軸の傾きからなるベクトルであり、このベクトルの向きは最大傾斜方向（上向き）である。山岳風景の比喩を借りれば、東西方向の傾き (w[0]) が南北方向の傾き (w[1]) よりも大きい場合、最大傾斜方向は南北軸よりも東西軸に近い。
以下は、2つのパラメータをもつ関数の勾配を摂動によって計算するコンパクトな関数だ。この手順は単純だが、効率が悪い。改善方法は後ほど説明する。

```
# 摂動による勾配計算
# X：データセットの入力表
# Y：所望出力表
# w：パラメータベクトル
# dw：摂動
def gradient(X,Y,w,dw) :
    h = L(X,Y,w)  # コスト計算
    wa = [0,0]  # ベクトルwaを作成
    wa [0] = w[0]+dw  # 第1座標の摂動
    wa[1] = w[1]
    a = L(X,Y,wa)  # 摂動後のコスト計算
    wb = [0,0]  # ベクトルwbを作成
    wb[0] = w[0]
wb[1] = w[1]+dw  # 第2座標の摂動
b = L(X,Y,wb)  # 摂動後のコスト計算
g = [0,0]  # ベクトルgを作成
g[0] = (a-h)/dw  # 第1座標の傾き
g[1] = (b-h)/dw  # 第2座標の傾き
return g  # 勾配ベクトルを返す
```

以下の関数を呼び出すことで、勾配ベクトルの近似値が得られる。

```
g = gradient(X,Y,w,dw)
```

定義により、このベクトル g は上を向いているが、成分の符号を反転させて得られるベクトル -g は反対方向の下を向く。そのため、勾配とは逆の方向に歩を進めれば、最大傾斜線に沿って谷底を目指せる。これは、w[0]（東西）方向のステップサイズ -e*g[0] と、w[1]（南北）方向のステップサイズ -e*g[1] をもつステップに対応する。変数 e は、実行するステップサイズを制御する小さな正の数である。
すべてのプロセスは、いくつかの命令を含んだ以下の関数で実行される。

```
# 勾配ステップを実行
# X：データセットの入力表
# Y：所望出力表
# w：パラメータベクトル
# e：勾配ステップ
# dw：摂動
def descend(X,Y,w,e,dw) :
    g = gradient(X,Y,w,dw)  # 勾配ベクトルの計算
    w[0] = w[0]-e*g[0]  # w[0]の更新
    w[1] = w[1]-e*g[1]  # w[1]の更新
    return w  # 新しいパラメータベクトルを返す
```

勾配降下法による学習手順は以下のとおり。

1. コストを計算する。
2. 勾配を計算する。
3. 勾配を引き、勾配ステップの定数 e を掛けることで、パラメータを更新する。

この手順を繰り返すことで、勾配ステップが十分に小さい場合は、谷底に収束する。

```
# 学習手順
# n：勾配降下の反復回数
def learn(X,Y,w,e,dw,n) :
    for i in range(n):  # n回繰り返す
```

```
        w = descend(X,Y,w,e,dw)  # ステップを実行
        print(L(X,Y,w))  # コスト値を表示
    return w  # 重みベクトルを返す
```

コスト値が減少しなくなった時点で、自動停止するようにもできる。

# 4-4 勾配計算の実際

実際の「風景」は2次元にとどまらない。何百万次元、何十億次元になることもある。パラメータベクトルは、2つの数値ではなく、数百万個の数値で構成される。勾配も数百万個の成分をもち、各成分がそれぞれの空間軸における学習コスト関数の傾きを示すことになる。

このような条件では、摂動による勾配計算はきわめて効率が悪い。毎回、それぞれのパラメータを摂動して学習コストを計算するのでは、時間がかかりすぎる。

それを示そう。以下は、任意の次元における、摂動による勾配計算のプログラムだ。

```
def gradient(X,Y,w,dw) :
    h = L(X,Y,w)
    for i in range(len(w)):  # 次元をループ処理
        wa = w
        wa[i] = w[i]+dw
        a = L(X,Y,wa)
        g[i] = (a-h)/dw
    return g
```

この関数は、各摂動後にLの値を再計算する必要がある。1000万個のパラメータがあれば、Lを1000万回計算し直さなければならないわけで、まったく現実的ではない。

摂動が不要な勾配計算方法としては、勾配計算の解析的な方法がきわめて効果的だ。

この方法を使えば、各軸方向のコストの導関数を摂動なしで計算できる。

以下のような単純な2次多項式を考えてみよう。

```
c(x,y,w) = (y-w*x)**2
```

この多項式の w に対する導関数は、x と y が定数なので、直線である。

```
dc_dw(x,y,w) = -2*(y-w*x)*x
             = 2*(x**2)*w-2*y*x
```

任意の点における c(x,y,w) の傾きを知るのに、w を摂動する必要はまったくない。傾きはその導関数によって求められる。
今度は、以下の入出力関数をもつ2次元線形モデルを考えてみよう。

```
f(x,w) = w[0]*x[0]+w[1]*x[1]
```

さらに、2次コスト関数も考えてみる。

```
C(x,y,w) = (y-f(x,w))**2
= (y-(w[0]*x[0]+w[1]*x[1]))**2
```

この関数の w[0] に対する導関数は、それ以外の記号を定数とみなして計算できる。
この導関数を dc_dw[0] と書く。

```
dc_dw[0] = -2*(y-(w[0]*x[0]+w[1]*x[1]))*x[0]
```

同様に、w[1] に対する導関数についても、次のように計算できる。

```
dc_dw[1] = -2*(y-(w[0]*x[0]+w[1]*x[1]))*x[1]
```

この2つの値を成分とするベクトルは、w に対する C(x,y,w) の勾配である。これはパラメータベクトルと同じ次元のベクトルであり、各成分は対応するパラメータに対する導関数、つまり、そのパラメータの次元に移動したときの関数の傾きを含んでいる。

```
dc_dw = [dc_dw[0],[dc_dw[1]]
```

多変数関数で、ひとつの変数以外の変数を定数とみなし、そのひとつの変数を微分することを偏微分という。これは、その変数の方向における関数の傾きだ。あらゆる方向の偏微分によって構成されるベクトルが勾配である。

偏微分のおかげで、ずいぶん楽になる。式を使って関数の偏微分を計算できれば、摂動に一切頼らずに各点の勾配ベクトルを計算できるのだ。

前章で説明したパーセプトロンのような、w と x の内積を計算する線形モデルを考えてみよう。

```
f(x,w) = dot(w,x)
```

さらに、誤差の２乗を測定するコスト関数を考えてみる。

```
C(x,y,w) = (y-f(x,w))**2
```

勾配は以下のようにすっきり書ける。

```
dc_dw[0] = -2*(y-f(x,w))*x[0]
dc_dw[1] = -2*(y-f(x,w))*x[1]
⋮
dc_dw[n-1] = -2*(y-f(x,w))*x[n-1]
```

勾配の計算には、摂動によるものと偏微分によるものの２通りの方法があることを覚えておこう。

## 4-5 確率的勾配降下法

勾配降下法には、さらに効率よく谷底に到達できるテクニックがある。つまり、コストの平均値を計算し、その平均値の勾配をすべての学習サンプルにわたって求めるのではなく、偏微分を使って単一のサンプルのコスト勾配を計算し、それに基づきステップを実行するという方法だ。

想像してほしい。画像が100万枚あるとすると、古典的勾配降下法では、各画像に対してそれが猫か犬かを予測し、予測ベクトルと実際のベクトルの差を調べる。平均コストを計算するには、その操作を100万回も繰り返さなければならないのだ。それでは、ステップを一歩進めるだけで膨大な時間がかかってしまう。

だから、手順をもっと単純にしてみよう。システムは学習セットからランダムにサンプルをひとつだけ抽出する。そのサンプルのコスト関数の勾配を計算し、勾配ステップを実行する。次に、別のサンプルをランダムに選び、この新しいサンプルのコスト関数の勾配を計算し、ふたたび勾配ステップを実行する。同じ操作を、降下できなくなるまで繰り返す。谷底に近づくにつれて、ステップサイズが小さくなるはずだ。実際の作業では、ひとつのサンプルを選んでステップを実行するのではなく、「ミニバッチ」(mini-batch) と呼ばれる小さなサンプルグループの勾配の平均値を出す。

勾配はステップごとに異なる方向を指すので、学習中にパラメータベクトルがたどる軌跡は不規則なものになる。しかし、着実に谷底へと向かう。さらに驚くべきことに、パラメータベクトルは、学習セット全体の勾配を計算するよりもかなり早く谷底に到達する。

**手順は次のとおり**

```
# 確率的勾配降下法による学習手順
# n：勾配降下の反復回数
```

```
def SGD(X,Y,w,e,n) :
p = len(X)  # 学習サンプル数
    for i in range(n):  # n回繰り返す
        k = random.randrange(0,p)  # 乱数の生成
        g = gradC(X[k],Y[k],w)  # 勾配の計算
        for j in range(len(w)):  # パラメータをループ処理
            w[j]=w[j]-e*g[j]  # パラメータの更新
    return w  # パラメータベクトルを返す
```

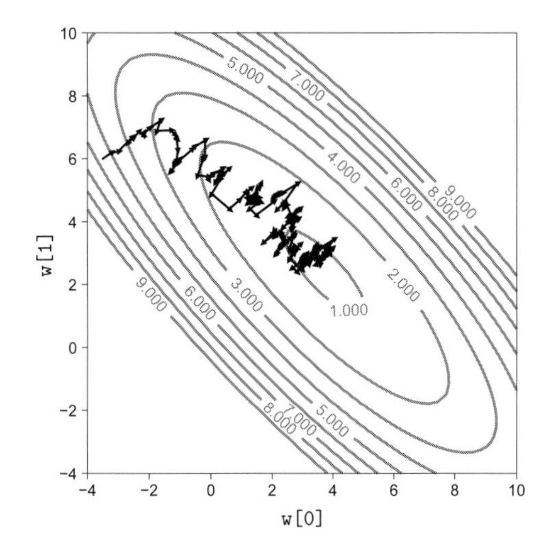


**図 4.4**　確率的勾配降下法の軌跡

確率的勾配降下法の手順では、学習セットからランダムにサンプルを抽出し、そのサンプルのコスト関数の勾配を計算し、勾配の反対方向に小さな勾配ステップを実行する。次いで別のサンプルを抽出し、同じ操作を行う。さらに別のサンプルを次々と抽出し、勾配ステップの大きさ、つまり e を徐々に小さくしながら、同じ操作を繰り返す。この手順にしたがえば、サンプル間のコスト関数の勾配のばらつきに起因する不規則な軌跡をたどりながら、学習コスト（すべてのサンプルのコストの平均値）の谷底にすぐに到達する。この図では、学習セットに 100 個のサンプルが含まれている。学習セットにわずか 4 回通しただけで、パラメータは最小値付近で微動するようになった。

たしかに、パラメータベクトルがたどる軌跡はなめらかでなく、さまよいながらではあるが、ステップを実行するたびに行う計算が少ないため、最終的には谷底に早く到達する。

確率的勾配降下法は、最適化の単純で斬新な、そして直観に反する方法である。われわれが実際の作業で使用する学習サンプルの数は、たいてい何百万（あるいは何十億！）にも達することを、どうか忘れないでもらいたい。

今説明した、誤差の2乗に等しいコスト関数を使う手順は、パーセプトロンによく似たADALINE（アダライン）で実際に使われている手順だ。
ADALINEは、バーナード・ウィドローとテッド・ホフが1960年（私と同い年！）に提案したモデルである。2つの理由から、ここでADALINEの説明をしておくのがいいだろう。ひとつ目は、その2次コスト関数が可視化しやすいからである。2つ目は、このモデルがパーセプトロンのライバルであり、歴史的にも重要だからだ。
パーセプトロンと同じくADALINEも、入力の加重和、つまり重みベクトルと入力ベクトルの内積を計算して出力する。ポイントは、確率的勾配降下法の手順を使って、所望出力とモデルの出力の誤差の2乗を最小化することにある。ADALINEは分類器としても使える。パーセプトロンと同じく、クラスAに対しては+1、クラスBに対しては−1の所望出力が得られる。
パーセプトロンの手順も、以下のような特定のコスト関数に対する確率的勾配降下法である。

```
C(x,y,w) = -y*f(w,x)*dot(w,x)
```

ここで、

```
f(w,x) = sign(dot(w,x))
```

パラメータベクトルの成分jに対する偏微分は、

```
g[j] = -(y-f(w,x))*x[j]
```

ここから、以下の更新規則が導かれる。

```
w[j] = w[j]+e*(y-f(w,x))*x[j]
```

この式は、第3章で述べたパーセプトロンの学習手順だ。技術的な観点から見ると、パーセプトロンのコスト関数は完全にはなめらかでなく、傾きが急に変化する「折り目」がある。こうした折り目の地点では、勾配は十分に定義されない。ちなみに、先に計算した勾配は、実は「劣勾配」（subgradient）と呼ばれるものだ。これは口うるさい数学者への配慮である。

パーセプトロンやADALINEは、ひとつの谷しかもたないコスト関数を最小化する。学習手順にしたがえば必ずそのただひとつの谷に落ちるので、出発点は重要ではない。しかし、コスト関数が複数の最小値をもっている場合はどうなるだろうか？

## 4-6 ニセの谷底

最小値が2つ以上ある、より複雑な関数を想像してみよう（図4.5を参照）。

ここはアルプスの尾根だ。右手にはフランス側の谷、左手にはイタリア側の谷。この例の最小値は2つだが、それ以上になることもある。

パーセプトロンではこの問題は生じない。しかし、2層以上のニューラルネットワークを使うと、コスト関数が複数の最小値をもつようになる。このこと自体は優れたシステム性能（学習コストが低い）につながるので、何も悪いことではない。しかしその一方で、厄介な問題を引き起こす原因にもなる。谷を下っていったら、そこで行く手を阻まれることがあるのだ。そこでは、どの方向を向いても、勾配計算にこの最小値を参照することになる。

図4.5はこの現象を示したものだ。図の関数には2つの最小値があり、一方の最小値がもう一方の最小値よりも低くなっている。

その場合は、複数の w をランダムに抽出して最適化を行う。

ランダムに抽出したwが0の側にあれば、正しい最小値のほうにいることになる。

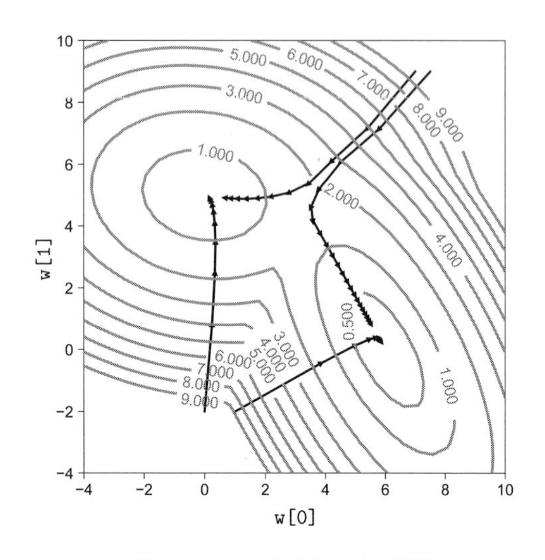


**図 4.5** 2つの最小値をもつ関数

コスト関数の中には、複数の最小値をもつものがある。この図は、2つの最小値をもつ非凸関数を表している。最小値を求めるために勾配降下法を適用すれば、出発点に応じてどちらかの最小値に落ちる。ここには、勾配降下の4つの軌跡が示されている。

抽出したwが5の側にある場合は、間違った最小値のほうにいる。

多くの機械学習研究者は、コスト関数は凸型であるべきと考えていた。凸型のコスト関数は最小値をひとつしかもたないので、理論的に勾配アルゴリズムの収束が保証されているからだ。うかつにも非凸型のコスト関数をもつモデルを提案しようものなら、袋叩き(ふくろだた)きにあっていただろう。

多層ニューラルネットワークが(一時的に)放棄されたのも、ひとつにはコスト関数が非凸型であるためだった。一方、カーネルマシンのコスト関数は凸型である。理論家にとっては、凸型であることが必須条件であり、非凸型は致命的な欠陥を意味していた。

実際の作業では、数百万個のパラメータをもつ多層ニューラルネットワークのコスト関数が非凸型であっても、大した問題ではない。確率的勾配降下法を用いて大規模ネットワークを訓練する場合、出発点がどこであろうと、到達する局所的最小値はほぼ同じになる。解はさまざまだが、最終コストの値（最小値の高さ）はどれも大差はない。コスト関数の風景内の最小値は、単なる点ではなく、いくつもの谷がつながり合った広大な谷のようなものだと考えられている。これは、高次元空間における一部の関数の特性かもしれない。図 4.5 では、一方の最小値からもう一方の最小値へ行くには、たがいを隔てる鞍点（あんてん）を越えなければならない。しかし、その空間にもうひとつの次元（ページに垂直な第 3 の次元）を加えてやれば、鞍点を迂回できる可能性がある。何百万もの次元をもつ空間であれば、山や鞍点を迂回して進める次元が必ずいくつか存在する。

# 4-7 学習の一般理論

学習中、ネットワークは、学習セットのすべての x が所望の y を与えるようにパラメータを調整する。学習後は、補間や外挿によって、学習セットには存在しなかった新しい x に対して y を与えることができる。新しい x が学習サンプルに囲まれている場合は補間といい、新しい x が学習サンプルのカバーする領域の外にある場合は外挿という。学習ペアの要素同士を結び付ける共通の規則が関数であり、その関数モデルは、エンジニアがさまざまな制約条件に見合ったものを選択する。

例を挙げてモデルの選び方を示そう。

学習モデルが以下の式で定義された直線だとする。

```
f(x,w) = w[0]*x+w[1]
```

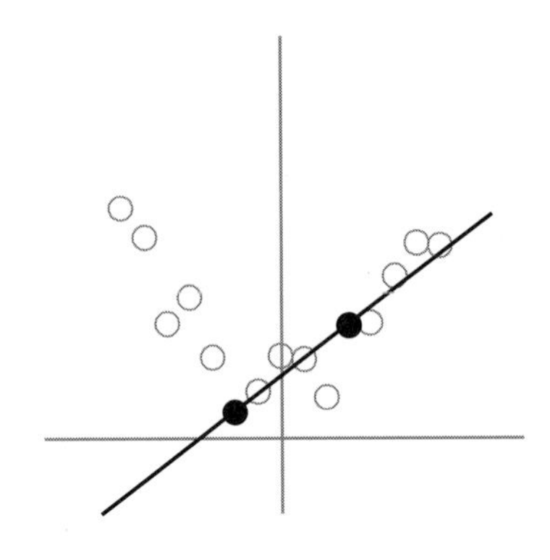

**図 4.6** 2点を通る直線

2つの点が与えられたとき、常にこの2点を通る直線のパラメータを計算できる。

xが与えられると、xに直線の傾きであるw[0]を掛け、直線の垂直位置（直線がy軸と交差する点）である定数w[1]を足す。w[1]が0の場合、直線は0を通る。w[1]が0でない場合、直線は座標w[1]で縦軸（y軸）を横切る。w[0]とw[1]を変化させれば、どんな直線でも引ける。

このモデルは2つのパラメータをもつ。学習セットに2つの点X[0],Y[0]とX[1],Y[1]しかなければ、この2点を通るパラメータは常に見つかる。

直線上にはない第3の学習点X[2],Y[2]を加えた場合を想像してみよう。この3点を結び付ける新しい学習モデルを見つけるにはどうすればいいだろうか？

機械を訓練するには、3点のできるだけ近くを通る関数モデルを事前に考えておく必要がある。検討中の例では、その条件にかなった関数は、ある種の曲線、たとえば放物線を描くことが（経験によって）わかっている。それは、2乗を含む関数、つまり2次多項式になる。

```
f(x,w) = w[0]*x**2+w[1]*x+w[2]
```

学習とは、この式の不明な値、すなわち、各点を通れるような曲線を可能にする、ベクトル w の3つの成分を見つけることだ。目的は常に同じである。得られた曲線（モデル）から、学習セットに属していない x に対する f(x,w) の正しい値を計算できるようにしたいのだ。

ふさわしい関数は、2次多項式よりもはるかに複雑になり、かなりの数のパラメータをもつことになるかもしれない。自律走行訓練中の車の例をもう一度取り上げよう。道路を撮影しているカメラから入力画像 x が与えられたとき、道路の白線に沿うようにするには、車のハンドル角度 y をどのようにすればよいのだろうか？　この x は数千個の数値（カメラからの入力画像のピクセル）で構成されており、モデルには調整可能なパラメータが数千万個もある。しかし、原理は変わらない。

## 4-8 モデルの選択

モデルの選択にはエンジニアもかかわってくる。システムのアーキテクチャとそのパラメータ化、つまり関数 f(x,w) の形式を決めるのはエンジニアだからだ。単層のパーセプトロン、2層のニューラルネットワーク、3層、5層、6層、あるいは50層の畳み込みニューラルネットワークなど、選択肢は数多い。

モデル選択の手順は経験に基づくが、その支えとなっているのは、ヴァプニクの統計的学習理論である。

彼のことはよく知っている。とても優秀な数学者だ。私がベル研究所に就職した1年後に、ヴァプニクが同じ研究室に入ってきた。1996年、部門長になった私は、彼の「上司」になった。基礎研究の分野では、上司が部下の研究内容に口を出したりはしない。研究室のメンバーが自由に研究できるような環境を整えてやるだけだ。メンバーにとって上司とは、個人的研究の気を散らす邪魔な存在でしかない。

ウズベキスタンのサマルカンド近郊で生まれたヴァプニクは、一時期モスクワの制御問題研究所に勤務し、そこで統計的学習理論の基礎を築いた。当然ながらパーセプトロンにも興味をもっていたが、ユダヤ人という出自のせいでソ連での出世が見込めず、ソ連が研究者の海外渡航を認め始めると移住を決意する。ヴァプニクが渡米したのは、私の1年後の1989年10月、ベルリンの壁が崩壊する直前のことだった。彼はアメリカで統計的学習理論を完成させる。この理論によって、訓練データの数、そのデータを使って訓練するモデルの複雑さ、学習には使われなかったデータにおけるモデルの性能という3者の関係が明らかになった。モデル選択の手順が理解できるようになったのは、この理論のおかげである。

先に見たように、直線は常に任意の2点を通ることができる。だから、2点を結び付ける関数を選ぶ必要があるときは、2つのパラメータをもつ `w[0]*x+w[1]` 型の直線を選択すればいい。これは「1次多項式」だ。

3点を通る関数を求める場合は、3つのパラメータをもつ `f(x,w) = w[0]*x**2+w[1]*x+w[2]` 型の放物線を選択すればいい。これは「2次多項式」だ。

3のべき乗をもつ項がある場合は、4つのパラメータをもつ3次多項式。

4のべき乗をもつ項があれば、5つのパラメータをもつ4次多項式。

以下同じ。

多項式に項を追加すればするほど、より柔軟な曲線を描けるようになる。また、「波を立てる」ことによってすべての点を通るようにもできる。

2次多項式は、上向きまたは下向きにカーブした放物線だ。3つの点が与えられたとき、この3点を通る多項式が常に存在する。

3次多項式は、ひとつの山とひとつの谷をもつ場合がある。4つの点が与えられたとき、この4点を通る多項式が常に見つかる。

4 次曲線はさらに柔軟性が高く、W 字型や M 字型、上部が平らな形などにもなる。この曲線は 5 つの点を通る。

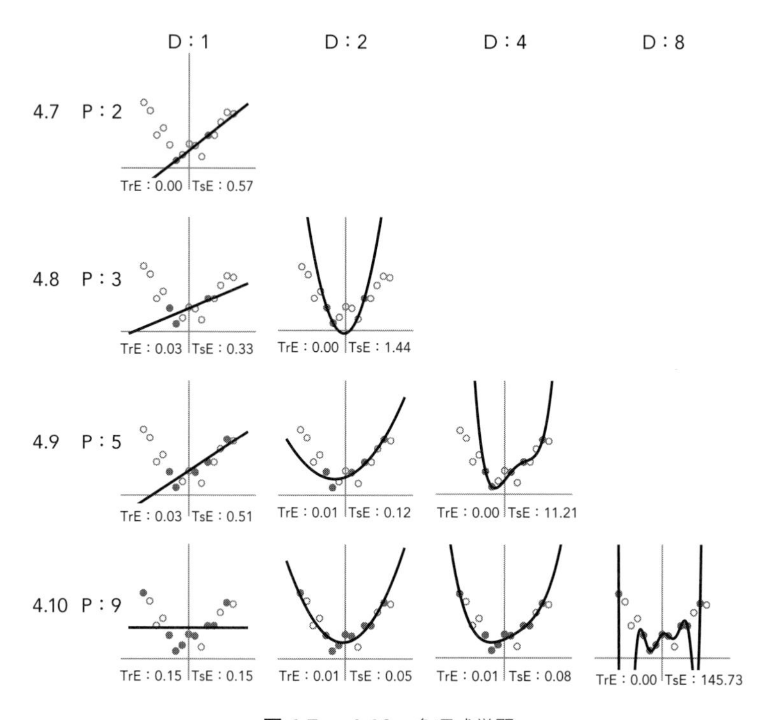


**図 4.7 ～ 4.10**　多項式学習

データ点が 15 個ある。黒い点は学習サンプル、白い点はテストサンプル。各列はそれぞれ異なるモデルを表している（左から順に、直線、次数（D）が 2、4、8 の多項式）。各行では、学習に使うサンプル数（P）を、2、3、5、9 と変化させている。
各グラフの曲線は、データ点に最も近似する多項式を表している。TrE は学習誤差、TsE はテスト誤差。
モデルに「柔軟性がない」場合（直線や放物線）、データ点が多すぎると、そのすべてを通ることはできない。「柔軟性がある」場合（高次数の多項式）は、多くの点を通過できる。しかし、これらの点が単純な曲線上に並んでいない場合（つまり、ノイズが多い場合）、点を曲線上に乗せるには、大きな「波」を立てる必要がある（右下のグラフ）。その場合、学習誤差は 0 になるが、テスト誤差がかなり大きくなる。この現象は「過剰適合（または過学習）」（overfitting）と呼ばれている。データ点が 9 個の場合（一番下の行）、テスト誤差が最も少ないのは 2 次多項式である（出典：Alfredo Canziani）。

5次曲線はさらにもっと複雑で……（この曲線は6つの点を通る）。

P 個の点（学習サンプル）があるとすると、そのすべての点を通る曲線、つまりP 個の点を通る次数 P-1 の多項式が、常に少なくともひとつは存在する。現実には、計算の数値精度の問題があるので、使用可能な多項式の次数には限界がある。われわれはデータセットが手に入ると、今述べた多項式の中から、使用するサンプルの数に見合った最適なモデルを選択する。

点（学習サンプル）が1000個あり、すべての点を通らせたいなら、理論的には次数が999の多項式を使うべきだが、かなり不安定なので、実際には使われない。

要するに、訓練するモデルの複雑さは、訓練に使用するデータの数に合わせなければならない。

その理由を詳しく見てみよう。

## 4-9 牛と3人の科学者

同じ列車に乗り合わせた、エンジニア、物理学者、数学者の3人。列車は牧場のそばを通り過ぎる。牛飼いの後を5頭の黒い牛が一列になって歩いている。それを見たエンジニアは、「ほら、この国の牛は黒いぞ」と言った。「そうじゃない」と物理学者。「この国には黒い牛が少なくとも5頭いるのだ」。最後に、数学者がこう言った。「どちらも間違っている。この国には右側が黒い牛が少なくとも5頭いるのだ」

その場の状況を考えると、3人の答えはどれも間違ってはいない。数学者は観察結果の描写に徹しようとして、その国のほかの牛についてはいかなる予測もしなかった。あえて拡大解釈（外挿）を避けたのだ。エンジニアは一般化を少し急ぎすぎた。自ら示した規則の単純さにつられて、ほかの牛の色まで予測してしまった。物理学者は「牛は一般的に左右で同じ色をしている」という経験に基づく仮説は立てたが、ほかの牛への拡大解釈は拒んだ。

この逸話は、いくつかの問題を例証している。まず、物理学者のように、予測を立てるには予備知識を使う必要がある。第二に、データを説明できるモデルは、常にいくつも存在する。よいモデルと悪いモデルの違いは、観測結果を説明する能力ではなく、新しい観測結果を予測する能力にある。この話の数学者はデータにこだわるあまり、自分の予備知識に頼ることができず、一般化に失敗した。新しい牛が現れれば、彼のモデルは役に立たなくなる可能性が高い。

## 4-10 オッカムの剃刀

「オッカムの剃刀(かみそり)」とは、節約の原理を述べたものだ。つまり、「必要もないのに多くのものを定立してはならない」(*Pluralitas non est ponenda sine necessitate*)。一連の観測結果の説明は、余分な概念に頼ることなく、できるだけシンプルであるべきだというのである。14 世紀のフランシスコ会修道士ウィリアム・オッカムに由来するこの原理は、物理学者によく知られている。理論に必要な方程式、仮説、自由パラメータ(光速や電子の質量など、別の量からは計算できないパラメータ)の数は、なるべく少ないほうがいい。アルバート・アインシュタインは別の言い方をしている。「何事もできるだけシンプルにすべきだ。だが、シンプルすぎてもいけない」

物理学のシンプルな理論には確固たる美しさがあるが、長所はそれだけではない。理論構築は、少しでも実験データに即したものにしようとするあまり、さまざまな概念や規則、例外、パラメータ、公式などを取り入れてしまい、ともすれば乱雑なものになりがちだ。しかし、ごたついた理論よりもシンプルな理論のほうが、正しい予測ができる可能性が高い。さらに、オーストリア出身のイギリス人認識論者カール・ポパーは、理論の質を、既存の観測結果を説明する能力ではなく、予測能力によって評価する。彼によれば、科学的方法とは、理論を「反証可能」なものにする手順である。そうであってこそ、「科学」の名に値する。常に新しい点を通れるように調整可能な、次数が高すぎる多項式のように、複雑すぎる理論も、常に新しい観測結果を説明できるように調整できる。これは、反証可能ではない。一方、質素を旨とする倹約的な理論は調整が難しいので、新しいデータが追加されるたびに、その有効性が確認または否定される。これは、反証可能である。

陰謀論は、反証不可能な理論の一例だ。どんなことでも陰謀で説明がつく。しかし、ありそうもない事実をいくつもつなぎ合わせた陰謀論は、それ自体がさらにありそうもない。イギリスの進化生物学者リチャード・ドーキンスは、陰謀論を宗教の教義に関連付けている。「宇宙は神が創造した」という宇宙の説明の仕方は、一見シンプルなように思える。しかし、神の存在の仮定は理論に複雑さをもたらす（神は全能なので、無限に複雑である）。少なくとも、反証可能とは言えない。学習理論はというと、もちろん反証可能な理論である。

数学者ピエール＝シモン・ラプラスに、こんなエピソードがある。『天体力学』の出版後、彼はナポレオンの反論にあう。「あなたは天地万物を貫く法則を説明しておられるが、神の存在については一度も語っておらぬではないか！」。するとラプラスは、「陛下、私にその仮説は必要なかったのです」と答えた。

## 4-11 訓練のプロトコル

標準的なプロトコルでは、機械の訓練は3段階で実施される。目的は、特定のタスクに最適なモデルを選定することだ。モデル（できるだけ限定的なクラスの関数）を選び出すには、その予測能力を測定する必要がある。つまり、学習中には見なかったサンプルを使ってコスト関数を評価しなければならない。そのサンプルが検証セットだ。

2つでひと組の学習サンプル x,y が1万組あるとする。モデルはこのサンプルの半分、5000組の x,y で訓練される。これは、得られた出力が所望出力に近づくように、関数のパラメータを調整する段階だ。この時点で、コスト関数の最小化が行われる。このセットで計算された誤差が「学習誤差」(learning error) である。

このようにして訓練されたシステムの性能を評価するために、そして機械がサンプルをただ暗記しただけでなく、そのタスクを十分に学習し、初めて見るサンプルでも処理できることを確認するために、別の2500組の x,y で誤差が測定される。これが「検証誤差」(validation error) である。

この操作が、さまざまなモデル、つまりさまざまな関数で繰り返される（たとえば、多項式の次数を1、2、3と上げていく、ニューラルネットワークの規模を大きくしていく、など)。そして、検証誤差が最小だったモデルを選び出す。

最後に、選んだモデルの誤差を残りの2500サンプルで測定する。これが「テスト誤差」(test error) である。なぜテスト誤差を測定するのか？　検証誤差を使えばそれでいいようにも思えるが、検証誤差は見込みが少し甘いのだ。検証誤差が最小だったという理由でモデルを選択したとすると、それは検証セットで訓練したようなものだ。展開前のシステムの質を正しく評価するには、現実の状況に当てはめ、一度も使っていないサンプルで性能を測定したほうがいい。

## 4-12 妥協点を見つける

モデルが単純すぎると、多くの学習データをモデル化できない（先ほどからの例で言えば、直線が多くの点を通るには、それらの点がまっすぐに並んでいる必要がある)。逆にモデルが複雑な場合 (1000次多項式や大規模ニューラルネットワーク)、モデルは学習セットを「学習」しはするが、汎化能力が低くなる。この場合、関数が柔軟すぎて、点と点のあいだを大きく振動してしまうので、学習サンプルをさらにもっと増やす必要がある。そうすれば、関数はすべての点を正確に通るのをやめて振動が減り、新しい点に対して正しい予測ができるようになる。言い換えれば、データ点を暗記するのをやめ、根底にひそむ規則を発見し始めるようになる。

要するに、データ数とモデルの複雑さのあいだには、バランスの取れたほどよい均衡点があるということだ。

可視化してみよう。図 4.10（145 ページ参照）のように、9 個の学習点があるとする。放物線（3 つのパラメータをもつ 2 次多項式）で表される関数を使うと、学習中、この関数は可能なかぎりすべての点を通過しようとするので、かなり正確な補間が行われる。学習セットにない x の値が新たに与えられた場合、2 つの点のあいだに放物線を挟んで補間が行われるので、かなりよい出力が得られるはずだ。

次数が 8 や 16 の多項式でも、同じように 9 つの学習点をつなぐというタスクのテストが可能だ。きわめて柔軟なモデルを使えば、図 4.10 のように、曲線がすべての点を正確に通るようにもできる。しかし、各点がきちんと並んでいないので、すべての点を通るには曲線を振動させる必要がある。8 次多項式であれば 8 回振動し、さまざまな波を描いて、すべての点を正確に通過する。

このモデルは補間にはあまり向いていない。実際、学習中に使わなかった新しい x を与えて処理させると、その x が波の上部にくることがあり、その場合、生成される y の値はおそらく間違ったものになる。これは「過剰適合（または過学習）」と呼ばれる現象で、複雑すぎるモデルを使用した場合や、学習データの数が不十分な場合に生じる問題である。モデル容量に余裕があれば、根底にある規則を発見することなく、データを「暗記」で学習してしまうのだ。

サンプル数が多くなるにつれて、学習誤差は徐々に増加していく。常識で考えても、点が多いほど、放物線（またはエンジニアが選んだ別の多項式）がすべての点を通る可能性は低くなる。検証セット

(学習中に機械が見なかったサンプルで構成したもの）では、サンプル数が増えるにつれて、検証誤差はゆっくり減少していく。

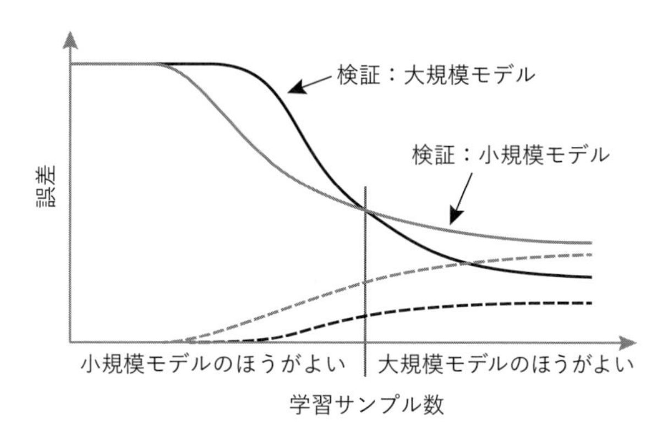


**図 4.11** 大規模モデルと小規模モデルに対する学習誤差曲線と検証誤差曲線の収束

どんなモデルでも、学習のサンプル数が増えるにつれ、学習誤差（破線）はゆるやかに上昇し、検証誤差（実線）はゆるやかに下降する。小規模モデル（グレーの線）では、2本の曲線がサンプルが少ない時点で近づき始め、すぐに接近する。しかし、最終的な誤差はかなり大きい。大規模モデル(パラメータの数が多い)では、多くのサンプルを使ってからでないと、2本の曲線は近づき始めない。近づくのは遅いが、最終的な誤差は小さい。大規模モデルと小規模モデルの検証誤差曲線は途中で交差する。そこまでは小規模モデルが好ましく、そこを越えると大規模モデルが好ましい。

どんなモデルでも、学習誤差（経験誤差ともいう）は、検証誤差よりも小さい。見たことのないサンプルよりも、すでに見たことがあるサンプルのほうがうまく処理できるからだ。モデルの複雑さが同じであれば、学習サンプル数を増やすと、2本の曲線は対称的なカーブを描く。学習誤差はゆるやかに上昇し、検証誤差はゆるやかに下降する。学習サンプル数が無限大に向かって増えていくにつれ、2本の曲線はますます近づいていく。

その理由を説明しよう。データ点が7個しかないとする。直線、つまり1次多項式の場合、この7点すべてを通ることは難しい。データ点が2個以上になると、すべての点がまっすぐに並んでいないかぎり、学習誤差が増加し始める。

4 次多項式なら、すべての点のそばを通過できる。学習誤差は直線の場合より小さくなる。しかし、この多項式が各点のできるだけ近くを通過するには、「波を立てる」必要がある。この波は、新しい点からは離れてしまう可能性が高い。

データ点を追加してみよう。直線（1 次多項式）は位置がほとんど変わらない。学習誤差は 7 点のときとほぼ同じである。一方、4 次多項式の学習誤差は増加する。すべての点のそばを通れなくなるからだ。しかし、テストセットの点を追加していけば、追加点で構成されたテストセットの結果はよくなる。

これらの結果から、学習サンプル数に応じて最適なシステムを選択するための、どのような教訓が得られるのだろうか？

もう一度、図 4.11 を見てみよう。縦線の左側では、小規模モデルのほうが検証誤差が少なく、性能がよいことがわかる。だから、データが少ない場合は、小規模モデルを使ったほうがいい。縦線の右側では、大規模モデルのほうが好結果になっている。データが多い場合は、大規模モデルを使ったほうがいいということだ。サンプル数がしきい値を超えると、曲線はすべての点を通れなくなり、汎化が始まる。モデルの選択にあたっては、同じくサンプル数についても、最良の妥協点を探す必要がある。言い換えれば、データの根底にひそむ構造をシステムに発見させるには、システムが間違い始めるくらいに大量のサンプルを提示して、「理解」することなく「暗記」だけで学習できる能力の限界を超えさせなければならない。

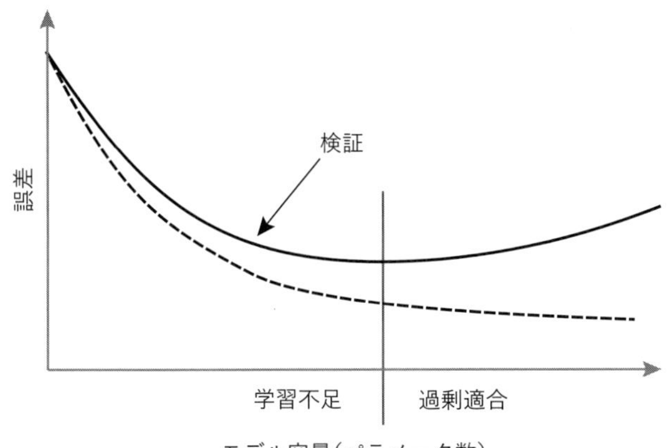


**図 4.12**　学習不足と過剰適合

学習のサンプル数が同じなら、使用するモデルの複雑さが増すにつれて、学習誤差（破線）は減少していく。しかし、検証誤差（実線）は、最小値を通り過ぎて再上昇してしまう。この再上昇した部分は、「過剰適合（または過学習）」と呼ばれる現象を示している。学習サンプルをあまりに詳しく学習すると、機械は実行しようとしているタスクがもつ一般的側面を見失い、そこから汎化規則を引き出そうとするのではなく、暗記によって学習し始めてしまう。この曲線の低い点は、選択すべきモデル容量を示している。

一定数の学習サンプルに対しては、モデル容量が大きいほど、学習誤差は小さくなる。しかし同時に、モデル容量が大きいほど、検証誤差と学習誤差の差も大きくなる。したがって、この2つの状態のあいだに最良の妥協点となる最適なモデル容量が存在する。それが最も検証誤差が少ない状態である。

途方もない学習容量をもつ、次数が無限の多項式を想像してみよう。その学習誤差は常に0だ。どんなに点の数を増やしても、この多項式はすべての点を通過できる。しかし、汎化することは永遠にできない。劣等生が理解もせずに丸暗記するのと同じで、多項式もすべてを暗記しようとする。教師に九九の表を繰り返し練習させられた劣等生は、掛け算の仕方を知ることもなく、答えを丸暗記することになるのだ。

「ノーフリーランチ定理」(No Free Lunch theorem) が、この状況を要約している。これは、あらゆることを学習できる学習機械は、実際には何ひとつ学習できない、という定理である。なぜなら、すべての点を通るのをやめ、根底にひそむ規則を見つけ始めるには、つまり汎化できるようになるには、きわめて多くの学習サンプルが必要になるからだ。記憶力のよい人は、そうでない人よりも根底にある規則を発見することが少ない、という事実を考えてみてもいいかもしれない。

データセットを使って機械を訓練する際、さまざまな制約の中でうまくバランスを取る必要がある。

1. 学習セットを学習するには、つまりすべての点のそばを通るには、モデルが十分に高性能(十分な数の調整つまみがある)でなければならない。
2. とはいえ、高性能すぎてもいけない。ノイズによる摂動が生じてしまうからだ。つまり、あまりに多くの「波」を立てて、すべての点を正確に通ろうとすると、機械は正しく補間することができなくなってしまう。

ヴァプニクの公式は、以下の3つの概念に基づいている。

1. 学習誤差(または経験誤差):訓練したセットにおけるシステムの性能。
2. テスト誤差:学習中には見なかった追加点におけるシステムの性能。点が無数にあれば、システムが現実の状況で生成する誤差の正しい推定値が得られる。
3. モデル容量:ありうるすべての設定のパラメータを変化させたときにモデルが実行できる関数の数の尺度。モデル容量は、VC次元(Vapnik-Chervonenkis dimension)ともいう。

ヴァプニクの公式はこう書ける。

```
Etest < Etrain+k*h/(p**alpha)
```

Etest：テスト誤差
Etrain：学習誤差
k：定数
h：VC 次元（モデル容量）
p：学習サンプル数
alpha：問題の性質に応じて 1/2 から 1 までの値をとる定数。

図 4.11 と図 4.12 は、この公式に基づいている。

## 4-13 ブール関数のめまい

一般的に言って、かなり単純な入力であっても、入力サンプルを処理可能な関数の数は膨大なものになる。しかし先ほど見たように、どんな関数でも学習してしまえるような超高性能な機械は、膨大な数の学習サンプルが与えられないかぎり、正しく汎化することができない。したがって、それなりのサンプル数しかないのであれば、機械には何らかの制約がともなうはずで、だとすれば、入出力関係を学習できるように機械を特化する必要がある（これは、あくまで「概念」の話）。ところで、制約は主にモデルのアーキテクチャに由来する。

だから、機械は、少ないサンプルで有用な関数を学習できる構造を事前に備えていなければならない。だがそうすると、この構造のせいで、機械はありうるすべての関数のうちのごく一部の関数しか表現できなくなる。

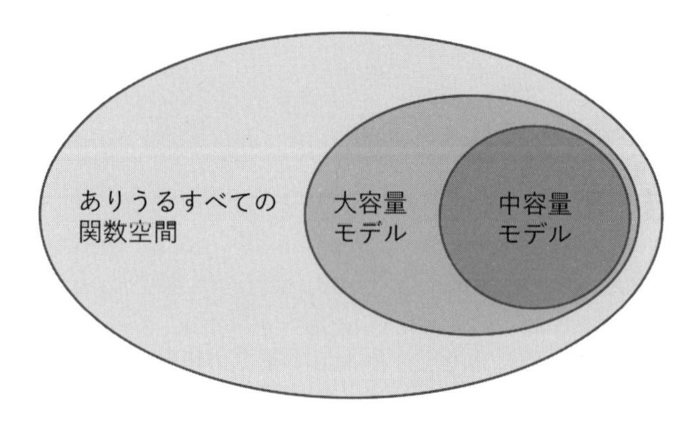


**図 4.13**　関数空間

モデルが表現（計算、近似）可能な関数の範囲は、ありうるすべての関数空間のごく一部にすぎない。この範囲は、主にモデルのアーキテクチャによって決まる。大容量モデルは、小容量モデルよりも広い範囲の関数を表現できる。

| 入力 | 0 | 1 | 2 | 3 | 4 | 5 | 6 | 7 | 8 | 9 | 10 | 11 | 12 | 13 | 14 | 15 |
|---|---|---|---|---|---|---|---|---|---|---|---|---|---|---|---|---|
| 0,0 | 0 | 1 | 0 | 1 | 0 | 1 | 0 | 1 | 0 | 1 | 0 | 1 | 0 | 1 | 0 | 1 |
| 0,1 | 0 | 0 | 1 | 1 | 0 | 0 | 1 | 1 | 0 | 0 | 1 | 1 | 0 | 0 | 1 | 1 |
| 1,0 | 0 | 0 | 0 | 0 | 1 | 1 | 1 | 1 | 0 | 0 | 0 | 0 | 1 | 1 | 1 | 1 |
| 1,1 | 0 | 0 | 0 | 0 | 0 | 0 | 0 | 0 | 1 | 1 | 1 | 1 | 1 | 1 | 1 | 1 |

**図 4.14**　ブール関数の真理値表

ブール関数は、$n$ ビットの入力を 1 ビットで出力する。2 ビットのブール関数は、4 通りの入力パターン、(0,0)、(0,1)、(1,0)、(1,1) のそれぞれに対する出力値（0 または 1）を示す、4 行の真理値表で表現できる。この 4 通りの入力パターンに対して、ありうる出力パターンは 16 通り (2**4)。つまり、16 個の 2 ビット関数がありえる。各関数は 4 ビットの列で表される。入力ビットを追加するごとに、表の行数は 2 倍になる。一般に、$n$ ビットの関数に対しては、2**n 通りの入力パターンと 2**(2**n) 個のブール関数がありえる。

　このことを理解するために、「ブール関数」(Boolean function) というバイナリ関数の例を取り上げよう。入力は、0 と 1 の列で構成されている。出力は、0 か 1 かのどちらかである。ブール関数が興味深いのは、入力が有限個で、その数を数えられるからだ。ブール論理は、バイナリ変数同士の演算に使われる。それぞれの値には固有の役割があり、0と1は交換できない。よって、(0,1) と (1,0) は同じではない[*2]。

## 4-14 ありうる関数のいくつかの例

図4.14の第8列を見てみよう。機械にはこう指示する。「両方の入力が1であれば1を出力し、そうでなければ0を出力せよ」。これは「AND」関数であり、その真理値表、つまり、ありうるすべての入力パターンに対するすべての出力リストは、(00,0) (01,0) (10,0) (11,1) である。

第6列を見てみよう。機械にはこう指示する。「2つの入力のうち、ひとつだけが1であれば1を出力し、そうでなければ0を出力せよ」。したがって、真理値表は (00,0) (01,1) (10,1) (11,0) となる。

これは、パーセプトロンでは計算できない排他的論理和の関数である（第3章の図3.6を参照）。先に述べたが、パーセプトロンの限界は、線形分離可能な関数しか計算できないことだった。

ここでの目的は、n個の0と1、つまりnビットの列の入力から、いくつの組み合わせが可能かを確認することだ。

nが1のときは、2**1 = 2通り。

nが2のときは、2**1の2倍、つまり2**2 = 4通り。

nが3のときは、2**2の2倍、つまり2**3 = 8通り。さらに、16通り、32通り、64通り、128通り、256通り、512通り、1024通り、2048通り、4096通り……。

1ビットを追加するたびに、ありうる組み合わせの数は2倍に増える。入力がnビットのとき、2**n通りの入力パターンがある。00000から始まり、次は00001、その次は00010、00011……。す

*2 ジェフリー・ヒントンはブール論理の考案者ジョージ・ブールの子孫だが、だからといって、AIにおける論理の優位性に対する批判をためらうことはなかった。

べて数え上げると、2のn乗（2**n）であることがわかる。

特定のブール関数は、2のn乗ビットのリストである。

n個の入力ビットの各パターンは、ありうる2つの出力（0または1）のひとつにそれぞれ結び付けられている。2のn乗ビットのパターンは全部で何通りあるだろうか？　答えは、2の(2のn乗)乗通りだ。これが、n個の入力ビットのありうるブール関数の数だ。nが小さな値の場合でも、その数は天文学的なものになる。

第3章のパーセプトロンのように、25ビットの入力をもつ関数があるとすると、この25ビットのありうる関数の数は、早くも2の33,554,432乗個に達する。これは10,100,890桁の数字であり、観測可能な宇宙にあるすべての原子の数（約80桁の数字）をはるかに上回る。しかもこの結果は、単純なバイナリ関数のみを使って得られたものなのだ。

パーセプトロンの例では、2つの入力とありうる16個の関数をもつブール関数を検討した。16個の関数のうち、パーセプトロンなどの線形分類器では実現不可能な関数が2つあり（排他的論理和とその逆)、残りの14個の関数が線形分類器で実現可能だ。これはかなりの割合である。

しかし、入力ビット数が増えるにつれて、パーセプトロンが実現できる関数の割合は減少していく。言い換えれば、nが大きくなれば、パーセプトロンでnビットのブール関数を実現できる可能性はほとんどなくなる。

これを可視化してみよう。平面上に複数の「+」と「-」をランダムに置くとする。1本の直線で「+」と「-」の2組に分離できる確率はどれくらいだろうか？　点が3つしかない場合は、ほぼ必ず分けられる（点がまっすぐ並んでいないかぎりは)。しかし、点が何百万個もあれば、直線で分離できる可能性はきわめて低くなる。パーセプトロンは、サンプル数が多い学習セットを完全に学習することができないのだ。

結論として、パーセプトロンのような線形分類器（ニューロン層が１層しかないアーキテクチャ）は柔軟性に欠ける。学習点の数が線形分類器の入力数を超えると、線形分類器がクラスＡの点とクラスＢの点を分割できる可能性はとたんに低くなる。これは、スタンフォード大学のアメリカ人統計学者トーマス・カバーが1966年に証明した定理である[*3]。

逆に、学習システムによって実現可能な関数族の柔軟性が高すぎるのも問題である。

**例証**

第３章で例として示した、５×５ピクセルのグリッド上のＣとＤのバイナリ画像をもう一度取り上げよう。25ビットのありうる関数の数は、２の33,554,432乗個だ。学習サンプルが100個なら、ブール関数の真理値表の100行が指定されるが、その他の33,554,332行（33,554,432－100）に対する関数の値は指定されないままだ。だから、データに適合しうる関数の数、つまり、100個のサンプルで正解を出せる関数の数は、２の33,554,332乗個ある。この膨大な数の中から、機械にどうやって適切な関数を選び出させればよいのか？　100個の学習サンプルにない文字画像ＣとＤを正しく分類する関数をどうやって選べというのだろうか？

## 4-15　正則化：モデル容量の抑制

この考察は形而上学的問題につながる。学習機械がありうるすべての関数を計算できるとしたら、学習サンプルに適合する膨大な数の関数の中から、つまり正解を出せるすべての関数の中から最良の

*3　T. M. Cover, "Geometrical and statistical properties of systems of linear inequalities with applications in pattern recognition", *IEEE Transactions on Electronic Computers*, 1965, EC-14 (3), pp. 326–334.

関数を選び出すには、どのような戦略を用いればよいのだろうか？数は膨大にある。それには帰納バイアス、つまり、どの関数を選ぶかを決めるための基準が必要である。この帰納バイアスこそ、われわれにとってのオッカムの剃刀だ。すなわち、学習アルゴリズムには最も「単純な」関数を選択すべし。任意の関数の単純さを測定（または計算）できるように、ここでその概念を定義しておこう。実際、単純さ（または複雑さ）というのは、検討するに値する概念である。われわれが構築する必要があるのは、正則化器という関数の複雑さを計算するプログラム（数学的な関数）だ。たとえば、多項式族なら、その次数がモデルの複雑さを示すひとつの尺度になるだろうし、ニューラルネットワークなら、ニューロンや接続の数が使えるかもしれない。

学習を効率的に行うには、学習誤差と学習誤差を得るために使用される関数の複雑さ（または、その関数が属する関数族の容量）とのあいだに適当な妥協点を見つけなければならない。関数が複雑になるにつれ、学習誤差は小さくなるが、システムが汎化能力をもつ可能性は低くなる。

だから、学習誤差 L(w) を最小化するのではなく、以下の新しい基準を最小化する必要がある。

$$L'(w) = L(w)+a*R(w)$$

ここで、L(w) は学習誤差、R(w) は正則化項（パラメータが w である関数の複雑さの尺度）、a はデータのモデル化とモデルの複雑さの最小化との妥協点を制御する定数である。

この回り道は、単なる数学者の気まぐれではない。学習ベースの人工知能システムを構築する場合は、この正則化項がごく一般的に使用されている。実際の作業では、計算がしやすく、勾配降下法による最小化が容易な正則化項がよく使われている。線形分類器やニューラルネットワークには、重みの２乗和がよく使われる。

線形分類器の場合、重みの２乗和を正則化器として使えば、複数の点で構成された２つのクラスのあいだに位置する無人地帯（ノーマンズランド）の「真ん中」に、クラス同士の境界を引くことができる（SVMではこれを「マージン最大化」と呼んでいる）。

重みの絶対値の和も正則化器として使える。

絶対値の和を使えば、不要な（あまり役に立たない）重みが0になるような解を見つけることができる。このようにして多項式の係数の学習を正則化すれば、高次の項の係数が不要な場合にその係数を排除できる。

## 4-16 人間のための教訓

教訓１：ブール関数と同じく、人間の知能の複雑さは、きわめて単純な要素の組み合わせから生じる。知能は、単純な要素の組み合わせがもたらす創発特性なのだ。

教訓２：生得的な構造が不可欠である。人間には、あらかじめ脳を配線する構造が備わっていなければならない。人間が学習可能なのは、情報を処理できるほど脳が特殊化されており、試行錯誤にほとんど頼らずに規則を引き出せるからだ。もし人間が白紙状態（タブララサ）であり、脳がまったく特殊化していなければ、どんなことでも学習できるだろう（きわめて複雑なモデルが膨大な量のデータを学習できるのと同じように）。しかし、それには膨大な時間がかかる。なぜなら、すべてを暗記によって学習することになるからだ。

教訓３：ここで説明した機械学習法は、どれもコスト関数を最小化する。試行錯誤しながら調整を繰り返し、期待される結果に近づいていく。人間や動物の学習方法も、コスト関数の最小化のようなものだと解釈できるだろうか？　いつか、この質問に答えられるようになりたいものだ。

Chapter

# 5

# 深層ニューラルネットワークと誤差逆伝播法

パーセプトロンなどの限界に直面した科学コミュニティは、より複雑なタスクを実現できるシステムを求めて、ニューロン層を積み重ねるという最も自然な解決策を選択する。

求められていたのは、システムをエンドツーエンドで訓練する方法だった。解決策は単純なことだったが、当時は誰ひとりとしてそのことに気づかず、この研究は1960年代後半にはすっかり下火になってしまった。状況は1980年代半ばに一変する。複数の研究者が、たがいに相談することもなく、誤差逆伝播法を発見したのだ。この方法によって、多層ニューラルネットワークにおけるコストの勾配を効率よく計算することが可能になった。誤差逆伝播法では、出力から入力までのコストが最小になるようにネットワーク各層のパラメータを調整し、最終的には、入力層が自らタスクを達成するために検出すべき正しい画像パターンを特定する。

こうして、ニューラルネットワークは何百万個ものデータを使って訓練され、複雑なタスクを学習できるようになった。これは「ディープラーニング」とも呼ばれているが、「ディープ」というのは、単に層を積み重ねてあるからにすぎない。

## 5-1 ミルフィーユ

多層ニューラルネットワークの原理と初期の応用は1980年代にさかのぼるが、プログラム可能なグラフィックプロセッサ（GPU）や大規模データベースが利用可能になり、ディープラーニング革命が起こるのは、2010年代まで待たなければならなかった。

今日では誤差逆伝播法がディープラーニングの基礎となっており、ほとんどの人工知能システムがこの方法を使っている。

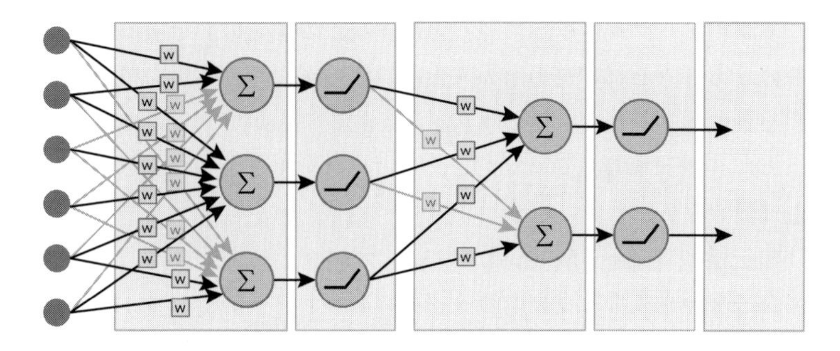

**図 5.1a**　順伝播型全結合多層ニューラルネットワーク

各ユニットは入力の加重和を計算し、その結果を活性化関数に通す。その出力は次の層の別のユニットの入力に送られる。このように、ネットワークは、加重和を実行する線形層と活性化関数を適用する非線形層という 2 種類の層を交互に配置して形成されている。パーセプトロンの場合と同じく、学習とは、ネットワークの出力と所望出力との差を測定し、測定誤差（コスト関数）が最小になるようにユニット同士をつなぐ重みを修正することにある。この章の主題である誤差逆伝播法は、ネットワーク内のすべての重みに対してコスト関数の勾配を計算する。

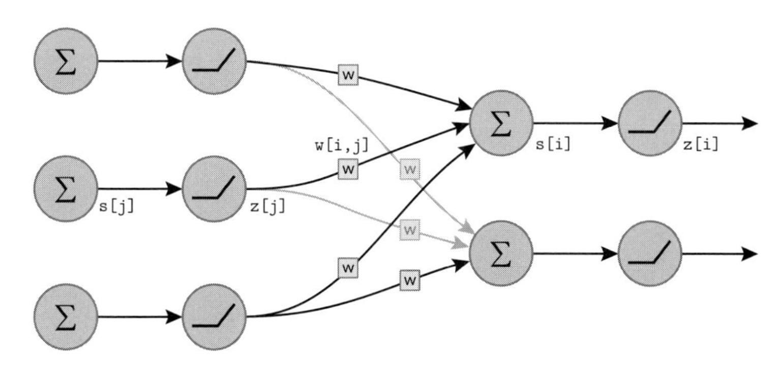


**図 5.1b**　ネットワークのニューロンには番号が振られている

ニューロン i は、上流ニューロンの出力から加重和 s[i] を計算する。ニューロン i の上流ニューロンのセットは UP[i] と書く。重み w[i,j] はニューロン j とニューロン i をつないでいる。加重和は以下の式で計算される。

$$s[i] = \sum_{j \in UP[i]} w[i,j]*z[j]$$

この和の後には、ニューロンの出力を生成する非線形の活性化関数 h が続く。

$$z[i] = h(s[i])$$

多層ニューラルネットワークとは、複数の種類の層を積み重ねたものである。それぞれの層の入力は、前の層における出力の活性状態を表すベクトル（数値のリスト）と見ることができる。その層の出力もベクトルである。ただし、入力ベクトルと同じ大きさをもつとは限らない。
「順伝播型」(feed-forward) ニューラルネットワークは、ある層が前の層から入力を受け取るタイプのネットワークである。上層（出力層側）から下層（入力層側）への接続もある場合は、回帰結合型ニューラルネットワーク（recurrent neural network）と呼ばれる。しかしとりあえず、順伝播型ニューラルネットワークに話を限定しよう。
「古典的」多層ニューラルネットワークは、2種類の層を交互に使用する（図 5.1a を参照)。

1. 線形層：出力は入力の加重和。入力数と出力数が異なる場合もある。線形と呼ばれるのは、その層に2つの入力信号の和を与えると、同じ信号を別々に処理した場合に生成されるはずの出力の和を生成するからだ。
2. 非線形層：出力は、対応する入力に非線形関数を適用することによって得られる。非線形関数には、2乗や絶対値、シグモイド関数などが使われる。非線形層は、出力数が入力数と一致する。多層ニューラルネットワークの性能のカギを握るのが、この非線形演算である。これについては、後ほど詳しく述べる（図 5.2 を参照)。

線形層の特定の出力は、前の層のユニットの出力 z[j] につながる重み w[i,j] を使った加重和 s[i] である。

$$s[i] = \sum_{j \in UP[i]} w[i,j]*z[j]$$

記号 UP[i] は、ユニット i が入力を受け取るユニットのセットを表す。線形層に続く非線形層の特定の出力 z[i] は、「活性化関数」（activation function）と呼ばれる非線形関数の加重和 h を適用した結果である。

```
z[i] = h(s[i])
```

この2つの連続した演算がひとつのユニット、つまりニューロンを構成している。したがって、連続した線形層と非線形層がひとつのニューロン層を構成しているわけだ。

伝達関数は、出力を次の層のユニット（またはニューロン）に送る。次の層でも同じように、前の層のユニットの出力を受け取り、同じ計算をする。このようにして、線形層から非線形層、そして最後の出力層まで、同じ計算が繰り返される。

どうして線形演算と非線形演算を交互に行うのだろうか？ すべての層が線形の場合、全体の演算は複数の線形演算を組み合わせたものになる。しかし、その組み合わせはひとつの線形演算と等価なので、これでは層を重ねた意味がまったくなくなる。線形ネットワークは線形関数しか計算できない。

ところが、ニューラルネットワークで計算したいのは線形関数ではない。猫や犬や鳥の画像を区別する関数は、複雑で極端に非線形的な関数である。非線形性と多層構造があるからこそ、そのような関数をネットワークで計算する（または近似する）ことができるのだ。いくつかの定理により、「線形、非線形、線形」の積み重ねで構成されたネットワークが「普遍的近似器」（universal approximator）であることが証明されている。中間層に十分な数のユニットがあれば、どんな関数でもほぼ望み通りに近似できる。この種のネットワークでは、複雑な関数を正確に近似するために、膨大な数の中間ユニットが必要になる場合がある。しかし一般的には、複雑な関数を表現するには、複数の層をもつネットワークを使ったほうが効率的だ。

とはいえ、ひとつ注意すべきことがある。「全結合」（fully-connected）のネットワークでは、ある層のすべてのユニットが、前の層のすべてのユニットから入力を受け取る。しかし、ニューラルネットワークでは、ある層のユニットが前の層のごく一部からしか入力を受け取らない「部分結合」のアーキテクチャを採用しているものがほとんどなのだ。これについては、次章の畳み込みニューラルネットワークに関する箇所で取り上げることにする。

訓練中のシステムの所望出力は、最終層のユニットの構成に対応する。このユニットは「目に見える」。その出力がシステム全体の出力であるからだ。反対に、前の層のユニットは「隠れている」。これは、エンジニアにもアルゴリズムにも、与えるべき所望出力がわからないという意味である。

隠れ層に対する所望出力をどのように設定すればいいのだろうか？　この「信用割り当て問題」（Credit Assignment Problem）こそ、ディープラーニングのカギである。

## 5-2 連続的なニューロン

話を進める前に、ちょっとフラッシュバック。1980年代初頭まで、機械のアーキテクチャは、入力の加重和がしきい値を超えると信号を送るバイナリニューロンで構築されていた。加重和がしきい値以下だと-1を送る。したがって、出力は+1または-1の2つの可能性がある（出力が1か0のニューロンを好む人もいる）。

このしきい値には、コスト関数に「段差」が生じるという欠点がある。重みの変化がわずかであれば、その変化が伝えられたニューロンの出力にいかなる影響も与えない場合もある。しかし、重みが十分に変化すると、ニューロンの出力は-1から+1へ、あるいは+1から-1へ急激に変化する。その変化がネットワークの出力まで伝播すると、コスト関数の急激な変化が生じる。

言い換えれば、パラメータのわずかな調整は、コスト関数にまったく変化ももたらさないこともあれば、逆に急激な変化を引き起こすこともある。このコスト関数の山岳風景は、段差で区切られた階段状になる。もはや谷の方向を示す傾きは存在せず、勾配が消失してしまう。要するに、バイナリニューロンは勾配降下法による学習と両立しないということだ。

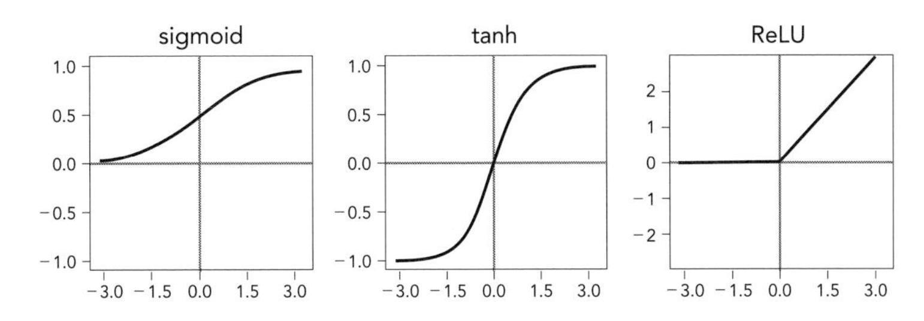


**図 5.2**　多層ニューラルネットワークで使用される非線形の活性化関数

（左）シグモイド関数。0 から 1 まで連続的に変化する。`y = 1/(1+exp(-x))`。（中央）双曲線正接関数（tanh）。シグモイド関数にそっくりだが、−1 から +1 を通る。（右）ランプ関数。ReLU（rectified linear unit：正規化線形関数）ともいう。`x` が正なら `y = x`、そうでなければ 0 になる。最近のニューラルネットワークでは、圧倒的に ReLU が使われている。

コンピュータが十分な計算能力をもつようになると、「優れた」ニューロンが採用されるようになった。ニューロンの出力が-1 から +1 に急激に変化することはなくなり、加重和に適用される活性化関数も階段状には見えなくなった。連続した出力は「S 字」曲線を描く。

第 4 章で見たように、あらゆる学習方法は、コスト関数の最小化をベースにしている。だから、システムの各パラメータに対してその勾配の計算ができなければならない。つまり、コスト関数を減少させるには、パラメータをどの方向にどれくらい変化させればよいかを知る必要がある。何度も言うが、システムを訓練することと学習段階で生じる誤差を減らすことはひとつの同じ過程なのだ。

こうした「優れた」ニューロンを使えば、ニューロンの入力パラメータがわずかに変化するだけで加重和に反映され、そのニューロンの出力が変化する。そして徐々に、パラメータの増減がどんなにわずかなものであっても、自動的にシステムの最終出力に反映され、その結果、コスト関数にも反映されていく。この連続性があるからこそ、勾配降下法を用いて多層ニューラルネットワークを訓練できるのだ。

## 5-3 わがHLM！

もう一度、フラッシュバック。1980年代初頭、学習アルゴリズムの問題は絶えず生じていたが、関心をもつ人はほとんどいなかった。ニューロンはまだバイナリであり、勾配を解析的に計算するなど話にもならなかった（そもそも誰も思いつきもしなかった）。摂動――重みを個別に修正し、出力に対する影響を観測する――に関しては、重みの数が膨大な大規模ネットワークではパズルを解くようなものであり、効率が悪すぎた。

出力が正しくない場合、ネットワークのどのニューロンが間違ったのかを知るにはどのようなアルゴリズムにすればよいのか？　どの重みを変えるべきなのか？　修正すべき重みの値をどうやって計算するのか？

私はといえば、ひたすら文献を読み漁っていた。1960年代には多くの試みが行われていたが、1970年代には、ほとんど何もなされない状態になっていた。そんな中、頑なに努力し続けた数少ない例外のひとりが福島邦彦である。彼が設計したコグニトロンは、たしかに多層ニューラルネットワークではあったが、かなり特殊なものだった。ニューロンがバイナリではなかったのだ。福島は、できるかぎり現実の生物のニューロンをそっくり模倣しようと試みていた。最終層を除くすべての層が教師なし学習で訓練される。「教師なし学習」とは、各ニューロングループを訓練して、パターンのカテゴリを自動的に発見させるという方法である。しかしコグニトロンでは、パターンは最終的なタスクによって判断されるのではなく、頻度によって識別されるようになっていた。ニューロングループの入力領域に縦の輪郭パターンが頻繁に現れる場合、そのグループは、グループ内のひとつのニューロンをその検出に割り当てる。学習手順はすべてこのような操作によって構成されている。

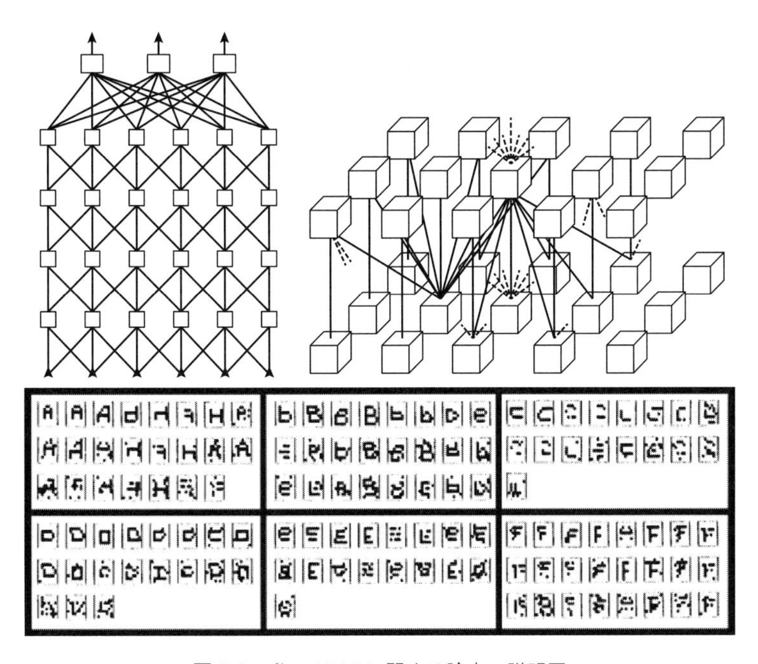

**図 5.3** 私の HLM に関する論文の説明図

1985 年のコグニティヴァ会議で、私は局所接続の多層ニューラルネットワークアーキテクチャを発表した。訓練は「おもちゃ」同然のサンプルで行った。サンプルに使ったのは、ノイズだらけの（つまり、形がくずれていたりして読みにくい）文字をまねた、かなり小さな画像である。

パーセプトロンと同じく、コグニトロンは誤差を最小化するために、最終層のみ教師あり学習で訓練される。内側の層が特定のタスク向きに訓練されないので、あまり効率はよくない。まったくパターン検出を学習できないわけではないが、最終的なタスクにはおそらく役立たない。つまり、太い線と細い線の違いくらいなら検出できるが、文字認識には使えないということだ。

まだ ESIEE に在学中の 1981 年か 1982 年に、どのようにしてひらめいたのかはもう忘れてしまったが、私は多層ニューラルネットワークの学習アルゴリズムを思いつき、HLM（Hierarchical Learning Machine）と名付けた[*1]。HLM は、ほぼ同一のユニットをいくつも積み重ねたものだ。直観的に、このアルゴリズムには一定の数学的根拠があるように思えた。それを検証するため、脇目も振らず、コンピュータで HLM のプログラミング作業に取り組んだ。だが、時間が足りなかった。1983 年、DEA（博士準備）課程に進むと、あきらめきれずにこの計画を再開することにした。丸一年、まるで中毒にかかったかのように、この作業に没頭した。

以下、数ページを割いて HLM の説明をしたい。この方法はもはや使われていないので、あくまで歴史の一部としてではあるが。

HLM には、長所でもあり短所でもあるひとつの特徴があった。それは、出力が +1 または－1 のしきい値をもつバイナリニューロンを使っていたということだ。バイナリニューロンなら、加重和の計算に乗算は必要はなく、加算と減算だけで済ますことができる。当時のコンピュータは、乗算を除外することで計算が速くなったのだ。

この独特なネットワークを訓練するのにぴったりのアイデアが浮かんだ。出力層のニューロンに、所望出力に等しい一定のターゲットを与えてやるのだ。すると、その前の層では、各ニューロンに対して、次の層の必要を満たすようなバイナリターゲット、+1 または -1 を見つけようとする。同じことを繰り返して、少しずつ入力層に向かっていく。

HLM 法では、このようにして出力から逆向きにターゲットを伝播できる。出力は前の層のニューロンにこう伝える。「これが私の所望出力だ。今のところ、あなたは私が正解を出せるような正しい

*1　第 2 章を参照。

出力を出していない。私があなたに出してほしい出力はこれだ」。前の層の各ユニットは、その次の層の複数のニューロンに「話しかける」。次の層のニューロンは、前の層を満足させるような最良の妥協点を見つけなければならない。以下、伝言ゲームのように、同様の内容が続く。

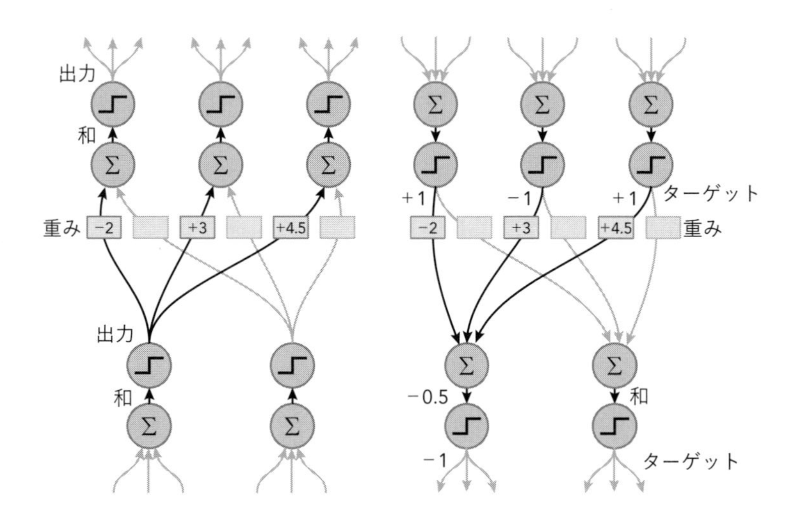


**図 5.4** バイナリニューロンを用いた HLM アルゴリズムのターゲット逆伝播

学習のため、各ニューロンは下流ニューロンに「一票を投じ」させることで、ターゲット（自らに対する一種の所望出力、+1 または −1）を計算する。各下流ニューロンは、当該ニューロンにつながっている重みに応じて、各自のターゲットに一票を投じる。ニューロンのターゲットは、当該ニューロンにつながる接続の重みを使用することで、下流ニューロンのターゲットの加重和として計算される。ターゲットは、加重和が正の場合は +1、負の場合は −1 になる。右側の図では、左の下流ニューロンは −2 の重みで +1（これは +2 の重みで −1 を投じるのと等価）、中央のニューロンは 3 の重みで −1、右のニューロンは 4.5 の重みで +1 を投じている。全体では、加重和は −2−3+4.5 = −0.5 となり、計算の結果、ターゲットは −1 となる。ニューロンの重みは、パーセプトロンの場合と同じく、ニューロンの出力をターゲットに近づけるように訓練される。

まとめると、それぞれのニューロンは、各自のターゲット（仮想の所望出力）をもつ。ターゲットは、次の層のニューロンのターゲットから計算される。このようにして、入力層のニューロンまでさかのぼる。

ニューロンが次の層の複数のニューロンにつながっている場合は、かなり大きな重みをもつひとつのニューロンと、小さな重みをもつそれ以外のニューロンにつながっている可能性がある。したがって、当該ニューロンのターゲットを計算する際は、大きな重みでつながっている下流ニューロンのターゲットに優先的に大きな分け前を与える必要がある。

そのために、ある層のターゲットを取り、そのターゲットの加重和を計算する。加重和が正であればターゲットの値は+1、負であれば-1となる。これは、前後で使われているのと同じ重みだ。この計算は一種の投票のようなもので、下流ニューロンは、このニューロンとつながっている重みに応じて、当該ニューロンのターゲットに「投票する」。ニューロンはバイナリなので、ターゲットもバイナリ（+1または-1）になる。

このHLMアルゴリズムでは、ニューロンjのターゲットt[j]は、次の層のニューロンのターゲットの加重和である。次のニューロンのターゲットを取り、ターゲットの加重和を計算する。その重み付け係数は、ニューロンjと下流ニューロンをつなぐ接続の重みである。この加重和がしきい値を超えると、そのニューロンのターゲットが与えられる。

$$\texttt{t[j] = sign(} \sum_{i \in DN[j]} \texttt{w[i,j]*t[i])}$$

記号DN[j]は、ニューロンjが出力を投射する下流（downstream）のニューロンのセットを示す。そのため、重みw[i,j]は「逆向きに」使われる。

これらのターゲットを順にすべて計算していく。最終的に、各ニューロンは、ターゲットと有効な出力をそれぞれもつことになる。出力をターゲットに近づけるためにパーセプトロンにきわめて似た方法で重みを更新する。言ってみれば、小さなパーセプトンが多数つながり合っていて、各ニューロンのレベルで最終ターゲットが再分配されるようなものだ。

私は何度かパターン認識の実験をしてみた。アルゴリズムは動作したものの、少し不安定だった。私がこのアイデアを初めて披露したのは、1984年にストラスブールで開催された小さな会議である。「神経科学と理工学」と題されたこの会議は、ニューラルネットワークに興味をもつフランス人たちの小さなコミュニティの仲間が年に一度集う場だった。HLMに関する論文は、1985年6月にパリで開催されたコグニティヴァ会議の論文集に掲載された。

私の思いつきは、誤差逆伝播アルゴリズムの一風変わったバージョンであることがわかった。多層ニューラルネットワーク（または深層ニューラルネットワーク）において、誤差逆伝播法は現在、最終層だけでなく、すべての層の訓練のために標準的に使用されている。しばらくして、私は数学的な視点から、この誤差逆伝播法が「ターゲット伝播」（target propagation）と呼ばれるアルゴリズムに属することを明らかにした。誤差逆伝播とターゲット伝播に大した違いはない。単に伝播するものが、前者は勾配であり、後者はニューロンの仮想ターゲットであるというだけの違いだ。

## 5-4 先陣争い

当時ロボット工学の軌道計画に関する博士論文を執筆中だった友人のディディエ・ジョルジュ（現・グルノーブル理工科大学教授）と議論しているうちに、私が取り組んでいる手法と、最適制御理論の研究者が随伴変数法と呼ぶ手法のあいだに驚くほどの類似性があることに気づいた。つまり、連続した（非バイナリの）伝達関数を使って、ターゲットの代わりに誤差を伝播させれば、数学的にシンプルで一貫性のあるものになることを理解したのである。実はなんと、多層ニューラルネットワークに適用された随伴変数法こそ、誤差逆伝播法にほかならなかったのだ。やはり、私の直観は正しかった。この新しいアルゴリズムは、数学的形式主義を利用すれば、簡単に作り出せる（数学的形式主義は、18世紀末にイタリア系フランス人数学者ジョゼフ＝ルイ・ラグランジュがニュートン力学を形式化するために発明した）。こうして、私は誤差逆伝播法を発見したのである。

しかし、この1984年末の時点では、私はまだHLMに取り組んでいる最中で、この新しいアイデアを検証し、論文にしている余裕はなかった。

同じころ、同じ問題に取り組んでいる人たちもいた。そのひとりであるジェフリー（ジェフ）・ヒントンは、当時カーネギーメロン大学の若手教授で、隠れユニットをもつネットワークを訓練する別の手法、ボルツマンマシンに取り組んでいた。ボルツマンマシンは、実際には対称接続をもつネットワークであり、ニューロン間の接続は双方向で行われる。ジェフは1983年、テレンス・セイノフスキーとともにこのアイデアを定式化した。彼の論文には、そのことが細心の注意を払って書かれていた。ボルツマンマシンのユニットがニューロンと多くの類似点があること、接続がシナプスと同一視できることには一切触れていなかった。ただの一度もだ。論文のタイトル自体も「最適知覚推論」とされており、本当の主題をぼやかしてあった。なぜなら、当時、ニューラルネットワークは異端とみなされており、口にするのもはばかられたからだ。

その後まもなく、ジェフはボルツマンマシンの研究に行き詰まる。そこで彼は、デイヴィッド・ラメルハートが1982年に思いついた誤差逆伝播法に狙いを変え、動作させることに成功した。レズーシュの直後の1985年春、私はパリにいたジェフに会いに行った。彼は進行中の研究内容を教えてくれた。私もすでにHLMのプログラムを誤差逆伝播法に適応させるべく修正し始めていたが、ジェフが研究を仕上げる前に、それを検証するだけの時間はなかった。1985年9月、彼はラメルハート、ウィリアムズとともに技術報告書を発表した。その内容は、1986年出版の画期的な本『Parallel

Distributed Processing』の一章にまとめられている[*2]。そこには、私の HLM に関する論文が引用されていた。大物の彼に比べれば、私はまだ何物でもなかった。絶好の機会を逃しはしたが、大満足だった。

## 5-5 誤差逆伝播法の数学的理解

これから説明する誤差逆伝播法は、複数のニューロン層で構成されたネットワークにおけるコスト関数の勾配、つまり最大傾斜方向を効率よく計算するための方法である。この方法の原理は、ネットワーク内で信号を逆方向に伝播させることにあるが、HLM のようにターゲットを伝播させるのではなく、勾配、つまり偏微分を伝播させる。

これを説明するには、線形関数と非線形関数を分けて考える必要がある。

誤差逆伝播法のベースとなる数学的概念は、合成関数の連鎖律 (chain rule) にほかならない。高校で習うように、合成関数とは、ある関数を別の関数の出力に適用したものだ。まず x に関数 f を適用し、次いでその結果に関数 h を適用する。どうしてこの連鎖律が重要なのかというと、線形と非線形の 2 つの連続層は、たとえば、ひとつ目には f、2 つ目には h というように、2 つの関数が適用されていると見ることができるからだ。複数の層がある場合、入れ子になった関数が複数存在するが、最終的にはシンプルになった方程式が残る。これが数学のすばらしいところだ。

*2 D. E. Rumelhart, G. E. Hinton, R. J. Williams, “Learning internal representations by error propagation”, in D. E. Rumelhart, J. L. McClelland (dir.), *Parallel Distributed Processing: Explorations in the Microstructure of Cognition*, The MIT Press, 1986, vol. 1, pp. 318-362.

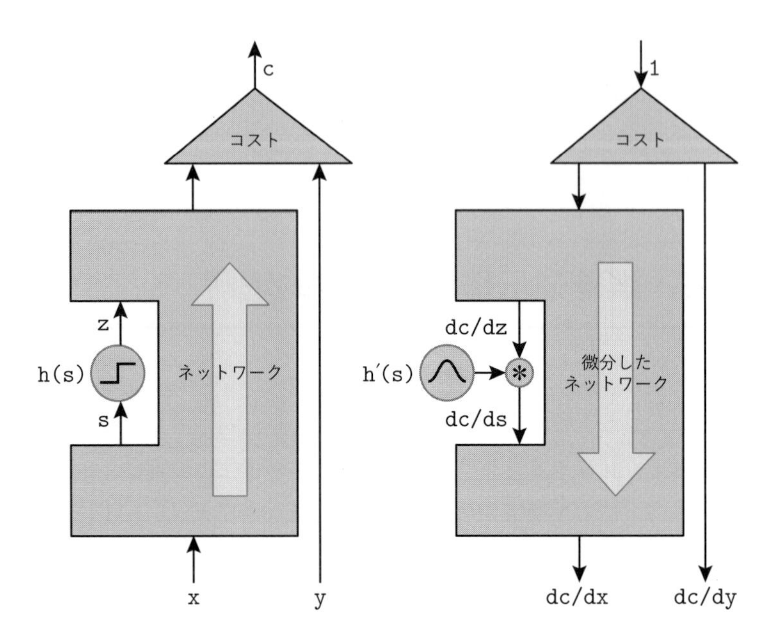


**図 5.5**　伝達関数による勾配の逆伝播

伝達関数の入力に対するコストの導関数は、伝達関数の出力に対するコストの導関数に伝達関数の導関数を掛けたものに等しい。

```
dc_ds = dc_dz*h′(s)
```

図 5.5 のような、複数の層で構成された詳細不明の複雑なネットワークを想像してみよう。このネットワークの出力では、ネットワークの出力と所望出力の差によってコストが測定される。このネットワーク内の特定のユニットについて考えてみる。入力の加重和を計算したユニットは、その和 s を伝達関数 h に通し、z = h(s) という結果を生成する。もし伝達関数 dc_dz の出力に対するコスト関数の導関数（つまり、z の摂動 dz と、その結果生じるコスト c の変化 dc の比 dc/dz）がわかれば、この導関数から、z が微小量 dz で摂動された場合、コスト c は微小量 dc = dz*dc_dz で摂動されることがわかる。
s に対する c の導関数（dc_ds と書く）を求めてみよう。

s を微小量 ds で摂動すると、伝達関数の出力は微小量 dz = ds*h′(s) で摂動される。ここで、h′(s) は点 s における h の導関数である。したがって、コストは微小量 dc = ds*h′(s)*dc_dz によって摂動される。書き換えれば、

dc_ds = h′(s)*dc_dz

それゆえ、z に対する c の導関数がわかれば、s に対する c の導関数は、点 s における h の導関数を掛けることで計算できる。このように伝達関数を介して勾配を逆伝播させる。

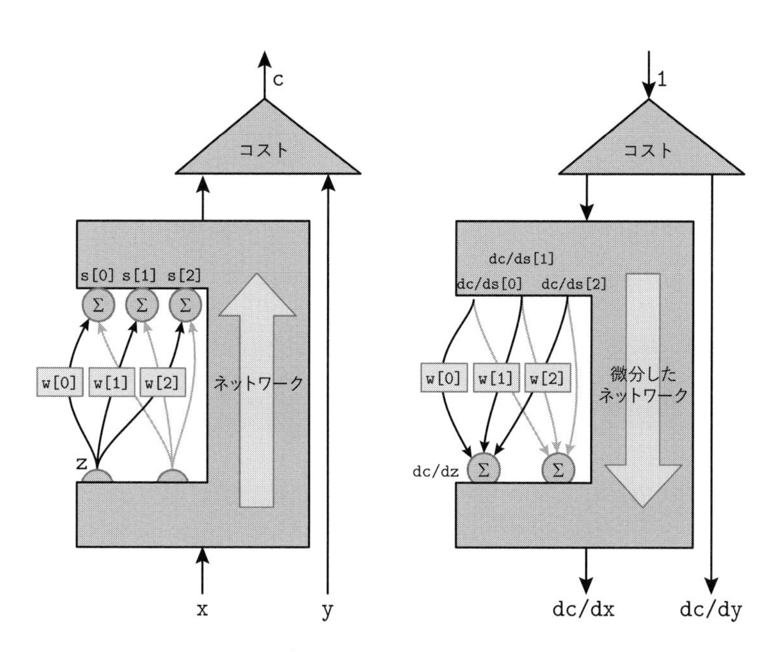


**図 5.6** 加重和による勾配の誤差逆伝播

ユニットの出力 z に対するコストの導関数は、そのユニットと下流ユニットをつなぐ重みで重み付けした、下流ユニットに対するコストの導関数の和である。

dc_dz = w[0]*dc_ds[0]+w[1]*dc_ds[1]+w[2]*dc_ds[2]

今度は、加重和による誤差逆伝播に取りかかろう。
複数の下流ユニットに送られる、ユニットの出力 z について考える。この出力 z は、重み w[0],w[1],w[2] を通って下流ユニットに送られる。これらの重みは、図 5.6 に示すように、加重和 s[0],s[1],s[2] を計算するために使用される。
下流ユニット dc_ds[0],dc_ds[1],dc_ds[2] に対する c の導関数がわかっているとしよう。z を微小量 dz で摂動すると、加重和 s[0] は w[0]*dz で摂動される。したがって、コストは dz*w[0]*dc_ds[0] で摂動されることになる。
しかし、摂動 dz は、さらに 2 つの連鎖的摂動を引き起こす。
ひとつ目は、s[1] が w[1]*dz で摂動されると同時に、dz*w[1]*dc_ds[1] のコストの摂動を引き起こす。
2 つ目は、s[2] が w[2]*dz で摂動されると同時に、dz*w[2]*dc_ds[2] のコストの摂動を引き起こす。
全体のコストは、これらすべての和によって摂動されることになる。

```
dc = dz*w[0]*dc_ds[0]+dz*w[1]*dc_ds[1]+dz*w[2]*dc_ds[2]
```

これは、導関数 dc/dz が以下の式だということを表している。

```
dc_dz = w[0]*dc_ds[0]+w[1]*dc_ds[1]+w[2]*dc_ds[2]
```

これが、(加重和を実行する) 線形層による誤差逆伝播法の公式である。

層の入力に対するコストの導関数を計算するには、出力に対するコストの導関数を取り、入力とその出力をつなぐ重みで加重した総和を計算する。言い換えれば、HLM と同じく、逆方向に使われた重みで加重和を計算する。

要約すると、伝達関数の層と加重和を実行する層を介して導関数を逆伝播させるには、2 つの式がある。

1. 伝達関数層

　a. 順伝播：z[i] = h(s[i])

　b. 逆伝播：dc_ds[i] = h'(s[i])*dc_dz[i]

2. 加重和層

　a. 順伝播：s[i] = $\sum_{j \in UP[i]}$ w[i,j]*z[j]

　b. 逆伝播：dc_dz[j] = $\sum_{j \in DN[j]}$ w[i,j]*dc_ds[i]

さらに、重みに対するコストの導関数を計算する必要がある。
微小量 dw[i,j] の重み w[i,j] を摂動するとき、その重みが寄与する加重和は dw[i,j]*z[j] で摂動される。コストは dc = dw[i,j]*z[j]*dc_ds[i] で摂動される。したがって、重み w[i,j] に対するコストの勾配は、次のように書ける。

dc_dw[i,j] = z[j]*dc_ds[i]

これで、古典的多層ニューラルネットワークにおける誤差逆伝播法の3つの公式が揃った。
重みに対するコストの導関数を使えば、勾配降下法を実行できる。ネットワークのそれぞれの重みは、勾配降下法の通常の処理で更新される。

w[i,j] = w[i,j]-e*dc_dw[i,j]

　要約しよう。ここでの目的は、層の出力に対するコストの勾配が与えられたとき、層の入力に対するコスト関数の勾配を計算することだった。コスト関数の勾配がわかれば、それを逆方向にすべての層を通って伝播させることで、どんな勾配も計算できるようになる。最後は、層の出力（または入力）に対するコストの勾配を使って、パラメータ（線形層の重み）に対するコストの勾配を計算することだ。

# 5-6 多層の有用性について

多層であっても学習原理は変わらない。つまり、システムから生じる誤差ができるだけ少なくなるように、ネットワークのパラメータを調整するということだ。多層ニューラルネットワークにおけるエンドツーエンドの訓練が「ディープラーニング」である。システムが分類を学習するだけでなく、改良型パーセプトロンの特徴抽出器がそうであったように、線形と非線形の連続する層が入力を適切な表現に変換するようにもなる。実際、この連続層は、訓練された特徴抽出器なのである。信号を適切に表現する方法を自動的に学習する。これこそが多層ニューラルネットワークの決定的な利点である。

**導関数を使った説明** [*3]

上記の説明は、数学的概念にほとんど頼らず、直観に訴えかけたものだ。しかし、導関数や偏微分、ベクトル、行列といった数学的概念を使って説明することもできる。そのほうがわかりやすいという読者もいるかもしれない。
合成関数の連鎖律によれば、`x` に対する `c(f(z))` の導関数（`c(f(z))'`）は、`c'(f(z))*f'(z)` に等しい。この合成関数の連鎖律が誤差逆伝播法の基礎となる。
これについて考えてみよう。
`z` を微小量 `dz` で摂動させると、`f(z)` の出力は `f'(z)*dz` で変化する。これは単に導関数の定義の結果であり、`dz` がゼロに向かうときの比 `f'(z) = [f(z+dz)-f(z)]/dz` の極限値である。両辺に `dz` を掛けると、以下の式が得られる。

---

*3 ここでのようにPythonで多次元の変数を扱うには、NumPyやPyTorchなど、この目的のために作られたライブラリを使うと便利だ。特にPyTorchには、効率のいい機能が多数含まれており、必要に応じてGPUを活用しながら本書で述べた演算を実行できる（https://pytorch.org）。

```
f(z+dz)-f(z) = f'(z)*dz
```

それゆえ、関数 f の出力が f'(z)*dz で摂動されると、c の出力は c'(f(z))*f'(z)*dz で摂動される。したがって、c(f(z)) の出力の摂動と入力の摂動（つまり dz）の比は c'(f(z))*f'(z) になる。よって、c(f(z)) の導関数は、次のように書ける。

```
c(f(z))' = c'(f(z))*f'(z)
```

導関数は２つの微小量の比である。つまり、出力の摂動を入力の摂動で割ったものだ。関数が複数の変数に依存する場合、特定の変数の摂動に対する出力の摂動の比を偏微分と呼ぶ。前章では、その例をいくつか見た。

関数が複数の変数に依存するだけでなく、複数の出力を生成する場合、状況はさらに複雑になる。

たとえば、線形層は、複数の入力変数と複数の出力をもつ関数である。各出力 s[i] は、公式 s[i] = $\sum_{j \in UP[i]}$ w[i,j]*z[j] により、入力 z[j] の加重和である。以下のコンパクトなプログラムですべての計算ができる。

```
def linear(z,w,s,UP) :
    for i in range(len(s)) :
        s[i]=0
        for j in UP[i] :
            s[i] = s[i]+w[i,j]*z[j]
    return s
```

重みは、行インデックス i と列インデックス j の２つのインデックスをもつ変数の集まりと見ることができる。これも、各要素自体がベクトルであるベクトルとみなせる。

```
[[w[0,0], w[0,1], w[0,2],...],
 [w[1,0], w[1,1], w[1,2],...]
 ................]
```

この数表は行列である。

上の小さな関数 linear() は、行列 w とベクトル z の積を計算する。つまり、次元が w の行数であり、各要素が w の対応する行と z との内積であるベクトル s を計算することになる。

PyTorch には、そのためのきわめて効率のよい関数がある。

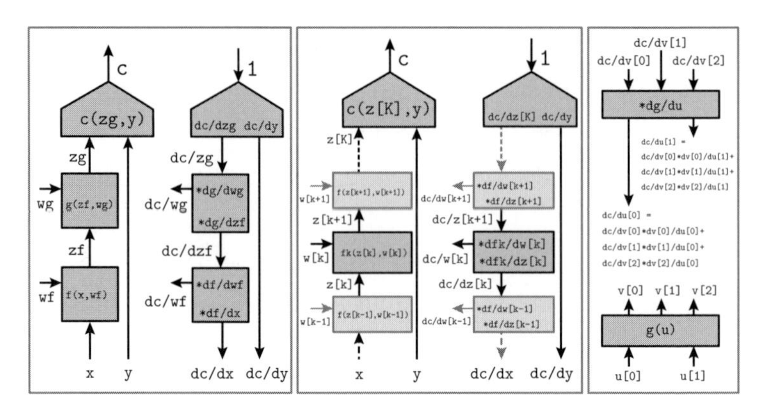


**図 5.7** 相互接続された機能モジュールのグラフで表された多層ニューラルネットワーク

深層学習の現代的定式化において、多層ニューラルネットワークは、コストモジュールが先頭に位置する、相互接続されたモジュールのグラフということになる。モジュールとは、複数の入力や出力、パラメータを含む任意の関数である。線形ニューロン層は「モジュール」だ。
左：2つのモジュール f(x,wf) から構成されたネットワーク。出力は zf。このモジュールの後に、2番目のモジュール g(zf,wg) が続く。出力は zg。コストモジュール C(zg,y) を利用して、出力 zg を所望出力 y と比較する。
中央：番号が振られたモジュールの積み重ねで構成される、より一般的なネットワーク。モジュール k 番の出力（z[k+1] と記されたベクトル）は、関数 fk を、ひとつ前のモジュールの出力であるベクトル z[k] およびパラメータベクトル w[k] に適用することで得られる。

```
z[k+1] = fk(z[k],w[k])
```

ベクトル z[k+1] に対するコストの勾配（g[k+1] と表記）が与えられると、以下の式を利用して、ベクトル z[k] に対するコストの勾配（g[k] と表記）を計算できる（慣例により、g[k] は列ベクトルではなく行ベクトルとみなされる）。

```
g[k] = g[k+1]*dfk_dzk
```

ここで、dfk_dzk は、z[k] に対する関数 fk(z[k],w[k]) のヤコビ行列である。つまり、特定の入力を摂動したときに、fk の特定の出力がどれだけ摂動されるかを示す各項の集計表だ。この表には、出力と入力の各ペアに対しひとつの項が含まれている。右はヤコビ行列を図示したもの。

線形層のように複数の入力と複数の出力をもつ層を介して勾配を逆伝播させるには、各入力に対する各出力の偏微分を考慮した合成関数の連鎖律を適用する必要がある。

ここで、合成関数の連鎖律を利用した多層構造における勾配の計算方法を説明しよう。

> 図5.7の左のような2層構造のネットワークを想像してみよう。各層はパラメータ化された関数であり、第1層 `f(x,wf)` は入力 `x` とパラメータ `wf` をとり、その出力 `zf` を生成する。第2層 `g(zf,wg)` は第1層の出力 `zf` とパラメータ `wg` をとり、ネットワーク出力 `zg` を生成する。コスト関数 `C(zg,y)` は、ネットワークの出力 `zg` と所望出力 `y` の差を測定する。
>
> `zg` に対する `C(zg,y)` の勾配（`dC(zg,y)/dzg` と表記）がわかっていると仮定する[*4]。合成関数の連鎖律により、`C(zg,y) = C(g(zf,wg),y)` なので、次のように書ける。
>
> ```
> dC(zg,y)/dzf = dC(zg,y)/dzg*dzg/dzf
> ```
>
> しかし、`zg` は `g(zf,wg)` の出力にほかならないので、こうも書ける。
>
> ```
> dC(zg,y)/dzf = dC(zg,y)/dzg*dg(zf,wg)/dzf
> ```
>
> 左辺はベクトル。右辺は2つの導関数の積である。ひとつ目の導関数もベクトル。2つ目は行列、つまり先に述べた重み行列のようなものである。この行列をヤコビ行列という。各行にはインデックス `i`、各列にはインデックス `j` で番号を振っておく。項 `i,j` は、このモジュールの入力 `i` 番を摂動すると、モジュール `g` の出力 `j` 番がどれだけ摂動されるかを示す。入力と出力の各ペアに対する行列の中にこの種の項がひとつある。ヤコビ行列の積をベクトルで計算する方法を知ってさえいれば、この式によって、モジュール `g` の内部構造とはほぼ無関係に、モジュールを介して勾配を逆方向に伝播する方法がわかるわけだ。これを計算することで、モジュール `g` の入力に対するコスト勾配が得られる。

---

*4　慣習的に、dC/dz のような勾配ベクトルは、列ベクトルを転置した行ベクトルとみなされる。そうすれば、勾配ベクトルをヤコビ行列によって右に乗算することが可能になる。

モジュールgは、2つの引数(2つの入力セット)、zf(fの出力)とwg(パラメータ)をもつ。パラメータに対するCの勾配を得るには、上記と同じ操作を実行するが、その際、wgに対するgのヤコビ行列を使う。

```
dC(zg,y)/dwg = dC(zg,y)/dzg*dg(zf,wg)/dwg
```

これにより、wgに対する勾配が与えられる。その結果、このベクトルwgが更新される。
モジュールfのパラメータwfに対するコストの勾配を得るために同様の計算を行う。

```
dC(zg,y)/dwf = dC(zg,y)/dzf*df(x,wf)/dwf
```

右辺の最終項は、パラメータベクトルwfに対するモジュールfのヤコビ行列である。
今度は、図5.7の中央の図のように、積み重ねられた複数のモジュールをもつネットワークの一般的な例を考えてみよう。このネットワークは、インデックスkで番号を振ったモジュールの連続である。モジュール番号kは、出力がz[k+1]となる関数fk(z[k],w[k])である。z[k+1]に対するコスト関数の勾配がわかっているものとし、これをg[k+1]と書くことにする。

```
g[k+1] = dC/dz[k+1]
```

先に示したベクトルの合成関数の連鎖律を利用して、次のように書ける。

```
g[k] = dC/dz[k] = dC/dz[k+1]*dz[k+1]/dz[k]
```

右辺の最終項は、モジュールkのヤコビ行列なので、こうも書ける。

```
dz[k+1]/dz[k] = dfk(z[k],w[k])/dz[k]
```

これは、項i,j(行iと列j)が、入力iを摂動したときにモジュールの出力jがどれくらい変化するかを示している。

この式は再帰的である。任意のモジュールに適用され、出力に対する勾配を与えられると、入力に対する勾配を計算する。ネットワークの出力から出発し、この規則をすべてのモジュールに適用しながら、入力に向かって移動することで、すべての z[k] に対するコストの勾配をもれなく計算できる。
同じように、同様の式を利用して、今度はパラメータに対する勾配を計算できる。

```
g[k] = dC/dw[k] = dC/dz[k+1]*dz[k+1]/dw[k]
```

右辺の最終項は、モジュール k のヤコビ行列なので、次のように書ける。

```
dz[k+1]/dw[k] = dfk(z[k],w[k])/dw[k]
```

誤差逆伝播法の公式によって、以下のことがわかる。

1. k 層の入力（つまり k-1 層の出力）に対するコスト関数 C の勾配は、k 層の出力（つまり k+1 層の入力）に対するコスト勾配に、入力ベクトルに対する k 層の関数のヤコビ行列を掛けた値に等しい。この手順を再帰的に適用し、出力から入力に向かって移動することで、すべての層の出力（および入力）に対するコスト勾配を計算できる。
2. k 層のパラメータベクトルに対するコスト関数 C の勾配は、k 層の出力に対するコスト勾配に、k 層のパラメータベクトルに対する k 層の関数のヤコビ行列を掛けた値に等しい。

これらの式は、積層モジュール構造における誤差逆伝播法の一般的な形式を表している。しかし、もっと複雑な方法でモジュール同士が接続されている場合でも、同じ手順を適用できる。これは、モジュール間の接続にループがない、つまり逆方向への接続がないかぎり機能する。ループのない接続では、すべてのモジュールの出力計算は正順で行われ、勾配の逆伝播は逆順で行われる。

こうした些細な制約はあるけれども（後ほど説明するが、この制約は取り除ける）、多様なモジュールを利用でき、しかもそれらを自由に配置できることから、特定の問題に対して、かなり柔軟にネットワークアーキテクチャを構築できる。たとえば、画像認識や音声認識、翻訳、画像合成、テキスト生成など、さまざまな用途のために設計されたネットワークアーキテクチャはそれぞれ大きく異なる。

## 5-7 反論に打ち勝つ

誤差逆伝播法の新しさを受け入れてもらうには、理論的な反論に打ち勝つ必要があった。一部には、連続するニューロンで多層ニューラルネットワークを構築し、第４章で説明したように勾配降下法で訓練しようとすると、局所的最小値から抜け出せなくなるのではないかと危惧する声もあった。ふたたび山岳風景の比喩を使って言うと、小さな盆地にはまり込んでしまい、谷底まで降りることができない可能性があるのではないかというのだ。実際には、高所でシステムが立ち往生することはないことが判明している[*5]。そういう次第だった。今にして思えば、その理由がわからないでもない。

どうして多層ニューラルネットワークは複数の最小値をとることがあるのだろうか？　タスクを実行するよう多層ニューラルネットワークを訓練すると、学習サンプルでまったく同じ結果を生じる重みの構成がたいてい複数存在する。学習済みの２つの線形層をもつネットワークを想像してみよう（このネットワークは実際の応用にはあまり役に立たないだろうが、よいケーススタディだ）。重みの設定は、コスト関数の最小値である。第１層のひとつのニューロンのすべての重みに２を掛ける。同時に、そのニューロンを第１層

*5　第４章の図 4.5 を参照。

から次の層につなぐすべての重みに1/2を掛ける。ネットワークの出力は変わらないはずだ。この修正された重みの設定も、ひとつの解決策である。もともとの設定が最小値だったので、新しい設定も最小値になる。

別の方法でネットワークを変換することもできる。第1層の2つのニューロンを選び、前の層と次の層につながっている「配線」（つまり、重み）を引っ張って、両者を入れ替えてみよう。やはり、ネットワークの入出力関数は、変換にもかかわらず変化しない。元の設定がコスト関数の最小値であれば、2番目の設定も同じく最小値だ。よって、この関数は複数の最小値をもつ。

## 5-8 特徴の学習

多層ニューラルネットワークでは、第1層を特徴抽出器とみなせる。しかし、古典的方法とは異なり、この特徴抽出器は「手作業」で設計されるのではなく、学習によって自動的に生成される。誤差逆伝播法で訓練される多層ニューラルネットワークの魅力は、すべてこの点に由来する。

2層ニューラルネットワークのCとDの例をもう一度取り上げ、第1層のユニットがCとDの特徴的なパターンをどのように検出するのかを示そう。

先に述べたように、パーセプトロンの限界のひとつは、CとDの形、位置、大きさのばらつきがありすぎる場合、CとDに対応する点をもはや超平面で分離できないため、両者を識別できないことだ。

余分に層をひとつ追加すれば、問題は解決する。第1層のニューロンは、CとDに特徴的なパターンを検出できるようになるはずだ。

ネットワークは誤差逆伝播法によって訓練されるため、検出器は自動的に生成される。このネットワークは、有用なパターンに自動的に目印を付ける。正解を出すのに目印が欠かせないからだ。たとえば、ひとつの連続したセグメントに対して2つの途切れたセグメント。このパターンはCにしかない。一方、角部が存在すれば、それはCではなくDである。

第1層は特徴抽出器のように振る舞い、第2層は分類器のように振る舞う。とはいえ、ネットワークの各層は同時に訓練されるため、学習がちぐはぐになることはない。

最も単純な多層ニューラルネットワークでは、ひとつの層のすべてのニューロンが次の層のすべてのニューロンにつながっているので、入力サイズが大きいと実用には適さない。100 × 100 ピクセルの画像（画像としてはそれほど大きくない）を想像してみよう。この1万ピクセルの画像を、1万個のニューロンからなる第1層につなげてみると、入力と第1層のあいだの接続数は1億になる。たったひとつの層でも膨大な数だ。ネットワークのサイズが爆発的に増加することなく、大きな入力（たとえば、1000 × 1000 ピクセルの画像）を受け入れることができるような、ネットワークアーキテクチャを構築する方法を見つけなければならない。

ニューラルネットワークのアーキテクチャを検討課題に適応させることは、AIエンジニアの日常的な仕事だ。

まとめると、ディープラーニング（deep learning）は以下の作業からなる。

1. モジュールを配置・接続することによって、多層ニューラルネットワークのアーキテクチャを構築する。
2. 誤差逆伝播法を使って勾配を計算した後、勾配降下法によってアーキテクチャを訓練する。

「deep（深層）」という形容詞は、単にアーキテクチャが複数の層をもっていることを表しているだけで、それ以上の意味はない。

次章では、画像認識に適したネットワークアーキテクチャをどのようにして設計するのかを見てみることにしよう。

Chapter

# 6

# AIの支柱、ニューラルネットワーク

ベル研究所で、私はまったく新しい多層ニューラルネットワークのアーキテクチャを開発した。哺乳類の視覚システムについての知見に刺激を受けて以来、コツコツと続けてきた努力が実を結んだのだ。研究所長のラリー・ジャッケルは、それをLeCun[*1]に引っ掛けて「LeNet」と名付けた。畳み込みニューラルネットワークに付けられた初めての名称である。1980年代後半から90年代初頭にかけては、多層ニューラルネットワークがブームになった時期だった。関連学会や科学論文が急増し、大学のポストがいくつも創出され、政府は研究プログラムに投資した。

だが90年代半ばに、またしても冬の時代が訪れる。多層ニューラルネットワークは計算に時間がかかりすぎ、何千もの訓練データを消費する。その上、動かすには複雑なテクニックを必要とする。そんな理由からだった。

2012年になって、ようやく風向きが変わる。ある国際コンテストで、多層ニューラルネットワークの中でも特殊なタイプの畳み込みニューラルネットワークが、その有効性を見せつけたのだ。それをきっかけに、研究者は畳み込みニューラルネットワークに殺到し、人工知能を使った多くの応用技術の要となった。以来、その重要性は増し続けている。

## 6-1 2012年の爆弾

コンピュータビジョン研究用のデータベースのひとつに、ImageNetというデータベースがある。スタンフォードやプリンストンといった大学を中心とするアメリカの研究機関が開発したも

*1 私の姓のスペルは「Le Cun」だが、アメリカでは「Le Cun」の「Le」がミドルネームのイニシャルと間違われ、科学論文では「Cun, Y. L.」として引用されることが何度もあった。だからフランス国外では、一語で「LeCun」と書くことにしている。

ので、画像の物体認識に使われている。その中で最も広く使用されているImageNet-1kには、130万枚以上の画像が収録されており、そのすべてに主な被写体のカテゴリを示すタグが手作業で付けられている。カテゴリ数は全部で1000にもおよぶ。ところで、ImageNetについては、2010年から毎年、ILSVRC（ImageNet Large Scale Visual Recognition Challenge）というコンテストが開催されている。今では、ImageNetといえば、もっぱらこのコンテストのことを指すようになった。研究者たちがそれぞれの画像認識手法を競い合うサイバネティクスの大会である。

競技のルールはこうだ。各画像に対し、システムは1000のカテゴリの中から5つのカテゴリを正解候補として選び出さなければならない。正解がこの5つの中に含まれていれば、正解とみなされる。それだけでも大したものだ。なにしろ1000カテゴリのうち、犬だけでも種別に200のカテゴリがあり、その中には紛らわしい近縁種も含まれているのだから。

2011年には、最も成績のよかったシステムでさえ、誤認識が25%もあった。翌年、ジェフリー・ヒントン率いるトロント大学チームはその記録を大幅に更新し、誤認識率をいきなり16%にまで減らした。その秘密は、大規模な畳み込みニューラルネットワークにあった。これは私が考えたネットワークにヒントを得たもので、GPU（グラフィックカード）上で動作するようにプログラムされていた。畳み込みニューラルネットワークを動かすのに、GPUは非常に効率がよかったからだ。

それがきっかけとなり、翌年はすべての参加チームが畳み込みニューラルネットワークを採用した。革命は今なお進行中だ。GPUの性能が向上し、オープンソースのソフトウェアによって研究がやりやすくなったおかげで、畳み込みニューラルネットワークはコンピュータビジョンに変革をもたらした。情報のソートと検索、自律走行車、医用画像解析、画像の索引付けと検索、顔認識、音声認識など、新しい応用技術が次々と開発されていった。

ここに至るまでの道のりのなんと長かったことか。前のほうにも書いたが、私がまだESIEEの学生だった1982年ごろ、大半の研究者は、多層ニューラルネットワークをエンドツーエンドで訓練することをとっくにあきらめており、最終層のみを「学習」させることで満足していた。それ以外の操作はエンジニアによる手作業だった。

畳み込みニューラルネットワークの研究を始めた1993年からずっと、私は局所接続のネットワークに焦点を当ててきた。そのアーキテクチャは視覚野に関するヒューベルとウィーゼルの発見[*2]にヒントを得たものだった。誤差逆伝播法、福島のコグニトロン、それからこの2人の神経生物学者の理論——ジェフリー・ヒントンの研究室でポスドク生活を送るべくトロントへ旅立ったとき、私の頭の中にあったのはこれらのことだった。

## 6-2 視覚野：単純型細胞

ここで、ヒューベルとウィーゼルが解明した視覚系の情報処理について、少し触れておこう。彼らは、物体認識が網膜から下側頭皮質まで、つまり「腹側視覚経路」に沿って段階的に行われていることを明らかにした。たとえば、椅子を見るとき、視覚信号は第一次視覚野（V1）内の一連のフィルタを通過した後、次の領域の第二次視覚野（V2）、第四次視覚野（V4）を通り、最終的に下側頭皮質で椅子の概念を表現するニューロンセットを発火させる。習慣的な視覚作業では、信号が100ミリ秒以下で一気に伝播する。信号の伝播速度があまりに速すぎて、構造上は使えるはずの多数のループが使用できないほどだ。

V1では、大きな錐体ニューロン（50～100個）の束が、受容野

*2　2-6節（38ページ）を参照。

と呼ばれる視野の小領域につながっている。ニューロンの受容野とは、信号を受け取る視野の領域のことだ。50 〜 100 個のニューロンが、同じ受容野を「見て」いる。仮に 60 個としよう。各ニューロンは、それぞれ単純なパターンに反応する。ニューロン 1 番は垂直方向の輪郭に反応し、2 番は垂直方向から 6 度の線、3 番は 12 度の線に反応するといった具合だ。60 番で針が一回りする。要するに、「束」の各ニューロンは、つながっている受容野にある輪郭のさまざまな線と向きに反応する。要素の大きさにも反応する。これは特徴抽出器の原理とそっくりだ。

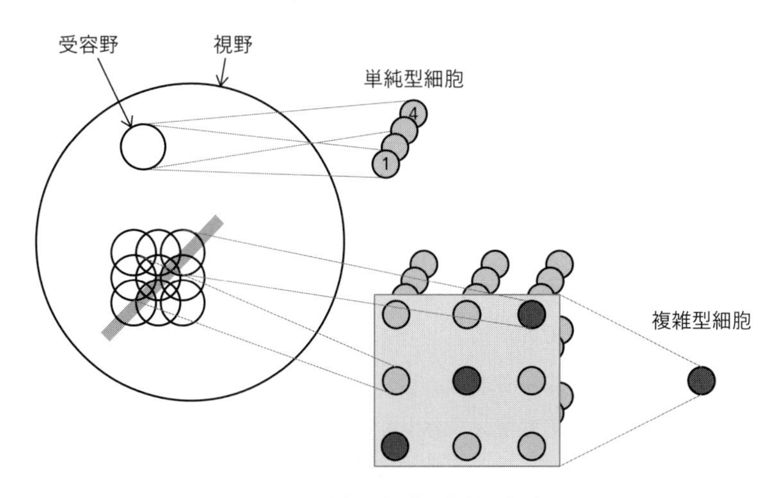


**図 6.1**　単純型細胞と複雑型細胞

哺乳類の第一次視覚野（V1）には、単純型細胞と複雑型細胞の両方が含まれている。各単純型細胞は、「受容野」（receptive field）という入力の小さなウィンドウ上のパターンを検出する。細胞は「特徴マップ」（feature map）と呼ばれる平面で構成されており、同じ特徴マップをもつ細胞はすべて、入力画像のさまざまな場所で同じパターンを検出する。各特徴マップは、ほかのパターンとは異なる独自のパターンを検出する。同じ受容野をもつすべての特徴マップの細胞は、それぞれ異なるパターンを検出する。たとえば、1 番目の細胞は 45 度の輪郭を検出し、2 番目の細胞は水平な輪郭を検出し、3 番目の細胞は別の角度を検出する。複雑型細胞は、単純型細胞の小ウィンドウからの応答を集約する。パターンが入力上で少し移動しても、複雑型細胞の反応はほとんど変化しない。

要するに、ヒューベルとウィーゼルは、第一次視覚野が特徴抽出器（第3章と第5章で説明）として機能することを明らかにしたわけだ。

隣のニューロンの束は先のニューロンの束とは少しずれた受容野を見ているが、このニューロンの束にもニューロン1番からニューロン60番が含まれている（図6.1を参照）。重要なのは、ヒューベルとウィーゼルのいう単純型細胞と複雑型細胞が、私が本書で述べているニューロンだということだ。その束に含まれるニューロン1番は、隣の束に含まれるニューロン1番と同じことをする。60個のニューロンからなる束が、このように視野のすべての受容野に接続されている。何百万ものニューロン1番はすべて同じパターンを検出しているが、検出する画像の場所はそれぞれ異なる。

視野全体がこんなふうにして約60個のニューロンからなる束で覆われている。受容野は屋根瓦のように部分的に重なっており、ニューロンの束はどれもが同じ働きをする。つまり、受容野の総体の中の、かなり小さく単純なパターンを検出する。この数百万個のニューロンが単純型細胞である。

物体認識領域は視野の中心部にあるので、特定の物体を認識するには視線をそこに集中させる必要がある。たとえば円を描いて、目を動かさずに円の中心を見てほしいと誰かにお願いする。するとその人の目には、左右に垂直方向の輪郭、上下に水平方向の輪郭、その中間ではあらゆる向きの輪郭が見えている。

V1に電極を設置すると——ヒューベルとウィーゼルは猫で実験した——どうなるだろうか？　円の左側の受容野を見るニューロンの束では、垂直輪郭検出器の60番と30番のニューロンが発火する。同様に、円の右側を見るニューロンの束では、別の60番と30番のニューロンが発火する。これらのニューロンも垂直方向の輪郭を検出するからだ。同じく、円の上側を見るニューロンの束では、水平方向の輪郭を検出する15番と45番のニューロンが発火する。

## 6-3 視覚野：複雑型細胞とプーリング

V1では、複雑型細胞（ニューロンのもうひとつのカテゴリ）が、同じタイプの隣り合う単純型細胞の応答を集約する。ある複雑型細胞は隣り合うすべての1番を集約し、また別の複雑型細胞は2番を集約する。集約とは、単純型細胞の出力の平均を計算することだ。あるいは、単に単純型細胞の出力のうちで最大のものを生成することだ。

垂直方向の輪郭が少し移動するとどうなるだろうか？　さまざまな受容野に結び付けられている単純型細胞60番は、移動量が増えるにつれて活性化する。しかし、複雑型細胞は隣り合う単純型細胞60番の結果を集約するので、その複雑型細胞がつながっているすべての単純型細胞の受容野から輪郭が出ていってしまうまで、複雑型細胞は連続的に活性化し続ける。したがって、単純型細胞60番を見ている複雑型細胞は、この小さな領域内での位置に関係なく、垂直方向の輪郭を検出する。つまり、パターンを検出する位置には一定の許容範囲があるわけだ。この集約という重要なメカニズム（プーリング）こそが不変性のカギである。だから、V1の複雑型細胞の受容野は、V1の単純型細胞の受容野よりも大きい。

しかし、パターンを動かしすぎて、複雑型細胞の受容野（つまり、複雑型細胞が集約する単純型細胞の受容野）から外れてしまうと、複雑型細胞は非活性化する。

ヒューベルとウィーゼルは、V2とV4でこの接続スキーマが繰り返されていると考えていたが、その証明にはいたらなかった。

実は、垂直方向の線を検出する数百万個のニューロン60番が実行している操作こそ、「畳み込み」にほかならない。

**まとめ**

V1では、束の各ニューロン（単純型細胞）が特定方向の線に反応する。

- 視野を覆い尽くす数百万個のニューロンの束（束ごとに50～100個のニューロン）が、受容野の総体につながっている。
- 数百万個のニューロンが、視野内のさまざまな場所で同じパターンを検出する。
- V1ではまた、複雑型細胞が、同じタイプの単純型細胞（たとえば、垂直方向の輪郭を隣り合ったさまざまな場所で検出するニューロン）からの応答の束を受け取り、応答の平均を計算する。
- プーリングによって、複雑型細胞の応答から生じる、画像内のパターンの位置の小さな変化に対する不変性が構築される。こうした小さな変化は、視野内の物体の移動、わずかな回転、ちょっとした変形によって生じる。

ヒューベルとウィーゼルの視覚野に関する発見から、人工知能研究は2つのアイデアを引き出した。

1. 1局所接続：視覚システムの第1層のニューロンは、「受容野」と呼ばれる画像内の小領域（ピクセルの小さなかたまり）にのみ接続する。
2. 1視野（つまり画像全体）における操作の反復：異なる受容野をもつ複数のニューロンが、異なる場所で同じパターンを検出する。

方向選択性（神経細胞の向きに対する感度）と複雑型細胞の存在という2つの発見によって、ヒューベルとウィーゼルはノーベル生理学・医学賞を受賞した。

# 6-4 福島の先見性

日本の研究者、福島邦彦は、ヒューベルとウィーゼルのモデルを取り入れたアーキテクチャをもつ機械を設計した。この機械も、単純型ニューロンと複雑型ニューロンが連続する層において信号のループなし順伝播を行う。詳しく言えば、福島は、視野の小領域に接続された単純型細胞と、前の層の活性状態を統合して多少のゆがみがあっても不変な表現を構築する複雑型細胞というアイデアを採用した。福島の機械には2つのモデルがある。1970年代のコグニトロンと1980年代初頭のネオコグニトロンだ。

2つ目のネオコグニトロンは、単純なパターンを認識する多層ニューラルネットワークで、単純型細胞と複雑型細胞が交互に積み重なってできている。ネオコグニトロンの単純型細胞は、できるだけ生物にこだわりながらネットワークを機能させようとして、かなり手の込んだややこしいものになっている。単純型細胞は入力の加重和を計算し、一連の複雑な操作によって結果を伝達する。ネオコグニトロンには、複雑型細胞層のプーリングも使われている（プーリングについては、畳み込みニューラルネットワークを説明するときに詳しく触れたい）。

福島の機械は、最終層がパーセプトロンによく似たアルゴリズムで訓練される。しかし、誤差逆伝播法は使われておらず、エンドツーエンドで訓練されるわけではなかった（それもそのはず、まだ発明されていなかったのだから）。中間層は、教師なしの「競合学習」(competitive learning) によって訓練される（この説明も割愛する）。このシステムを動かすには「ねじ回しを使って」調整する必要があった。ネオコグニトロンには数多くのパラメータがあり、それらは手作業で正確に調整しなければならなかったのだ。おそらく福島は生物をあまりに杓子定規（しゃくしじょうぎ）にまねようとしたのだと思う。それでも、結果はまずまずだった。

ディープラーニングが誕生した2006年から畳み込みニューラルネットワーク革命が始まる2012年までのあいだ、科学コミュニティは福島を高く評価していなかった。しかし、コンピュータビジョンの研究者たちは、口には出さなくても彼のやり方を認めていた。ヒューベルとウィーゼルの単純型細胞と複雑型細胞の発見に刺激を受けたのは、福島ひとりではなかった。SIFT（Scale Invariant Feature Transform）やフランスで発明されたHOG（Histogram of Oriented Gradients）など、しゃれた名前をもつ特徴抽出器は、単純型細胞や複雑型細胞とよく似た操作を行うものだった。しかし、操作はどれもみな手作業によるものであり、機械が学習するわけではなかった。

## 6-5 フラッシュバック

1986年、私は博士論文に取りかかっていたので、HLMの完成はあきらめ、誤差逆伝播法の研究に専念していた。ヒューベルとウィーゼル、福島の論文を読み、彼らと同じく哺乳類の視覚野に魅了された私は、単純型細胞と複雑型細胞を交互に配置し、誤差逆伝播法による訓練を組み合わせた多層ニューラルネットワークアーキテクチャを思いついた。画像認識には、このタイプのネットワークが適しているように思えた。後に私は、このネットワークを「畳み込みニューラルネットワーク」（convolutional neural network）と名付けることになる。CNNと略す人もいるが、私はConvNetと呼ぶほうが好きだ。

そういうわけで、1987年の時点でアイデアは思いついていたのだが、それを実現するソフトウェアが手もとになかった。まだ存在しなかったのだ。博士論文を書いているときに、エコール・ポリテクニークの学生レオン・ボトゥから連絡があった。聞けば、ちょうど誤差逆伝播法で卒業実習をやりたいという。それで、新しいタイプのニューラルネットワークを構築・訓練するためのソフトウェアを必要としていた私は、そのプログラミングを手伝ってもらうことにした。そのソフトウェアがあれば、局所接続とパラメータの共有が可能になる。この2つは、畳み込みニューラルネットワーク、それからまた別の回帰結合型ニューラルネットワークという、将来性のある2つのネットワークのソフトウェア開発に不可欠なものだった。

レオンは、Lisp インタプリタ（柔軟性に富んだプログラミング言語）を書くのを引き受けてくれた。それさえあれば、計算を実行するソフトウェアの一部と柔軟に「対話」ができる。レオンはそれこそがシステムに不可欠なものであることを知っていたのだ。ソフトウェア開発者として並外れたスキルをもつ彼は、私のトロント行きに間に合うように、数週間でこのインタプリタを書き上げてくれた。私はそれを荷物に詰めて、トロントへと飛び立った。

1987年7月、私はポケットの中にシミュレータの萌芽を、頭の中にそのアイデアをもってトロントに到着した。そして、心理学、人工知能、認知科学、神経科学など諸科学が交差する領域で活動する、偉大な科学者ジェフリー・ヒントンの研究室へと向かった。

それから数カ月間、私はソフトウェアの開発を続けた。完成すれば、畳み込みニューラルネットワークの構築、訓練、動作確認が簡単にできるようになる。このソフトウェア開発は、その後のシミュレータ SN などのアイデアにもつながった。一方、ポリテクニークを卒業したレオンは、パリ第11大学（オルセー）でニューラルネットワークの音声認識への適用に関する博士論文に取り組み始めていた。

1988年春、私は初めて畳み込みニューラルネットワークを構築し、小さなデータセットでテストを行った。そのころ、フランスにいるレオンは、畳み込みニューラルネットワークを音声認識に適用しようと試みていた。1988年夏、彼も私のトロントでのインターンシップに加わった。われわれには信念があった。このプロジェクトには未来があると確信していた。完成したシミュレータは、

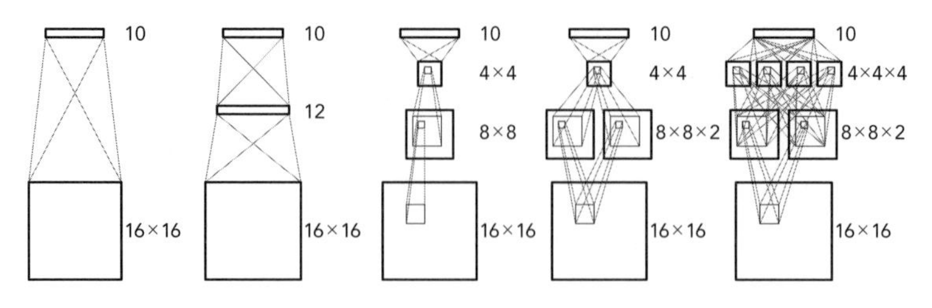


**図 6.2** 畳み込みニューラルネットワークの初期実験で使用したネットワークアーキテクチャ

左から右：単層ネットワーク。2層ネットワーク。重み共有なし局所接続の3層ネットワーク。第1層が畳み込み（重み共有局所接続）、第2層が重み共有なし局所接続の3層ネットワーク。最初の2層が重み共有ありの3層ネットワーク。

「Simulateur Neuronal（Neural Simulator）」を略語にし、SNと名付けた。

当時は研究用の公開データベースなどなかったので、私はごく小規模な数字のセットを使って、なんとか畳み込みニューラルネットワークを動かすことに成功した。このセットは自分で手作りしたものだ（コンピュータのマウスで数字を描けるように、ちょっとしたプログラムを書いた）。0から9の10個の数字を12組作り、それぞれの数字を画像の上や下など4つの位置に配置した。つまり、サンプル数は全部で480個。まったく微々たる数だ。「おもちゃ」のデータでしかない。しかし、当時はデータを収集・入手するのが容易ではなかったし、イメージスキャナは希少で高価だった。

テストの結果、私が構築した新しいアーキテクチャは、この種の画像認識に適していることがわかった。私の考えた原理はきちんと機能した。それどころか、ほかの全結合型（ひとつの層のすべてのニューロンが次の層のすべてのニューロンに接続されているタイプ）のニューラルネットワークよりもはるかに優れていたのだ。テストセットの成功率は、全結合型ニューラルネットワークで87%だったのに対し、ConvNetでは98.4%だった。

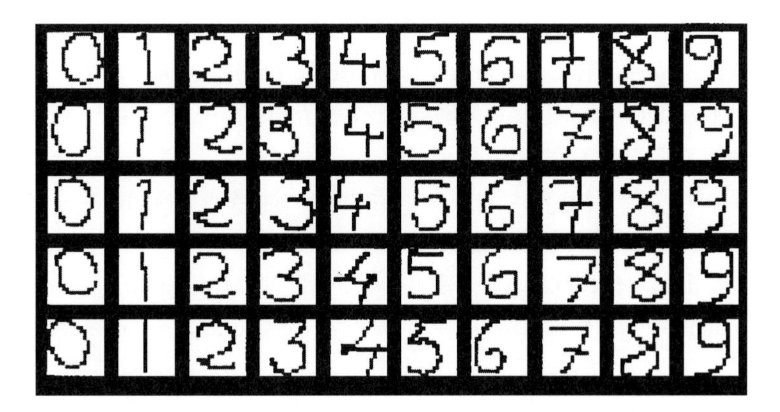

**図 6.3**　畳み込みニューラルネットワークの訓練を始めたころの小規模データセット

数字の小規模データベースの一例（数字はマウスを使って自分で書いた）。私はこの自作データベースを使って、畳み込みニューラルネットワークの訓練を始めた。このデータベースには、0 から 9 の 10 個の数字がそれぞれ 12 種類ずつ用意されており、さらにその 120 個のそれぞれを、水平方向に異なる 4 つの位置に数ピクセルずつ平行移動して配置した。サンプルの総数は、訓練用 360、テスト用 120 の合わせて 480 個である。

この研究の技術報告書は 1988 年秋に公表された。そのころ、私はすでにベル研究所に入社しており、早速、おもちゃではない「本物」の ConvNet アプリケーションに取りかかっていた。郵便番号の認識である。最初の成功は 2 カ月足らずでやってきた。

私の研究チームは、畳み込みニューラルネットワークの重要ポイントをすぐに見抜いた。このネットワークは、たとえば郵便番号のように複数の文字（数字）を含む画像であっても、事前に文字を分離する必要なく訓練できるのだ。これは一般の人には些細なことに思えるかもしれないが、われわれにとってはきわめて重要なことである。従来の認識方法では､認識前に文字を「分割（セグメント化）」する必要があったのだ。以来、文字の位置をはっきり指示しなくても、単語全体に畳み込みニューラルネットワークを適用できるようになった。つまり、文字列を出力できるようになったのである。

早速われわれはベル研究所のエンジニアグループと協力して、

小切手自動読み取りシステムを開発した。このシステムは、当時AT&Tの子会社であったNCR（National Cash Register）がすぐに商品化し、数年後には米国で発行された小切手の10～20%を読み取るまでになった。

この成功とはうらはらに、すでに当時、機械学習の研究はニューラルネットワークから遠ざかっていた。科学コミュニティでの話題の的は、われわれの研究室で発明されたSVM（support vector machine）、ベル研究所の別のグループが発見したブースティング法、確率論的方法など、そのほとんどがニューラルネットワークと競合する手法だった。どれも、1995年から2010年まで主流だったモデルである。

## 6-6 畳み込みニューラルネットワーク

これでようやく、畳み込みニューラルネットワークの話に入れる。これは特殊なタイプのニューラルネットワークで、特定の接続アーキテクチャ、つまり、ヒューベルとウィーゼルが特定した視覚野をそっくりまねた単純型細胞と複雑型細胞の階層と、前章で説明した誤差逆伝播法によるシステムのエンドツーエンド学習の両方を組み合わせたものである。

ほかのネットワークと同じく、学習手順によって目的関数が最小化される。何が違うのかといえば、ネットワークのアーキテクチャ、つまり内部構造である。このアーキテクチャには畳み込みが含まれているのだ。畳み込みは信号処理に広く使われている数学演算だが、視覚野の単純型細胞が行う計算とよく似ている。

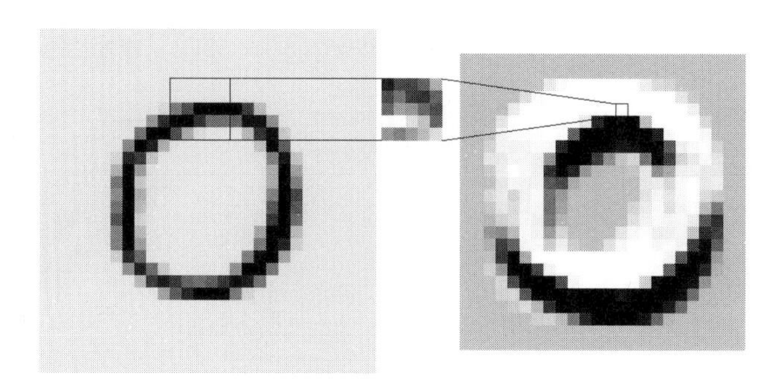

**図 6.4** 畳み込み

画像内にあるウィンドウのピクセル（ここでは 5 × 5 の 25 ピクセル）の加重和は、畳み込みカーネルと呼ばれる 25 個の重みのセット（中央上）を使って計算される。この操作は入力画像のありうるすべてのウィンドウに対してもれなく繰り返され、出力画像の対応する場所に結果が書き込まれる。

ネットワークは誤差逆伝播法で訓練される。最終的にネットワークの重みが特定のパターン（垂直線、水平線、色など）を検出する。

入力表を構成する開始時の画像を考えてみよう。まず、5 × 5 ピクセルの小さなウィンドウ（「受容野」）をひとつ選ぶ。ニューロン N1 がその加重和を計算する。結果の数値が出力表に書き込まれる。

次に、この 5 × 5 のウィンドウを 1 ピクセル右に移動する。2 番目のニューロン N1 が、前のニューロンと同じ重みを使って、この新しいウィンドウのピクセルの加重和を再計算する。新しい結果は出力表の前の結果の隣に書き込まれる。この操作が入力画像全体にわたって、5 × 5 ピクセルのすべてのウィンドウに対して繰り返される。そのため、隣のウィンドウ同士は部分的に重なり合っている。このようにして出力画像が得られる。

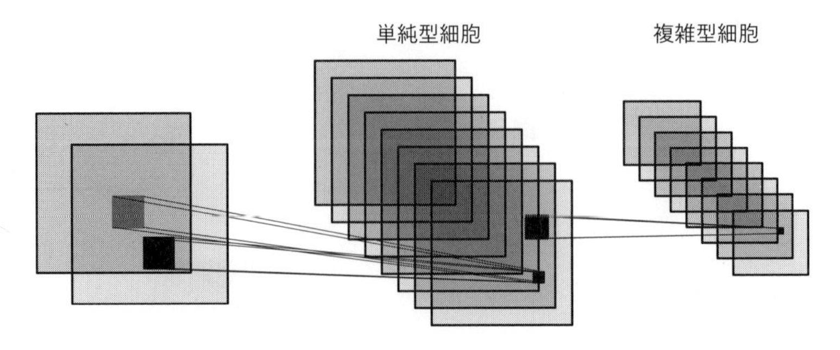


**図 6.5** ConvNet の畳み込み層とプーリング層

畳み込み層は、1 枚以上の特徴マップを入力し（ここでは 2 枚）、複数の特徴マップを出力する（ここでは 8 枚）。各特徴マップは、さまざまな重みで入力の特徴マップに適用した畳み込みの総和であり、その結果、入力におけるパターンの組み合わせを検出できる。各特徴マップには、さまざまな重みセットを使用する。

ニューロン N1 はどれも同じ重みをもっているので、画像のあらゆる場所で特定のパターンを検出する。どうして同じ重みにするのかというと、カテゴリに特徴的なパターンは、画像のどこにでも現れるからだ。同じ重みにしておけば、そのパターンは画像内のどこに現れても確実に検出できる（ただし、そのパターンをニューロンが検出できるかどうかは、重みの設定にかかっている）。猫の目や耳は、猫の姿勢や画像内での頭の位置に応じて、画像内のさまざまな場所に現れる。

別のパターンを検出するには、別の一連のニューロン（たとえば N2）が、N1 とは異なる重みで同じ操作を行う。

一連のニューロンの加重和は、同じ重みで計算されるという特徴がある。すべてのニューロン N1 はみな同じ 25 個の重みをもっており、すべてのニューロン N2 は N1 とは別の同じ 25 個の重みをもっている。

画像が 1000 × 1000 ピクセルなら、入力ピクセルが 100 万個、5 × 5 ピクセルのウィンドウが 100 万個あり、100 万個のニューロン N1 がそれぞれ異なる場所で同じパターンを検出する。同じことが、

N2、N3 についても言える。

入力表と出力表の大きさはほぼ同じである。

詳しく説明しよう。たとえば、垂直方向の線を検出する重みであれば（図 6.1 を参照)、100 万個のニューロンが画像上の 5 × 5 ピクセルのウィンドウ内の 100 万個の垂直線を検出し、その結果、「特徴マップ」（feature map）と呼ばれる一種の画像が生成される。

特徴マップは、この 100 万の場所における垂直線の有無を知らせる。この 100 万個のニューロンによる計算結果が出力表となり、次の層の入力となる。複数の特定パターンを検出するには、異なる重みの組み合わせの特徴マップが何枚も必要になる。

60 枚の特徴マップは、ヒューベルとウィーゼルの 60 個の単純型細胞に相当する。各ウィンドウは、60 個のニューロンがその出力を 60 個の特徴マップに投射することによって「見える」ようになる。ウィンドウが 100 万枚あり、ウィンドウごとに 60 個のニューロンがあるとすると、全部で 6000 万個のニューロンがあることになる。

先のサンプルでは、25（5 × 5）個の重みのリストで畳み込みが定義されている。このリストを畳み込みカーネルという。

詳しく知りたい人向けに、畳み込みを実行するための小さなプログラムを紹介しておこう。

```
# 表xをカーネルwで畳み込む
# 表yに集められた結果
# この3つの表は2次元
def conv(x,w,y):
    for i in range(len(y)):  # 行をループ処理
        for j in range(len(y[0])):  # 列をループ処理
            s = 0
            for k in range(len(w)):
                for l in range(len(w[0])):
                    s = s+w[k,l]*x[i+k,j+l]
            y[i,j] = y[i,j]+s
    return y
```

畳み込み層は、１枚以上の特徴マップを入力とし、複数の特徴マップを出力する。それぞれの出力特徴マップは、さまざまなカーネルで入力特徴マップに対して実行された畳み込みの総和である。
以下の小さなプログラムは、畳み込み層全体を計算する。

```
def convlayer(X,W,Y):
    for u in range(len(Y)): # Yの特徴マップをループ処理
        for v in range(len(X)):
            conv(X[v],W[u,v],Y[u])
```

このプログラムは一般読者に理解してもらえるように書いたもので、実際には、PyTorch や TensorFlow[*3] といったディープラーニング用ソフトウェアには、こうした関数があらかじめ定義されている。

畳み込みニューラルネットワークでは、畳み込み操作の後に活性化関数層が続く。最近は、活性化関数に「ReLU」[*4] が使われている。畳み込みによって生成された特徴マップは、正と負の値をとる。重みが負になることもあるからだ。活性化関数層を通過する際、ReLU は負の値をゼロにし、正の値はそのままにしておく。活性化関数層の出力表も、特徴マップと呼ばれる。この非線形演算により、画像内のパターンを検出できる。

こんな画像を想像してみよう。ベージュの地にグレーの縞模様の壁紙が張られた部屋でパソコン作業をしている人物の画像だ。この画像には、背景の壁紙に対するモニタ画面の端のようにシャープな輪郭の部分もあれば、壁紙の地と縞模様のように輪郭が明確ではない部分もある。畳み込みが垂直方向の輪郭を検出すると、モニタの輪郭に対する出力は大きくなるが（高コントラスト）、壁紙の縞模様に対する出力は小さくなる（低コントラスト）。この特徴マップを ReLU に通すと、くっきりした輪郭のみが現れ、それ以外は 0

*3　https://pytorch.org および https://www.tensorflow.org

*4　ReLU については、第 5 章の図 5.2 を参照。

になる。こうして重要なパターンが検出できる。しかし、60 個のニューロンのそれぞれが同じ場所を見ているので、ほかの 59 個のニューロンのひとつを調整すれば、ぼやけた輪郭を検出することもできる。

通常、活性化関数層の後には、ヒューベルとウィーゼルの複雑型細胞によく似た操作を行う「プーリング」層が続く。活性化関数層の出力における特徴マップは、たがいに重なり合うことのない、たとえばサイズが 4 × 4 のウィンドウ（むしろタイル）に分割されている。特徴マップのサイズが 1000 × 1000 の場合、サイズ 4 × 4 のタイルが 250 × 250〔＝ 6 万 2500〕枚存在することになる。プーリング層の各ニューロンは、これらのウィンドウのいずれかを取り、最大値を計算する。言い換えれば、ウィンドウには 16 個の数値があり、ニューロンはこの 16 個の数値のうち最大のものを出力する。これを「最大プーリング」という。この種のニューロンは、すべての特徴マップの各ウィンドウに存在する。この層の出力は、合計で 60 × 250 × 250〔＝ 375 万〕個のニューロンを含むことになる。

どうしてプーリングをするのかというと、入力画像にパターンのわずかな移動があっても変化しない表現を生成するためだ。最大プーリングは、入力における最大値を生成する。この値は、受容野内で最も目立つパターンに対応している。プーリング層のニューロンの同じウィンドウ内にとどまっている限り、このパターンが 1 〜 2 ピクセル移動した場合でも、このニューロンの出力は変化しない。

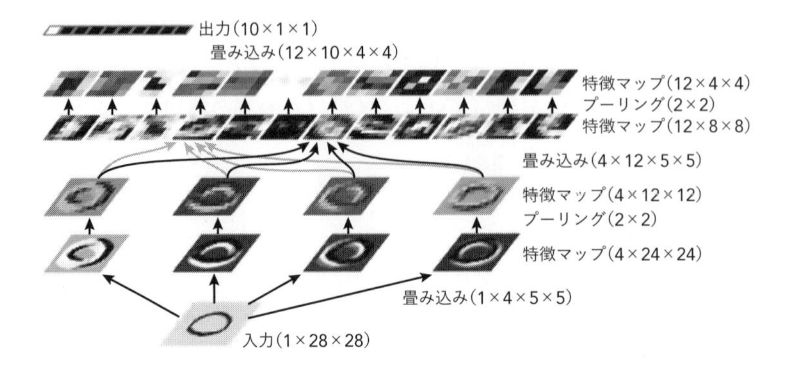


**図 6.6** 畳み込みニューラルネットワーク

畳み込みニューラルネットワークは、畳み込み層、非線形の活性化関数層、プーリング（サブサンプリング）層の３つを積み重ねたものである。この図では、第１層は４枚の特徴マップからなり、それぞれのマップが重みセット（この例では５×５）を使って入力画像の畳み込みを実行する。その結果は活性化関数に送られる。次の層の各特徴マップは複雑型細胞に似ており、前の層の対応する特徴マップ上の、ニューロンからなる小ウィンドウの応答を集約する。プーリング層の出力は、入力よりも解像度が低い。そのため、入力画像の特徴的パターンが多少移動した場合でも、ロバスト性の高い表現が可能となる。次の層では、各特徴マップが前の層のすべての特徴マップを畳み込み、その結果を加算する。さらに、プーリング層が続く。このように各層が出力まで積み重なっている。

畳み込みニューラルネットワークは、畳み込み層、活性化関数層、プーリング層の積み重ねで構成されている。典型的なアーキテクチャは、以下のようなものだ。

畳み込み >ReLU> プーリング > 畳み込み >ReLU>
プーリング > 畳み込み >ReLU> 畳み込み

現在は、これらの層が全部で100層にもなる畳み込みニューラルネットワークが登場している（図6.8）。このタイプのネットワークには、層間接続に「短絡回路」が挿入されている。これは、2015年に北京のMicrosoft Research研究員カイミン・ヘイ（何愷明）が提唱した手法である。カイミンはその後、カリフォルニア州メンローパークのFAIRチームに参加した。

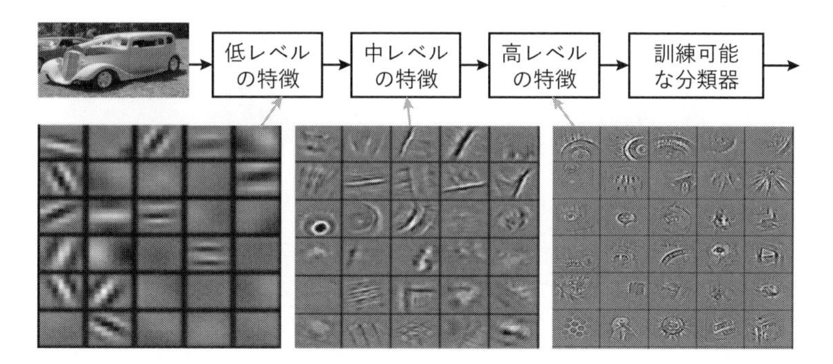


**図 6.7**　複数のレベルをもつ畳み込みニューラルネットワークのユニットによって検出されたパターンの可視化

最初のレベルのパターンは、哺乳類の視覚野で観測されるものによく似ている（出典：Zeiler and Fergus, NYU）。

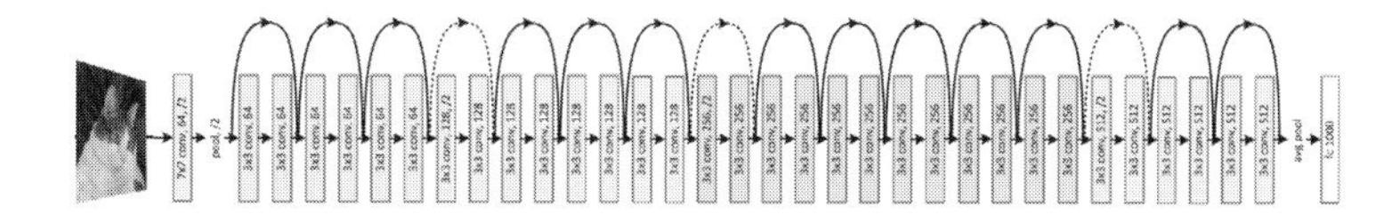

**図 6.8**　カイミン・ヘイの畳み込みニューラルネットワーク ResNet-34

その名の通り、このネットワークは34層構造（活性化関数はカウントせず）。層間を短絡させるスキップ接続（残差接続）を備えているのが特徴である。その兄貴分のResNet-50は、画像認識の標準モデルとなっている（出典：Kaiming He）。

研究コミュニティでは、ImageNet（画像認識コンテスト）で高認識率が狙えるような、なるべくコンパクトで計算時間を短縮可能なアーキテクチャを求めて、畳み込みニューラルネットワークの研究が活発に進められている（図6.9）。

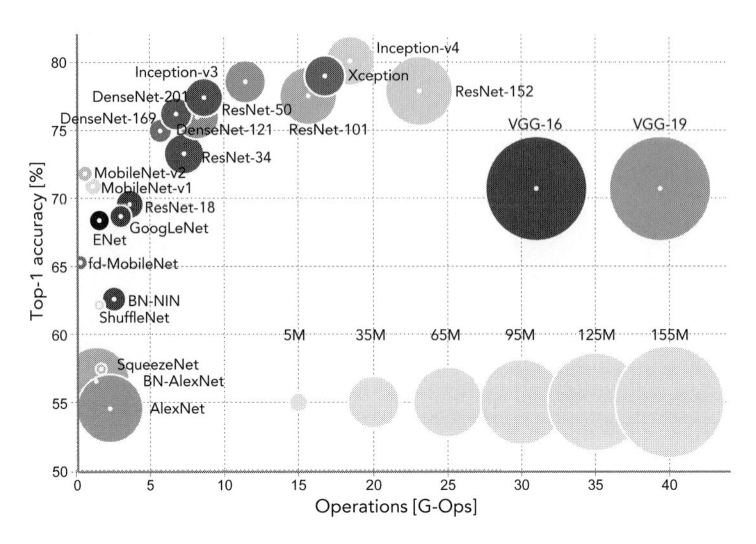


**図 6.9**　それぞれの円は特定の畳み込みニューラルネットワーク

横軸は、1枚の画像の出力を計算するのに必要な演算回数（単位は十億！）、縦軸は、「ImageNet」（画像認識コンテスト）における認識率。円の大きさは、パラメータ数（単位は百万）、つまりメモリ使用量を表す（出典：Alfredo Canziani, NYU）。

**まとめ**

ニューラルネットワークの接続アーキテクチャ（ニューロン層の構成とニューロン間のつながり具合）は、あらかじめ決められている。しかし、重み（加重和のパラメータ）はそうではない。学習によって決定されていく。

畳み込みニューラルネットワークでは、誤差逆伝播法によって、さまざまな層のニューロンが入力画像の認識に重要なものを検出するよう重みが調整される。自然画像内の物体を認識できるように畳み込みニューラルネットワークを訓練すると、第1層の一部のニューロンが方向をもつ輪郭を検出することを学習するが、これは神経科学者の仲間が人間の視覚野で観測したものとよく似ている。

# 6-7 物体の検出、位置決定、セグメンテーション、認識

1990年代初頭には、畳み込みニューラルネットワークを画像全体に適用するのは難しくなく、そうすれば、物体の検出と認識が同時に実現できるということがわかっていた。ネットワークを画像上のスライディングウィンドウに適用すればいいのだ。畳み込みニューラルネットワークの特性を活かしたこの方法は、速度と効率性の面できわめて優れている。

このアイデアを活かした初期の応用のひとつに、手書き文字の読み取りがある。手書きの単語や郵便番号は、文字（数字）同士がた

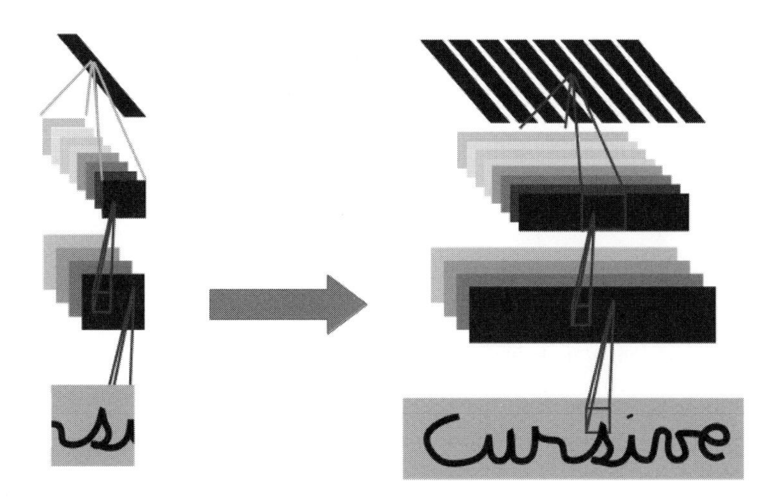

**図 6.10** スライディングウィンドウを使って畳み込みニューラルネットワークを大きな画像の物体検出に適用する

小規模ネットワーク（左）を個別の物体の認識ができるように訓練する。画像上で入力ウィンドウをスライドすれば、簡単にネットワークを大きな画像に適用できる。入力サイズに合わせてネットワークの各層を拡大すれば、この操作を効率よく行える。2つの隣接する出力ベクトルには、数ピクセルずらした2つの入力ウィンドウが「見えている」。

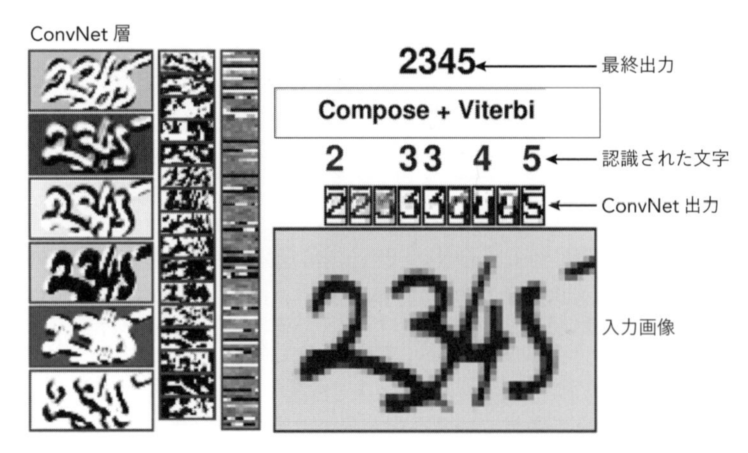


**図 6.11** 畳み込みニューラルネットワークを画像に適用して、複数の物体（ここでは手書きの数字）の検出、位置決定、認識を行う

左側の列は、ネットワークの3つの層におけるユニットの活性状態を表している。一連の出力は、入力ウィンドウの各位置に対して、ウィンドウ中央にある数字の認識されたカテゴリを示す。後処理モジュールは、最も高いスコアをもつ文字列を抽出する。この原理は、後に自然画像における物体検出に広く利用されることになる。

がいにつながっていることが多く、切り離して個別に認識するのが難しかった。しかし、今ではこの方法のおかげで、畳み込みニューラルネットワークの入力ウィンドウを単語全体にわたって左から右にスライドするだけでよくなった（図 6.10）。

入力ウィンドウの各位置に対して、ネットワークは中央にある文字のカテゴリを生成する。畳み込みニューラルネットワークは、ありうるすべての入力ウィンドウに対してこうした計算を難なくやってのける。各層のサイズを入力サイズに合わせ、画像全体の畳み込みを計算するだけでいい（図 6.10 と 6.11）。出力は一連のベクトルとなり、各ベクトルは入力画像上のさまざまなウィンドウの影響を受ける。

私は、このスライディングウィンドウというアイデアを活かし、畳み込みニューラルネットワークによって画像内の物体検出を行った。その原理はこうだ。画像内の顔を検出したいとする。まず、顔が写っている写真や顔が写っていない写真をたくさん集める。写真を1枚ずつ吟味し、それぞれの顔のまわりに四角形を描き加える。コンピュータはその四角の位置を記録し、四角で示された顔のサムネイルを抽出する。そして、そのサイズをたとえば32 × 32ピクセルに正規化する。次に、顔の写っていない画像のランダムな位置やサイズで四角形のサムネイルを多数収集する。これで、顔が入っているサムネイルと入っていないサムネイルが手に入った。これらのサムネイルを用いて、顔のサムネイルには+1、それ以外のサムネイルには0を生成するように、畳み込みニューラルネットワークを訓練する。

訓練後、入力のサイズに合わせて各層を調整しながら、1024 × 1024などの大きな画像にネットワークを適用する。出力は、0から1までの数値の表である。この数値は、入力内の対応する位置において、32 × 32のウィンドウ内に顔が存在する確率を示す。こうすれば、画像内の小さな顔を検出できる。では、32 × 32ピクセルよりも大きな顔を検出するにはどうしたらいいのだろうか？ その場合は、縦横のサイズをそれぞれ半分に縮小した画像、たとえば512 × 512に縮小した画像に同じネットワークをもう一度適用すればいい。64 × 64ピクセルの顔が32 × 32ピクセルになり、ネットワークで認識できるようになる。その後、256 × 256、128 × 128、64 × 64、最後に32 × 32というふうに画像をさらに縮小し、再度ネットワークを適用する。最後の32 × 32になると、元画像の全体を占める顔が検出される。

**図 6.12** マルチスケールのスライディングウィンドウを備えた
畳み込みニューラルネットワークによる顔検出結果

このシステムは、プリンストンにあるNEC研究所の研究員をしていた2003年に開発したものだ。顔の検出だけでなく、顔の向きの推定もできる。このサンプルは、私の母方の祖父母が1920年代初頭に挙げた結婚式の写真。世紀の変わり目にドイツ領アルザスで育った祖母は、第一次世界大戦末期にパリにやってきたが、当時フランス語はまったく話せなかった（出典：著者蔵）。

この方法の効果は抜群だった。その後、われわれは歩行者その他の物体の位置特定にもこの方法を使った。最近の自律走行車の認識システムにおいては、この種の技術がさまざまな物体（車両、歩行者、自転車、道路標識、信号機、各種障害物）の検出・位置特定・認識に使用されている。

## 6-8 セマンティックセグメンテーション

セマンティックセグメンテーションとは、画像の各ピクセルにそれぞれが属する物体のカテゴリをラベル付けすることである。これは物体検出とは異なる。物体検出では、ビューウィンドウの中心に検出すべき物体があれば、ネットワークの出力が反応する。

一方、セマンティックセグメンテーションは、限定された範囲のひとつの物体ではなく、画像内の一定の領域（草や木の葉、道路のアスファルトなど）を検出したい場合に使用する。たとえば自律走行車の場合、画像内の車道に属するすべてのピクセルにラベル付けし、障害物にぶつからずに行ける範囲を確定しておく必要がある。同様に、マンモグラフィ解析システムでは、腫瘍が疑われるすべてのピクセルにラベルを付けておけば便利である。こうしたケースには、スライディングウィンドウの原理を簡単に応用できる。その一例を紹介する。

**図 6.13**　4台のカメラで世界を知覚する自律移動ロボット LAGR（左上）

このロボットは、搭載された2組のステレオカメラで1組の画像を撮影する（左下はその1枚）。第1のビジョンシステムは、撮影された2枚の画像間の視差を利用して、カメラから各ピクセルまでの距離を推定する。その結果、画像内の特定のピクセルが地面からはみ出しているかどうかがわかるので、そのピクセルが障害物または通行可能ゾーンのどちらに属しているかを知ることができる。（下段中央の画像：通行可能ゾーンは明るく、障害物領域は暗い）。この方法は10m程度まではうまく機能する（下段中央の画像では、画像内の明部と暗部は10mで途切れている）。畳み込みニューラルネットワーク（右上）は、画像内のピクセルが通行可能領域と障害物のどちらのカテゴリに属しているかに応じてラベルを付けるように訓練される。しかし、1枚の画像からなら、距離制限なくその画像シーンにラベルを付けることができる（右下の画像）。

2005年から2009年にかけて、私は学生たちと一緒に自律移動ロボットプロジェクトに取り組んだ。このLAGR（Learning Applied to Ground Robots）プロジェクトは、DARPAから資金提供を受け、ニュージャージー州にある小企業Net-Scale Technologies（ベル研究所の元同僚であるスイス人のウルス・ミュラーが設立）と共同で実施した。ロボットにはビジョンシステムが搭載されており、自然の中を自由に移動することができた。システムには、セマンティックセグメンテーション用にスライディングウィンドウを備えた畳み込みニューラルネットワークを使用した[*5]。

画像の各ピクセルは、通行可能ゾーン、通行不能な障害物、障害物の足もと（通行可能ゾーンと障害物の境界）の3つのカテゴリに分類される。カテゴリを決定するために、画像にウィンドウを置き、ウィンドウの中心ピクセルに対するカテゴリを生成する。ウィンドウの情報は、カテゴリの決定に役立つコンテキストとして使用する。すべてのウィンドウにネットワークを通すことで、画像全体にラベルが付けられる。その結果、ロボットは障害物を避けながら目標に到達する軌道を計画できるようになった。

---

*5 Raia Hadsell, Pierre Sermanet, Jan Ben, Ayse Erkan, Marco Scoffier, Koray Kavukcuoglu, Urs Muller, Yann LeCun, “Learning long-range vision for autonomous off-road driving”, *Journal of Field Robotics*, 2009, 26 (2), pp. 120–144.

Pierre Sermanet, Raia Hadsell, Marco Scoffier, Matt Grimes, Jan Ben, Ayse Erkan, Chris Crudele, Urs Miller, Yann LeCun, “A multirange architecture for collision-free off-road robot navigation”, *Journal of Field Robotics*, 2009, 26 (1), pp. 52–87.

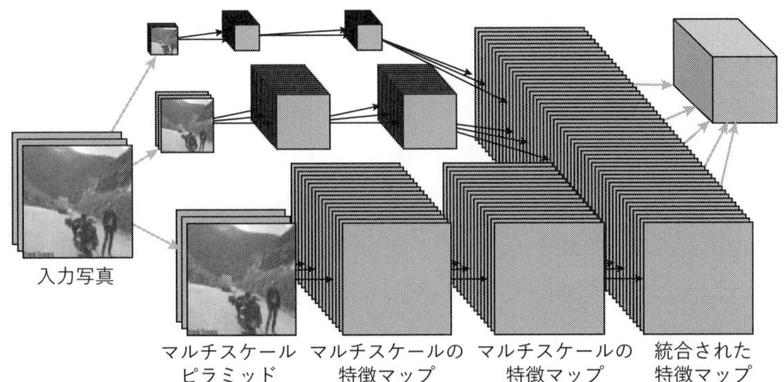

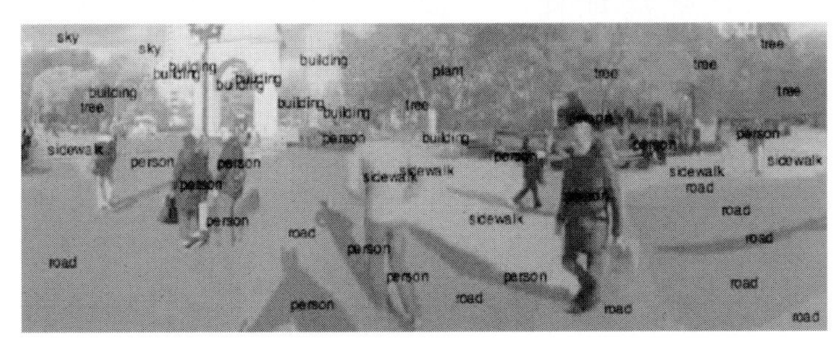


**図 6.14 a** セマンティックセグメンテーションのための畳み込みニューラルネットワークアーキテクチャ（上）。**b** 街頭シーンでの結果（下）

セマンティックセグメンテーションとは、画像の各ピクセルにそれぞれが属する物体または領域のカテゴリをラベル付けすることである。ピクセルのカテゴリは、画像のコンテキストに依存する。道路上や空中にあるグレーのピクセルは、そのコンテキストによってしか認識できない。ConvNet には 3 つのチャンネルがあり、画像を 3 つの異なるスケールで見ることができる。各チャンネルは、入力画像における 46 × 46 ピクセルのウィンドウの表現を抽出する。ネットワークの出力は、中心ピクセルのカテゴリである。大スケールではウィンドウが画像のほぼ全体をカバーするので、中心ピクセルのカテゴリ分けに有効な幅広いコンテキストが与えられる。（出典：Farabet *et al.*, 2013, NYU）。

このシステムの利点は、人間がラベルを付ける必要がないということだ。ラベルはビジョンシステムによって自動的に算出される。2組のステレオカメラのおかげで、ロボットは人間の目と同じように、各シーンを2つの微妙に異なる視点からとらえた2枚の画像をもっている。ステレオビジョンの古典的方法を応用すれば、2枚の画像から、各ピクセルの差異、つまり2枚の画像に収められたシーンの特定の場所に対する位置のずれを計算できる。差異が大きいほど、その場所はカメラに近い。

このテクニックを使えば、シーンの3Dマップを作成できるので、地面上にあるもの（通行可能）と地面からはみ出しているもの（障害物）の区別が可能になる。しかし、この手法は10メートル以内の場所でしか機能しない。それより遠い場所では、差異が小さすぎて（1ピクセル以下）、距離の推定が働かなくなる。このようにして計算された「通行可能ゾーン」や「障害物」のラベルを使って、畳み込みニューラルネットワークを訓練する。ネットワークはピクセルの周囲の状況を利用して、そのピクセルが障害物かどうかを——ひとつひとつ「このピクセルは未舗装の道路？」「これは茂み？」「木の幹？」などと判断しながら——決定する。ピクセル周辺の領域の状況を考慮すれば、そのピクセルが属する物体の性質を識別できる。一度訓練されると、ネットワークは画像全体に適用され、任意の距離の障害物や経路を検出できるようになる。

セマンティックセグメンテーションに畳み込みニューラルネットワークのスライディングウィンドウを利用するというアイデアは、2009年にひとつのビジョンシステムとして開花した。

このシステムでは、画像の各ピクセルが33のカテゴリ（道路、建物、車など）のどれかに属するものとしてラベル付けされるようになっていた[*6]。この種の方法は現在、自律自動車のビジョンシス

---

***6** C. Farabet, C. Couprie, L. Najman, Y. LeCun, "Learning hierarchical features for scene labeling", *IEEE Transactions on Pattern Analysis and Machine Intelligence*, 2013, 8 (35), pp. 1915-1929.

テムで広く使われている[*7]。

この方法を使えば、生物学的画像や医用画像のセグメンテーションも実行できる。2015年、MIT（当時）のセバスチャン・スンは、ウサギの網膜の神経回路の一部（電子顕微鏡による3次元画像）を畳み込みニューラルネットワークを使って再構成した[*8]。ニューヨーク大学（NYU）の私の同僚たちは、股関節のMRI画像のラベル付けに畳み込みニューラルネットワークを使っている。畳み込みニューラルネットワークは現在、ほぼすべての画像認識システムで利用されている。

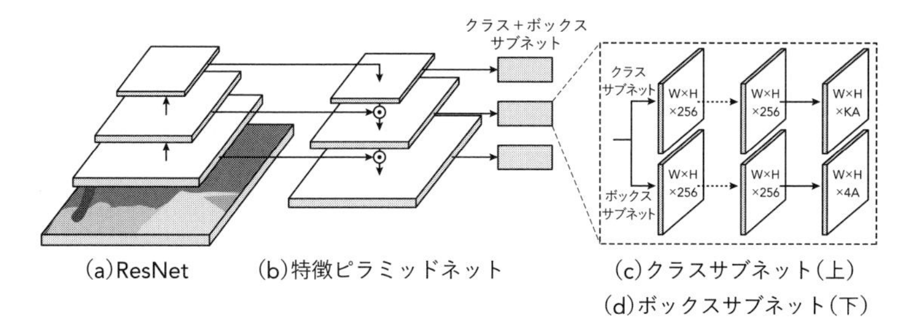


**図 6.15** RetinaNet：物体の検出、位置決定、認識のための畳み込みニューラルネットワークアーキテクチャ

RetinaNet は ConvNet アーキテクチャのひとつで、物体や領域の検出、位置特定、セグメンテーション、認識を同時に行える。古典的 ConvNet に「逆畳み込みニューラルネットワーク」（deconvolution network）を加えた構成になっており、逆畳み込みによって各層の解像度が増し、最終的に入力画像と同じ解像度の出力画像が生成される（出典：Lin *et al.*, 2018, FAIR[*9]）。

*7　第7章を参照。

*8　V. Jain, H. S. Seung, S. C. Turaga, “Machines that learn to segment images: A crucial technology for connectomics”, *Current Opinion in Neurobiology*, 2010, 20 (5), pp. 653-666.

*9　T.-Y. Lin *et al.*, “F focal loss for dense object detection” . https://arxiv.org/abs/1708.02002

**図 6.16** Facebook が 2017 年に公開したシステム Mask R-CNN の生成結果

畳み込みニューラルネットワークを使ったこのセグメンテーションおよびインスタンス認識システムは、画像内の各物体のカテゴリに名前を付け、物体を覆うマスクを生成できる。ネットワークは画像全体をくまなく通る。画像内のそれぞれの場所に対し、カテゴリ（たとえば「人」）を生成し、さらに認識された物体を覆うマスク画像も生成する（出典：He *et al.*, 2017, FAIR[*10]）。

わずか数年のあいだに、コンピュータビジョン研究は物体の検出と位置決定において著しい進歩を遂げた。その最前線に立つのが、FAIR のシステム Mask R-CNN と RetinaNet である。コードはオープンソースで提供されている[*11]（図 6.15 と図 6.16 を参照）。

***10** Kaiming He, Georgia Gkioxari, Piotr Dollar, Ross Girshick; *The IEEE International Conference on Computer Vision (ICCV)*, 2017, pp. 2961-2969.

***11** https://github.com/facebookresearch/maskrcnn-benchmark

Chapter

# 7

# ディープラーニングの現在



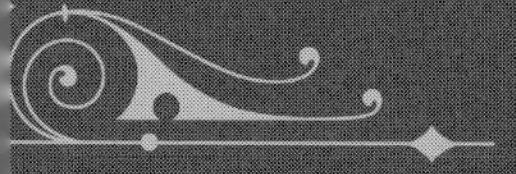

AI は持ち前の能力（自動解析・自動認識・自動分類）で、それまでは人間だけで行っていたあらゆる種類の作業を手助けしてくれるようになった。要するに、AI はすっかり身近な存在になったのだ。

とはいえ、ディープラーニングがすっかり古典的人工知能に取って代わったわけではない。木探索、最短経路探索、論理的推論——これらはどれも 1960 年代から知られていた手法だが、今日ではテクノロジーの進歩によって驚くべき効率性を獲得している。

## 7-1 画像認識

検索エンジンに単語を入力するのはごくありふれた行為だが、その行為の背後では、強力なインフラが動員されている。ユーザーの要求に最適な応答を生成するには、事前に何百万、何十億という画像を畳み込みニューラルネットワークに見せ、認識の学習をしておかなければならない。

Google では、このようなシステムが常時稼働している。システムはユーザーが所有する写真やインターネット上の画像を 1 枚ずつ検討し、それを畳み込みニューラルネットワークが識別して処理する。Facebook でも、ほんの一握りの畳み込みニューラルネットワークが、ユーザーのページに日々アップされる数十億枚の画像を解析している。この画像は船？　これは犬？　花？　こんな具合に数万のカテゴリに分類されていく。

この作業の下準備として、Google や Facebook はラベルの付いた数百万枚の画像を収集している。ラベル付け自体は、ユーザーや専門のスタッフが手作業で行っている。Google は「自動車の画像をすべて選択してください」といったお願いをして、ユーザーにラベル付けをしてもらっているのだ。エンジニアはこのデータを使って畳み込みニューラルネットワークを訓練し、手作業でのラベル付けがされていない何十億枚もの画像に自動でラベルを付けられるようにする。

GoogleやFacebookは、自前のデータセンターのサーバーにラベルの一覧を蓄積している。ユーザーがGoogleの検索エンジンに「エッフェル塔」と入力するときには、すでに「エッフェル塔」のラベルが付いた画像リストが存在しているわけだ。これは何百万もの単語や文章にも当てはまる。

同じように、Facebookも写真を、結婚式、誕生日、インテリア、飛行機、猫、バッグ（ブランド別！）、車（車種別！）というように分類しており、中には誰も知らなそうな建物やモニュメントといったカテゴリまで用意されている。

メタデータ[訳注]が付いていると写真の視覚認識が楽になる。観光客がエッフェル塔界隈を散策している場合は（そのことは持ち主のスマホからわかる）、自由の女神像よりも、エッフェル塔を写真に撮る可能性が高い。

視覚認識は、公序良俗に反する暴力やヘイト、小児性愛、ポルノなどに関連するビジュアルコンテンツをフィルタリングして排除する目的にも使われる。この作業は、事前にラベル付けされた、何千枚ものおぞましい画像で訓練済みの畳み込みニューラルネットワークによって確実に行われる。違反コンテンツのチェック担当者にとっては過酷な仕事だ[*1]。

そして、困難な仕事でもある。公序良俗に反するテキストを投稿する人は、それがチェックされることを知っているので、チェックをかいくぐる戦略を用意しているからだ。たとえば、その種のテキストを、畳み込みニューラルネットワークが認識するように訓練されていない画像の中に配置したりする。その場合、そのテキストを発見するには、より高度なテクニックが必要になる。画像内から文

---

**訳注** データについてのデータ。たとえば、写真をとった画像データであれば、撮影日や大きさなどがメタデータとして付与されている。スマートフォンの位置情報をメタデータとして付与することもできる。

***1** 8-4節（280ページ）を参照。

字が検出されると、別の畳み込みニューラルネットワークがOCR（optical character recognition）を使ってその文字をテキストに変換するのだ。

画像認識には、植物や昆虫、鳥、ワインラベルなどの同定といった穏当な利用法もある。場所や建物に名前を付けたり、動画を解析してそこで展開される行動を分類したりもできる。後者は、その動画を誰に表示すべきか、あるいは誰に表示すべきでないかを知るのに役立つ。さらに、目の不自由な人のために画像や動画の内容を記述し、そのテキストをスマートフォンに音読させることもできる。

## 7-2 コンテンツの埋め込みと類似性の測定

画像や動画、テキストなどを処理するアプリケーションでは、2つの要素同士の類似性を測定する必要があることが多い。

2枚の画像の場合、それぞれの被写体を正確に特定しなくても、たがいに似ているかどうかがわかれば役に立つこともある。この比較能力は、情報検索、コンテンツのフィルタリング、ある種の物体画像認識（モニュメント、顔、本の表紙、音楽作品のジャケットなど）に不可欠である。

重要なアプリケーションの一例を挙げる。テロリストのプロパガンダ動画は見つけ次第、そのコピーもまとめて検出・削除しなければならない。活動家やシンパがあっという間にそれをソーシャルネットワーク上で何千回も再投稿してしまうからだ。そのためには、そうした動画の類似性を素早く検出する必要がある。この件については、後ほど詳しく説明する[*2]。

それほど深刻でない活用法の例もいくつか挙げておこう。誰かがワインボトルのラベルを撮影すると、システムは同じラベルを検索

*2　8-4節（282ページ）を参照。

し、そのワインの情報にアクセスする。あるいは、2枚の写真の被写体が同一人物であることを確認したり、有名な油絵や名高い建物を絵画や歴史的建造物のリストと比較したりもできる。テキストの場合も同じだ。ウィキペディアの記事の中に質問の答えが見つかるかどうかや、2つの論文が同じテーマを扱っているのかどうか、なども調べられる。

このような比較を行うには、「埋め込み」や「距離学習」を利用する。埋め込み（embedding）とは、画像や動画、テキストをベクトルで表現することである。ベクトルはニューラルネットワークによって計算される。そのためには、類似したコンテンツを表す2つのベクトルはたがいに近く、異なるコンテンツを表す2つのベクトルはたがいに遠くなるようにネットワークを訓練する必要がある。私はこの方法を「シャムネットワーク」（Siamese Network）と名付け、早くも1990年代には署名認証[*3]、2000年代には顔認証[*4]に利用していた。この方法のポイントは、同一のニューラルネットワークを2つ用意することにある。ネットワークに1枚の人物写真を入力すると、1000次元ベクトルを出力する。出力ベクトルの1000次元空間が埋め込み空間である。2つのネットワークに、同一人物が写った異なる2枚の写真を示す。出力ベクトルを近くしたい場合は、ひとつ目のネットワークの出力を2つ目のネットワークの所望出力として利用する。その逆も同じ。この場合のコスト関数は、2つのネットワークの出力同士の距離になる。誤差逆伝播法による学習では、2つのベクトルがたがいに近くなるように重みを修正していく。逆に、ネットワークに異なる人物が写った2枚の画像が提示された場

---

*3 J. Bromley, I. Guyon, Y. LeCun, E. Säckinger, R. Shah, "Signature verification using a 'siamese' time delay neural network", *NIPS'93 Proceedings of the 6th International Conference on Neural Information Processing Systems*, Morgan Kaufmann Publishers, 1993, pp. 737-744.

*4 S. Chopra, R. Hadsell, Y. LeCun, "Learning a similarity metric discriminatively, with application to face verification", *Conference on Computer Vision and Pattern Recognition (CVPR)*, 2005, 1, pp. 539-546.

合は、2つの出力ベクトルがたがいに離れていることが望ましい。したがって、ベクトル間の距離が増えるにつれて減少するようなコスト関数を定義し、それを勾配降下法で最適化する。それでおしまいだ。

1枚の顔写真に対して1000次元のベクトルを生成するネットワークがあるとしよう。同じ人物の2枚の写真ならたがいのベクトルは近く、違う人物の2枚の写真ならたがいのベクトルは遠くなる。だから、ある人物を同定するには、その人物写真のベクトルを、同じ人物の以前に記録した一連のベクトルと比較すればいい。Facebookの顔認識システムでも、似たようなテクニックが使われている[*5]。

私は、ニューヨークを拠点とするスタートアップElementの共同設立者であり、科学顧問を引き受けている。この会社が提案しているシステムに、スマートフォンで撮影した手のひらの写真をもとにした、シンプルな本人認証システムがある。手相（や足相）は人それぞれだ。手相なら顔認識と違って、本人の知らない間に同定されることもない。これは発展途上国で医療サービスにアクセスしたり、銀行口座を利用したりする際にたいへん便利な機能だ。Elementは、バングラデシュなどで予防接種キャンペーンや新生児の健康管理を実施する慈善財団のプログラムに参加している。Elementのテクノロジーを使って、新生児の足裏を撮影すれば（手のひらはこぶしを握っていることが多い）、本人確認ができるだけでなく、同じワクチンの重複接種を避けたり、治療の記録を残したりもできる。

埋め込みは情報検索にも応用できる。ネットワークは訓練によって、リクエストのベクトルと検索されたコンテンツ（質問に対する答え）のベクトルが近くなるように、リクエストに対する埋め込み

---

*5 Y. Taigman, M. Yang, M. A. Ranzato, L. Wolf, “DeepFace: Closing the gap to human-level performance in face verification”, *Conference on Computer Vision and Pattern Recognition (CVPR)*, 2014, 8.

ベクトルとコンテンツに対する埋め込みベクトルを生成するようになる。

ほかにも、学者やボランティアで構成される組織 Wildbook（Facebook のもじり）では、海洋哺乳類などの生物種を同定するサービスを提供している。このサービスでは、畳み込みニューラルネットワークと距離学習に基づくシステムを使って、海面に浮上しているクジラやシャチ、ジンベエザメ、陸上のシマウマ、ヒョウなどのたった1枚の写真から、皮膚の質感、それからヒレや尾、斑点などの不規則性を識別するだけで個体を認識する。このシステムは、手作業でラベル付けをした写真を使って訓練される。このようにして、Wildbook は絶滅危惧種の個体を記録している。最終的には居場所を突き止め、その移動を追跡できるようになるかもしれない[*6]。

## 7-3 音声認識

ほかの入力信号と同じく、音による信号（音響信号）を処理するには、最初にサンプルと呼ばれる一連の数字をデジタル化（サンプリング）しなければならない。各サンプルは、ある瞬間のマイクにかかる空気圧を示している。音声信号の場合、一般に1秒間に1万サンプルが必要とされる。ほとんどの音声認識システムは、このアナログ音声のデジタル変換から始まる（人間の内耳も似たような処理を行っている）。この変換によって画像に似た信号表現が生成され、この「画像」がニューラルネットワークに与えられる。

入力「画像」に、256 個のサンプルで構成された、25.6 ミリ秒というほんの一瞬の信号を表すウィンドウがあるとする。このウィンドウで、前処理プログラムが約 40 個の周波数帯（低音、中音、高音）

*6 https://www.wildbook.org/

の音の強さを計算する。次に、ウィンドウを10ミリ秒単位で移動させる（連続する2つのウィンドウには重なる部分がある）。プログラムは同じ計算を繰り返し、新しいウィンドウを40個の数値に変換していく。

このようにして音声信号は、10ミリ秒ごとにひとつのベクトル、つまり1秒ごとに100個のベクトルをもつ40次元のベクトル列で表される。これをスペクトグラムという。畳み込みニューラルネットワークは、0.4秒の音声を表す40個のベクトルで構成されたウィンドウ（つまり、入力「画像」は40×40「ピクセル」で構成されている）から、ウィンドウ中央にある基礎音をカテゴリに分類する。

人間のさまざまな言語は、音素（phoneme）の連なり（音素列）と見ることができる。フランス語のスペルでは、「a」「ou」「oi」「on」「ta」「ti」などの音が音素だ。各音素は、単音（phone）と呼ばれるいくつかの基礎音から構成される。音素「oi」は、実際には、最初の「o」、最後の「a」、その中間の3つの単音で構成されている[訳注]。組み合わせは無数にあるので、言語によっては、こうした基礎音の数が3000にも達する。たとえば、「apparaître」の中の「p」の音と「opposé」の中にある「p」の音は違うのだ。それぞれの音は、その音韻環境に依存している。

畳み込みニューラルネットワーク――この場合は「音響モデル」（acoustic model）と呼ばれる――は、入力「画像」中に存在する音を3000個のカテゴリに分類する。出力では、3000個のスコアで構成されたリストが生成される。各スコアは、観測された音が3000個の単音カテゴリのそれぞれである確率を示す。つまり、ネットワークの出力は、10ミリ秒ごとに3000個の成分をもつベクトルである。

まとめると、文とは、長さに応じてサイズが変化し、瞬間ごとの周波数成分をもつ一種の画像である。ネットワークの出力では、

---

**訳注** フランス語のスペル「oi」は「オイ」ではなく、「oa」（オア）のように発音されるが、実際には「o」と「a」の中間にもうひとつ単音があり、「オゥア」のように発音される。

3000 個の成分をもつベクトルの可変長配列が得られる。

まだ終わりではない。さらに、この配列の中から単語列を抽出する必要がある。その際、単語モデルと言語モデルが利用される。単語モデルは、ひとつの言語の各単語に対して、その言語を形成するすべての基礎音の列を示す。単語モデルは話し言葉で訓練される。言語モデルは、その言語でどんな単語列が可能であるか（または可能性が高いか）を示す。基礎音のスコア列を単語列に変換するには、デコーダを使用する。デコーダは、最高のスコアを得る可能性のある単語列の中から、言語モデルに関して最も可能性の高い単語列に対応するものを探す。最近のシステムの中には、畳み込みニューラルネットワークや回帰結合型ニューラルネットワークを使用して、単語モデルと言語モデルをまとめて実現するものもある。

**図 7.1**　音声「画像」のいくつかの例

各正方形は、0.4 秒の音声を表す 40 × 40 ピクセルの画像の一種。各ピクセルは、10 ミリ秒のウィンドウに対する、40 個の周波数帯のひとつにおける音声信号の強度を表している（出典：NYU/IBM*7）。

*7　Tom Sercu, Christian Puhrsch, Brian Kingsbury, Yann LeCun, "Very deep multilingual convolutional neural networks for LVCSR", *IEEE International Conference on Acoustics, Speech and Signal Processing (ICASSP)*, 2016, pp. 4955–4959.

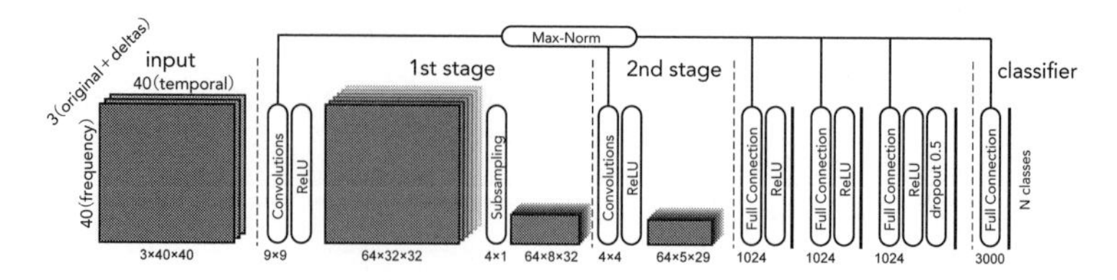


**図 7.2**　音声認識用畳み込みニューラルネットワークの例

0.4 秒の音声を表す一種の「画像」から、特定の言語のありうるすべての音に対するスコアのベクトルをそれぞれ生成する（出典：NYU/IBM*8）。

畳み込みニューラルネットワークはこのように、音声が関与するほぼすべてのアプリケーションに組み込まれている。たとえば、Alexa のような仮想アシスタントなら、システムが分析できるようにリクエストをテキストに転記する。

音声認識を利用したアプリケーションであれば、スマホで電話番号をダイヤルしたり、動画に自動で字幕を付けたりする場合も、その方法は変わらない。最近開発されたものに、音声から音声へ（speech-to-speech）の直接翻訳がある。このアプリケーションは、マドリードから北京にやってきたスペイン人の客が、タクシーの運転手とコミュニケーションを取りたいときに重宝する。スマートフォンが仲介役となり、客がスペイン語を話すと、北京語に翻訳して運転手に音声で伝える。運転手が北京語で答えると、機械がスペイン語に翻訳して音声で返答する。

# 7-4 音声と音の合成

数年前から、一風変わった畳み込みニューラルネットワークが音

*8　Tom Sercu, Christian Puhrsch, Brian Kingsbury, Yann LeCun, "Very deep multilingual convolutional neural networks for LVCSR", *IEEE International Conference on Acoustics, Speech and Signal Processing (ICASSP)*, 2016, pp. 4955–4959.

と音声の合成に使われている。このネットワークは、入力と出力が入れ替わった畳み込みニューラルネットワークに似ていることから、逆畳み込みニューラルネットワークと呼ばれることもある。このネットワークでは、入力は単語または音素の列、出力は抑揚や韻律などのついた合成音声信号である。このネットワークのアーキテクチャは、すべての矢印を反転させた音声認識アーキテクチャによく似ている。逆畳み込みニューラルネットワークは、認識に使われるものと似たようなスペクトログラムを生成する。しかし、スペクトログラムを「反転」して音声信号を生成するには、別に訓練された逆畳み込みニューラルネットワークも使用される。

一部のシステムには、入力に話者の埋め込みベクトルが含まれている。人物の音声が数秒分あれば、訓練された畳み込みニューラルネットワークの助けを借りて、音声埋め込みベクトルを計算できる。そのベクトルを音声合成装置へ入力として与えると、音声合成装置がその人の声で任意のテキストを読み上げられる。これが音声クローニング（voice cloning）である。

最近の音声合成装置は、人間の話者と区別がつかないほど忠実にできている。しかし、話せるようになったのはいいとして、何を話せばいいのかわからないようでは困る。その点では、機械はまだ会話ができるようになるにはほど遠い。

## 7-5 言語理解と翻訳

音を解読するだけでは十分ではない。仮想アシスタントは、リクエストを正しく分類する必要がある。つまり、その意図を判断しなければならないのだ。「明日の天気はどうだろう？」という言葉を記録しても、「明日は雨かな？」や「明日は暑くなりそうかな？」であっても、仮想アシスタントは、これらの表現はどれも「明日の天気予報が知りたい」という意味であることを「理解」しなければならない。たとえば、Alexaでは、Amazonのエンジニアが、電話をかける、音楽を流す、交通情報を知らせる、ラジオ局を選ぶ、など約80のさまざまな意図を定義していた。意図の認識ができて初めて、Amazonのサーバーは要求されたタスクを実行できる[*9]。

情報検索の処理には、意図の判断が欠かせない。その役目は、次第に「トランスフォーマー」と呼ばれる独自のニューラルネットワークが担うようになってきた。ユーザーが「アルメニアの人口」と入力すると、Googleが検索を実行する。そのリクエストはニューラルネットワークによって処理される。リクエストの意味は数値のリスト、つまりベクトルで表現されている。Google側には、インターネット上の何十億ものページから抽出されたコンテンツベクトルが用意されている。このベクトルは検索される前から存在している。ネットワークは第1のベクトルと第2のベクトルを比較し、類似性が見られれば、そのベクトルに対応するコンテンツが引き出され、検索エンジンによって表示される。

メッセージも同様だ。このFacebookの投稿はどのような内容なのか？　政治についてか？　内容は左翼的か、それとも右翼的か？　ネオナチや人種差別にかかわるコメントではないか？　ほめているのか、けなしているのか？

テキストを分類するための表現方法としては、以前から辞書のサイズと同じ成分数の大きなベクトルを構築するという方法が使われていた。各成分は、テキストに含まれる特定の単語の出現回数を示す。つまり、bag of words（単語袋）を使っていたわけだ。袋の中の単語はごちゃまぜ状態だったが、それ以外はシンプルなものだった。2つのテキストの主題が同じかどうかを知るには、ベクトル同士を比較して、bag of wordsの類似性を調べる。この入力ベクトルは、ニューラルネットワークで分類することもできた。どれも一応動きはしたが、あまり優秀ではなかった。この方法では、2つのテキストが同

*9　仮想アシスタントの動作の仕組みに関する詳細は、7-11節（255ページ）を参照。

じことを言っているのか、反対のことを言っているのかがわからないのだ（どちらの場合も同じ bag of words を使っているので）。

最近の方法では、一連の埋め込みベクトルによるテキスト表現が使われている。辞書の各単語は 100 ～ 1000 次元のベクトルに結び付けられており、学習の結果、似ている単語は（ユークリッド距離が）近いベクトルで表されるようになる。

単語埋め込みベクトルを学習するというアイデアは、2000 年代初頭のヨシュア・ベンジオによる時代を先取りした論文にさかのぼる [*10]。彼はその論文で言語モデル用のニューラルネットワークアーキテクチャを提案した。テキストのセグメントから、システムは次に続く単語を予測するように訓練される。ニューラルネットワークの入力にある単語はどのように表現されるのだろうか？　辞書に載っているすべての単語を辞書の順番通りに並べたリストがある。このリストでは、各単語は番号で識別される。リストの中の各単語をその番号に置き換えることで、単語列を簡単に数字列に変換できる。次に、ベクトルのリスト（ルックアップテーブル）を使って、それぞれの単語インデックスに対して埋め込みベクトルを与える。

このルックアップテーブルのベクトルは、線形ニューロン層の重みのように訓練される。このネットワークは、いくつかの隠れ層とそれに続く出力層をもつ。出力層は、辞書の各単語に対して、入力で示された単語列に続く確率を示す大きなベクトルを生成する。最後の線形モジュールの出力における加重和の確率分布への変換は、ソフトマックス関数によって実行される。これは、各入力の指数関数を計算し、それをその総和で割る。すると、総和が 1 となる 0 から 1 のあいだの数列（確率分布）が得られる。ソフトマックス関数は、ほとんどの分類アプリケーションで使用されている。

*10 Y. Bengio, R. Ducharme, P. Vincent, C. Jauvin, "A neural probabilistic language model", *Journal of Machine Learning Research*, 2003, 3 (6), pp. 1137-1155.

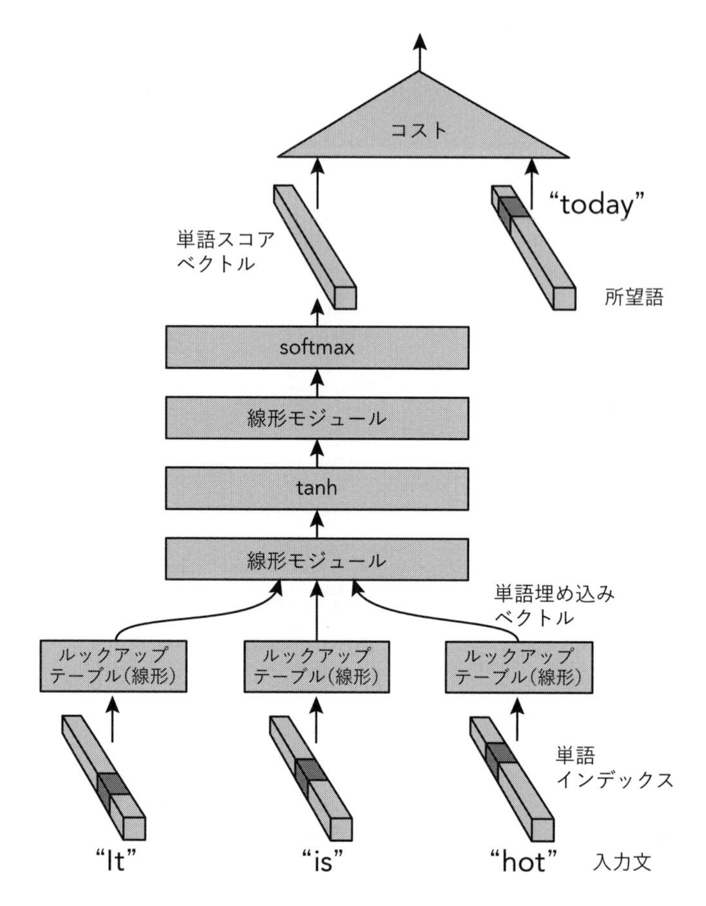


**図 7.3** 2003 年にヨシュア・ベンジオらが提案した言語モデル

言語モデルとは、単語列を入力とし、辞書の各単語に対して、その単語が入力列の後に続く確率を示すスコアベクトルを出力するものである。テキストを生成したり、音声認識システムや翻訳システムの精度を向上させたりするために使用される。ここに示した言語モデルは、そうした目的のためにニューラルネットワークを使用した最初期のモデルのひとつだ。このネットワークの第 1 層は、辞書のインデックスで示される各単語を、ルックアップテーブルと呼ばれるやや特殊な線形層を介して埋め込みベクトルに変換する。何百万ものテキストで訓練すると、埋め込みベクトルが、入力単語に関連するすべての有用な情報を表すようになる。「犬」と「猫」のように役割が似ている単語は、似たようなベクトルで表現される。深層学習の登場以来、優れた言語モデルはみな深層ニューラルネットワークを使用している。

学習後、ルックアップテーブルのベクトルを使って単語を表現する。このベクトルには、次に続く単語の意味と構文上の役割の予測を同時に可能にするすべての情報が含まれている。システムは数多くの文で訓練されているが、それはたとえば「牛乳はテーブルの上にある」といった文であり、「車はテーブルの上にある」というような文はひとつも含まれていない。「彼は庭で犬を見た」と「猫は庭にいる」という文では、「犬」と「猫」という単語が似たような文脈で現れる。システムは「猫」と「犬」には似たような埋め込みベクトルを、「牛乳」と「車」には異なるベクトルを自発的に割り当てる。地名や人名なども同様だ。一般に、文中で似たような役割を果たしている単語同士は、埋め込みベクトルの距離が近い。

2008年から2011年にかけて、プリンストンにあるNECの研究所で、ブルターニュ出身のロナン・コロベールとイギリス人ジェイソン・ウェストンが、この埋め込みのアイデアを改良していた。2人は、畳み込みニューラルネットワークアーキテクチャを使うことで、次の単語を予測するだけでなく、テキストの理解や分析のタスクも行えることを明らかにした。その研究は、自然言語処理研究コミュニティの猛烈な抵抗を受け、彼らの論文は嘲笑の対象にさえなった。だが、まったくの見当違いだった。将来を見据えていたのは、彼らのほうだった。2018年、2人は「ICML Test of Time Award」を受賞することになる。この賞は、10年前のICML（International Conference on Machine Learning）で発表された論文のうち、時の試練に耐えた最優秀論文を表彰するものだ[*11]。現在、ジェイソンとロナンはともに、Facebookの研究者として働いている。

2013年、Googleで働くチェコの若手研究者トマス・ミコロフも

---

***11** Ronan Collobert, Jason Weston, “A unified architecture for natural language processing: Deep neural networks with multitask learning”, *Proceedings of the 25th International Conference on Machine Learning (ICML’08)*, ACM, New York, 2008, pp. 160–167.

言語モデルを訓練するというアイデアに取り組み、きわめてシンプルなアーキテクチャを提案した。彼はそれをWord2vecと名付けた。単語の埋め込みによるテキスト表現が実に効率的で、その影響は山火事のように燃え広がった[*12]。誰もがWord2vecを使って、テキストの意味やトーンを理解しようとした。トマスもその後まもなくFacebookに加わることになる。入社後まもなく、彼はフランスのFacebook研究者ピョートル・ボヤノフスキ、エドゥアール・グラーヴ、アルマン・ジュランと共同でFastTextプロジェクトを立ち上げた。FastTextはオープンソースで配布されており、世界中の何千人ものエンジニアに利用されている[*13]。

言語モデルのブームは絶頂を迎えようとしていた。2014年末、ジェフリー・ヒントンの教え子である研究者イリヤ・スツケヴェルがNIPSで発表した論文は、爆弾のような威力を発揮した[*14]。彼は大規模ニューラルネットワークを構築し、異言語間の翻訳に適用したのだ。その結果、これまでに使用されてきた手法よりもわずかながらよい結果を得た。

「古典的」翻訳方法では、対訳テキストで計算された統計量を使用していた。「See you later」という単語の集まりは、フランス語で何回「à plus tard」と翻訳されたのか？　「bank」という単語は何回「banque（銀行）」と翻訳され、何回「rive（川岸）」と翻訳されたのか？　こうした統計量を計算し、ターゲット言語の単語を構文にしたがって並べ替えれば、近似的な翻訳が得られる。しかし、こうした古典的システムは、かけ離れた言語（フランス語と中国語

---

*12 T. Mikolov, I. Sutskever, K. Chen, G. S. Corrado, J. Dean, "Distributed representations of words and phrases and their compositionality", *Advances in Neural Information Processing Systems*, 2013.

*13 https://fasttext.cc/ を参照。

*14 Ilya Sutskever, Oriol Vinyals, Quoc V. Le, "Sequence to sequence learning with neural networks", *Advances in Neural Information Processing Systems*, 2014, pp. 3104–3112.

など）や語順が変わる言語（英語とドイツ語など――ドイツ語では動詞が文末にあることが多い）ではうまく機能しない。イリヤのシステムには、回帰結合型ニューラルネットワーク、より正確にはLSTM（long short-term memory）と呼ばれる独自な回帰結合型ニューラルネットワークアーキテクチャが使われている。LSTMは、スイスに拠点を置くドイツ人研究者ゼップ・ホッホライターとユルゲン・シュミットフーバー[*15]が1997年に発表したアーキテクチャである。イリヤは、多層LSTMを用いて文の意味をベクトルに符号化し、別のLSTMネットワークを用いてターゲット言語の翻訳を1語ずつ生成することを提案した。この種のタスクは、ある記号列を別の記号列に変換することから、その後「seq2seq」（sequence to sequence）と呼ばれるようになった。彼のシステムは比較的短い文でしかうまく機能しない。LSTMは文が長くなると、文末に到達するころには文頭を忘れてしまっているからだ。さらに、このシステムはきわめて計算量が多く、大規模な展開は現実的には難しい。

しかし翌年、モントリオールのヨシュア・ベンジオの研究室にいた韓国人の若手ポスドク研究員チョ・キョンヒョンとドイツ出身の若手実習生ドズミトリー・バーダナウの2人が、天才的なアイデアを思いついた。文全体を固定長のベクトルで符号化するのではなく、翻訳しようとしているソース言語の文の一部に注目するようにすればいいと考えたのだ。次の英文「In this house, there are two bathrooms. The wife has her own and the husband his own.」（フランス語訳「Dans cette maison, il y a deux salles de bains. La femme a la sienne et le mari la sienne.」）をシステムに翻訳させる場合、英語では代名詞が主語と性数一致し、フランス語では目的語と性数一致するので、文末の「et le mari...」を生成

---

*15 Sepp Hochreiter, Jürgen Schmidhuber, "Long short term memory", *Neural Computation*, 1997, 9 (8), pp. 1735-1780.

するには、「his own」を「le sien」と訳すのか「la sienne」と訳すのかを決めなければならない[訳注1]。しかし、どちらが正しいかを決定するには、前の文にある目的語「la salle de bains」を参照する必要がある。注意機構[訳注2]のアイデアを使って、ネットワークは「et le mari...」を生成し、前文の「the bathrooms」に注意を向ける。初期結果はかなり有望だった。イリヤのシステムよりも性能がよく、計算やメモリの面ではるかに安くついた[*16]。数カ月後、スタンフォード大学のクリストファー・マニングの研究室が、モントリオールグループのアイデアを使って、WMT国際機械翻訳コンテストに参加したところ、なんと優勝してしまった。それが新たなゴールドラッシュの始まりだった。翻訳に取り組んでいるグループはこぞってこのアイデアに飛びついた。その中には、カリフォルニアのFAIRに所属するドイツ人研究者ミカエル・アオリのグループもあった。彼は、注意機構で強化した畳み込みニューラルネットワークをベースにしたアーキテクチャを使って、優れた翻訳システムを生み出した。彼のシステムはWMTの2019年大会で見事優勝を飾った[*17]。

---

**訳注1** 「his own」が指示する語（この場合「bathroom」）がフランス語で男性名詞であれば「le sien」になり、女性名詞であれば「la sienne」になる。

**訳注2** ニューラルネットワーク中のある層のユニットのどこに注意を向け、その後の処理に用いるかを、注意を表すベクトルとの積を計算することで実現する方法。どこに注意を向けるかを学習させることができる。

***16** D. Bahdanau, K. Cho, Y. Bengio, “Neural machine translation by jointly learning to align and translate”, *ICLR 2015*. https://arxiv.org/abs/1409.0473

***17** Nathan Ng, Kyra Yee, Alexei Baevski, Myle Ott, Michael Auli, Sergey Edunov, “Facebook FAIR’s WMT19 News Translation Task Submission”, 2019. https://arxiv.org/abs/1907.06616

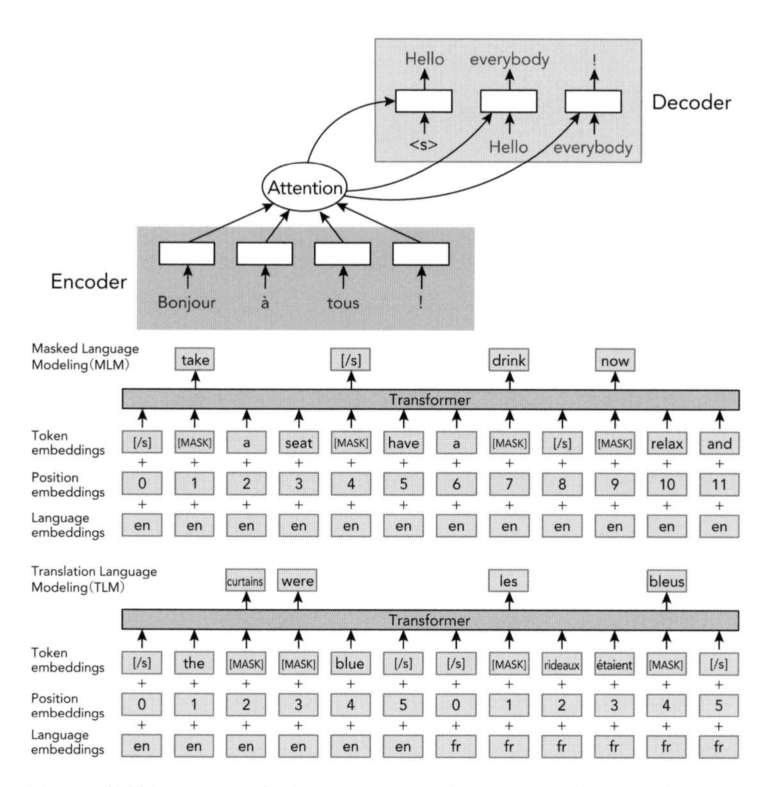


**図 7.4** 機械翻訳、BERT（トランスフォーマー）、多言語 BERT で使われている「seq2seq」（sequence to sequence）アーキテクチャ

エンコーダモジュールは、文の意味表現を練り上げる。入力されるのは、ベクトルで表された単語である。つまり、各単語に結び付けられたベクトルを訓練するわけだ。エンコーダは、このベクトルを「トランスフォーマー」と呼ばれるネットワークに結合する。トランスフォーマーは、意味をベクトル列として表す複雑なアーキテクチャを備えている。デコーダは、単語を 1 語ずつ翻訳する。翻訳語を生成するには、以前に生成された単語に加え、注意モジュールの出力も入力する。注意モジュールは、翻訳中の単語に対応する入力文の一部に注意を向けさせる（出典：Michael Auli[*17]）。

BERT アーキテクチャ（中央）は、事前に覆い隠された入力文の単語を予想することでテキスト表現を学習する。多言語バージョンの BERT（下）では、文とその翻訳を同時に表現することを学習し、言語に依存しない内部表現を練り上げる（出典：Guillaume Lample and Alexis Conneau[*18]）。

---

***18** Alexis Conneau, Guillaume Lample, "Cross-lingual Language Model Pretraining", 2019. https://arxiv.org/abs/1901.07291

2017年末、今度はGoogleのチームが大規模な注意機構を翻訳システムに採用した。論文のタイトルは「Attention is all you need(注意こそすべて)」だった。彼らはそのアーキテクチャを「トランスフォーマー」(Transformer)と名付けた。数カ月後、またしてもGoogleによる新しいシステムの論文がコミュニティを揺るがせた。システム名はBERT(バート)(Bidirectional Encoder Representations from Transformers)。この名称は頭字語の伝統を引き継ぐものだ。この伝統は、シアトルのアレン人工知能研究所の研究者チームが、彼らが考案したシステムにELMo(エルモ)(Embeddings from Language Models)と名付けたのが始まりである。AI研究者は茶目っ気たっぷりなのだ。ちなみに、エルモとバートは、どちらも子ども向けテレビ番組「セサミストリート」に登場するキャラクターである。

ELMoやBERT、ほかにもベンジオが開発に携わったものやword2vec、FastTextなどは、「自己教師あり学習」(第9章で詳しく述べる)のアイデアを利用している。この場合はまず、テキストから抽出された単語列を大規模ニューラルネットワーク「トランスフォーマー」の入力として提示する。そのうちの10〜20%の単語を覆い隠し、システムに欠けている単語を予測させる。そのためには、システムに単語の意味と文章の構造を学習させる必要がある。この種のネットワークは何十億もの文で訓練されており、そのネットワークが学習した単語や文の内部表現は、翻訳システムや言語理解システムの入力として十分に機能する優れたものだ。BERTの論文は、ICLR(International Conference on Learning Representations)への投稿に先立ち、2018年10月にarXivのウェブサイトにアップロードされた[*19]。数週間後には、FacebookやHugging Face(フランスのチャットボットのスタートアップ)などのチームが論文の結果を再現し、そのコードを公開している。こ

*19 J. Devlin, M.-W. Chang, K. Lee, K. Toutanova, "BERT: Pre-training of deep bidirectional transformers for language understanding". https://arxiv.org/abs/1810.04805

の論文がICLRで発表されたのは2019年5月のことだが、そのときには被引用数がすでに600を超えていた。この例は、新しい発想がいかに早く広まるかを示している。

2019年7月、Facebookのチームが BERTにヒントを得たモデル RoBERTa（ロバータ）(Robustly Optimized BERT、ダジャレの伝統は健在だ）を大規模データベースで訓練し、GLUE（General Language Understanding Evaluation）ベンチマークのランキングで1位を獲得した[*20]。GLUEのベンチマークテストには、さまざまな言語理解のタスクがひと通り含まれている。

ランキング争いは熾烈（しれつ）を極め、1年足らずでオリジナルのBERTは12位に転落した。2019年7月時点のトップ3は、RoBERTa（Facebook)、XLNet（Google)、MT-DNN（Microsoft）となっている。第4位はというと、人間だ。しかし、この問題はもっと広い視野で考えてみる必要がある。GLUEのタスクのひとつに「ウィノグラード・スキーマ」(Winograd schema）問題の解決がある。これは、「The sculpture doesn't fit into the box because it is too big.（彫刻が大きすぎて箱に収まらない)」や「The sculpture doesn't fit into the box because it is too small.（箱が小さすぎて彫刻が収まらない)」など、代名詞が何を指しているのか曖昧な文章に関する問題だ。前者の場合、代名詞「it」は「sculpture（彫刻)」を、後者の場合は「box（箱)」を指している。しかし、代名詞を正しい単語に結び付けるには、世界の仕組みに関するある程度の知識が必要になる。AI研究者は、機械にはもっと常識が必要だということを示すために、この例をよく使う。つい最近まで、最良のAIシステムでも正しい組み合わせは60%を超えることはなかった。今日の最良のシステムは90%に迫る勢いだ。それでも95%という人間の能力にはまだおよばない。

最近は、文章完成問題（穴埋め問題）による学習というアイデア

---

*20 https://gluebenchmark.com/leaderboard

が広がりを見せている。2019年初頭、FAIRパリの2人の若手研究者がBERTの翻訳用改良版を提案し、それをXLM(Cross-lingual Language Model)と名付けた。彼らのアイデアは、システムの入力としてフランス語と英語の2つの文章を提示し、欠落した単語を予測するようにシステムを訓練するというものだ。たとえば、英語の文中の「blue(青)」という単語を使って、フランス語の文中の隠された単語が「bleu(青)」だと推理させる。そうすることで、システムは言語に依存しない共通表現を見つける。この種のシステムを訓練すれば、翻訳者の仕事を改善できるようになるだろう[*21]。

## 7-6 予測

たとえば、経済には予測がつきものだ。在庫管理、個々の製品の需要予測、財務状況や株価の今後の見通し……。株価の場合は、売買のサインの見極めが難しい。そうでなければ、誰にでも株式相場を読めてしまい、金融情報の価値は半減してしまうだろう。

電力消費量が予測できれば、EDF(フランス電力)をはじめとする電力会社は、発電所の発電量を調整し、リソースをうまく配分して、損失を最小限に抑えられる。それはどのような手順で行われるのだろうか?

まず、地区や市の電力消費量を継続的に測定する。測定結果(数字列で示される)は、場所によって異なる。住宅街では、平日夜間の消費量が少ない。住民が起床する午前7時から9時にかけて増加し、通勤通学の時間になると減少するが、日中家にいる人もいるので夜間の水準には戻らない。夕方になるとふたたび上昇し、住民が就寝する午後10時から12時ごろまで高い状態が続く。その後、

*21 G. Lample, A. Conneau, “Cross-lingual language model pretraining”. https://arxiv.org/abs/1901.07291 (code: https://github.com/facebookresearch/XLM).

消費量は減少に転じる。週末はカーブが少し異なる。また、天気にも左右される。工業地帯の電力消費量は、ほぼ逆のカーブを描く。昼間は高く、夜間や土日は人が働かないので低いままだ。

電力会社は多様な指標を使って、このような時系列の分析を行っている。指標には、住宅1、住宅2といった区分に加え、外気温、日照レベル、曜日（平日は1、土日祝日は0）などがある。1日の各時刻の電力消費量は、これらの指標を数値化したリストによって特徴付けられる。

このリストは1次元の数値の集まりであり、言ってみれば一種の画像である。畳み込みニューラルネットワークは、長年にわたって収集された過去のデータで訓練される。

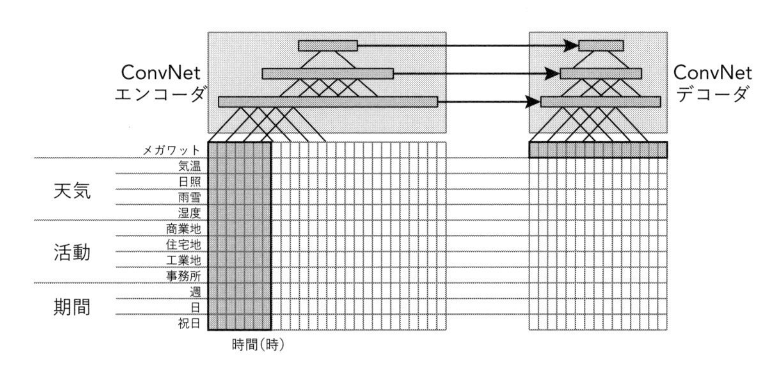


**図 7.5** 都市の消費電力予測

畳み込みニューラルネットワークに1日分以上のウィンドウを提示し、1時間後（1日後、1週間後、1カ月後）の消費量を予測するよう訓練する。
訓練サンプルは、特定の日の特定時刻の値であり、要求される出力は、その1時間後に観測される消費量である。画像内の物体認識の訓練をするのではなく、各地区の消費量の値がどうなるかを予測する訓練がなされる。
畳み込みニューラルネットワークでは、ユニットで計算された加重和を非線形関数に通す。層を重ねることで、線形予測よりも複雑な入力と出力の関係を計算できる。

線形回帰は古典的方法のひとつで、消費の「画像」を読み取る際に畳み込みニューラルネットワークは使用しない。出力は入力の単純な加重和だ。これは金融予測にも使われている。この自己回帰モデル[訳注]は、過去の値をもとに、未来の値を予測する。モデルの係数をただ計算するだけだ。しかし、いくつもの要因がからみあった電力消費のように、入力信号が複雑な場合は、この方法ではうまくいかない。

予測を考慮せざるを得なくなった分野がもうひとつある。広告だ。ウェブコンテンツを作成する企業にとって、クリック数の予測——CTR（click through rate：クリック率）——は貴重な情報である。Google や Facebook、ほかにも Criteo といった企業は、ユーザーがどの広告をクリックするかを知りたがっている。収益がクリック数に依存しているからだ。こうした企業が効率を高めようとすれば、表示される広告の数を最小限に抑えつつ、収益を最大化する必要がある。そのために、ユーザーにクリックされる可能性の高い広告だけを表示するようにする。関心を引かない広告を表示しても、ユーザーの反発を買うだけだからだ[*22]。

特定の広告のクリック率を予測するには、数多くの入力を備えたニューラルネットワークを使って、その広告に対する個々のユーザーの興味を予測するようネットワークを訓練する。入力ベクトルはコンテンツとユーザーの嗜好（しこう）を表す。嗜好は、過去のコンテンツとユーザーの相互作用によって測定される。このモデルは、Facebook や Google のサイトで日々行われている何十億回ものクリックによって訓練されている。

ニューラルネットワークは、スコアを出すことで、ユーザーが特定の広告をクリックするかどうかを予測する。ユーザーが実際にクリックすると、ニューラルネットワークは上向きに調整される。クリックしなければ、下向きに調整される。この調整を考慮して、そのユーザーに次回送る広告が選択される。そのため、ネットワーク

---

**訳注** 時系列を予測する際に、過去の値の線形な重み和で推定する方法。移動平均と組み合わせた ARIMA モデルなどが有名である。

***22** 8-6 節（287 ページ）を参照。

は絶えず訓練され続ける。

Facebook も同じ方法でニュースフィードに広告を掲載している。Google も検索結果をどの順番で表示するかの判断に利用している。Google に「鳥インフルエンザ」と入力すると、検索エンジンは、多くの人が最初の 4 つの結果はクリックせず、5 番目をクリックすることを記録に残す。すると、Google は 5 番目をリストの上に移動させる。今日の広告業者はどこも、こうした手法を使っている。

## 7-7 AIと科学

ディープラーニングは、科学のさまざまな分野において幅広く応用され、目覚ましい成果を収めている。宇宙物理学（銀河の分類と太陽系外惑星の発見）、素粒子物理学（CERN がジュネーブ郊外に建設した粒子加速器での衝突によって生成された粒子ジェットの解析）、材料科学（新しい特性をもつメタマテリアルの設計）、社会科学（社会的相互作用の大規模分析）、神経科学（脳内の知覚メカニズムの理解）……。最も数多く応用されているのは生命科学の分野で、その代表的な例にタンパク質のフォールディングがある。アミノ酸の集合体であるタンパク質は、あらゆる生物の細胞の根幹をなしている。タンパク質は遺伝子から合成されたもので、DNA の文字列がアミノ酸の配列に変換されてタンパク質を形成している。

ところで、タンパク質は特定の立体構造に折り畳まれている。別のタンパク質と相互作用し、筋肉を収縮させるなどの機能を実行する際に重要になるのが、その折り畳まれ方（フォールディング）である。タンパク質の機能はフォールディングによって決定されているのだ。

2 つのタンパク質が結合するのを防いだり、逆に促進したりする新しい薬剤や治療法を見つけるには、このフォールディングを制御する生化学的なメカニズムを予測する必要がある[*23]。ニューラルネットワークは、DeepMindのAlphaFoldシステム[*24]など、この分野で最も優れた手法のベースとなっている。

## 7-8 大規模アプリケーションのアーキテクチャ：自律走行車

想像力が暴走しないように、ひとつ注意を促しておきたい。たとえ、この2019年に車の運転支援システムが広く普及したとしても、完全自律走行車となるとまだ実験段階でしかなく、たいていは助手席に座る人間の監視が欠かせない。

現在、ある「神学論争」が科学コミュニティに対立を引き起こしている。一方には「全学習」派がおり、エンドツーエンドで訓練されるディープラーニングシステムを信じている。システムに訓練させるため、入力を車載カメラに、出力をペダルやハンドルにつなぎ、人間の運転手が運転する様子を数千時間観測させる。

もう一方の「混合アプローチ」派は、問題は分割できると主張する。つまり、環境を知覚するためのディープラーニングシステムと、軌道計画モジュールを組み合わせるという考え方だ。軌道計画のベースとなるのは、基本的に手動でプログラムされた事前作成の

---

***23** Alexander Rives, Siddharth Goyal, Joshua Meier, Demi Guo, Myle Ott, C.Lawrence Zitnick, Jerry Ma, Rob Fergus, "Biological structure and function emerge from scaling unsupervised learning to 250 million protein sequences", *bioRxiv*, 2019, p. 622803.

***24** R. Evans, J. Jumper, J. Kirkpatrick, L. Sifre, T. F. G. Green, C. Qin, A. Zidek, A. Nelson, A. Bridgland, H. Penedones, S. Petersen, K. Simonyan, S. Crossan, D. T. Jones, D. Silver, K. Kavukcuoglu, D. Hassabis, A. W. Senior, "De novo structure prediction with deep-learning based scoring", *13th Critical Assessment of Techniques for Protein Structure Prediction*, 1-4 December 2018. https://deepmind.com/blog/article/alphafold

詳細マップだ。

私の見るところ、自律走行システムは次の3段階を経ることになるだろう。1. システムの大部分は手作業でプログラムされ、ディープラーニングは知覚にのみ使用される。2. 学習にもっと重点が置かれる。3. 機械に十分な常識が育ち、人間よりも信頼性の高い運転が可能になる。

## 7-9 自律と混合システム

運転支援用に商品化された最初期のシステムのひとつに、イスラエルのMobileye（モービルアイ）（後にIntelが買収）のものがある。2015年、Mobileyeはイーロン・マスクの電気自動車会社テスラに、畳み込みニューラルネットワークをベースにした高速道路の準自律走行用ビジョンシステムを提供した。そのシステムは、テスラSの2015年モデルに搭載されている。

ところで、こんな話がある。2013年6月、私はプリンストンで開催されたCOLT（COmputational Learning Theory）に招かれ研究発表をした。観客席では、学習理論が専門のヘブライ大学（エルサレム）教授シャイ・シャレフ＝シュワルツが、畳み込みニューラルネットワークの実用化に強い関心を示していた。彼はその後、MobilEyeでサバティカルイヤーを過ごす予定になっていた。夏にMobilEyeにやってきた彼は、開口一番、畳み込みニューラルネットワークの利点を強調した。すると、すぐさま全社を挙げての取り組みが始まった。MobilEyeのエンジニアたちは、彼の提案した車載システムを即座に採用した。こうして1年半足らずで、畳み込みニューラルネットワークベースの新しいシステムがテスラに届き、2015年モデルに搭載された。1年後、テスラは独自の走行システムを自社設計することに決め、両社は「離婚」した。かくして福音は広がっていく。

自律走行システムの信頼性を高めようと、知覚や意思決定の問題を単純化して「ごまかして」いる企業も少なくない。彼らは混合アプローチの支持者なのだ。これらの会社の使用している道路地図は、初期設定で道路標識や路面標示、その他の標識・標示類が網羅的に記載された詳細なものだ。さらにGPSときわめて正確な車の位置推定システムを組み合わせることで、車載システムは、移動する車両や物体だけでなく、道路工事などの予期せぬ障害物をも認識する。自律走行車の多くは、カメラのほかに、近くの車などを検知するレーダーや後述する「LiDAR（ライダー）」を使っている。

これらのシステムは、知覚用に畳み込みニューラルネットワークを使用し、通行可能な領域の特定車線や、ほかの車、歩行者、自転車、障害物（たとえば道路工事）などの検出を行っている。使用されるネットワークは、さまざまな条件で、何千もの自転車や歩行者、車両、路面標示、道路標識、歩道、信号機などを見せながら訓練されたものだ。物体の一部がほかの物体の陰に隠れている場合でも、正しく識別できる。

2014年から、Alphabet（Googleの親会社）の子会社であるWaymo（ウェイモ）は、サンフランシスコ地域で人間の運転手なしの走行実験を行っている。車に乗り込むのはGoogleの社員だ。2018年には、誰もが利用できる自律型タクシーの実験がアリゾナ州で始まった。実験には最適の場所である。道路は広く、交通量も少ない。気候も申し分ない。なにしろ、ほとんど雨が降らないのだ。Waymoには混合システムが使われており、高度なセンサー類（レーダー、LiDAR、カメラ）を搭載し、畳み込みニューラルネットワークによる視覚認識と古典的軌道計画法、プログラムされた運転規則、速度制限標識、横断歩道、信号機などが正確に記載された詳細な地図などが統合されている。こうしたテクノロジーを組み合わせることで、車は位置を正確に特定し、動いている物体を識別し、道路工事などの予期せぬ出来事を探知できる。また、車が交差点にさしかかり、優先順位を考慮すべきときでも適切に対応できる。それでもやはり、助手席には必ず人間が座って監視をしている（助手席も今後は「死人席」とは呼ばれなくなるだろう）。

LiDAR（Light Detection And Ranging）は、車の環境の詳細な3次元マップを生成する。ほぼレーダーのように機能し、発射されたビームが障害物から跳ね返ってから戻ってくるまでの時間を測定する。しかし、マイクロ波の広いビームを使用するレーダーとは異なり、LiDARは赤外線レーザーの細かいビームを使って、「距離マップ」を生成する。これは、各方向に対して、その正確な軸上で最も近い物体との距離を知らせる360度画像のことだ。これにより、障害物検出システムの作業がしやすくなる。しかし、高性能なLiDARはまだ高価で壊れやすく、メンテナンスが難しい。気象条件にも敏感だ。LiDARをタクシーに装備することはできても、自家用車には難しいだろう。

好条件下では、自律走行車の信頼性はかなり高い。2014年から2018年のあいだに、カリフォルニア州（自律走行車メーカーが道路上の軽微な事故であっても報告することを義務付けられている）では、衝突事故はわずか59件しか発生していない[*25]。

しかし、こんな事故も起きている。2018年3月18日、アリゾナ州フェニックス郊外のテンピで、Uberがテストをしていた自律走行車が、夜間に照明のない道路を走行中に、自転車を押して横断中の女性をはねて死亡させた。事故現場は横断歩道から120m離れており、女性は明らかに覚せい剤メタンフェタミンの影響下にあった。ラスベガスでの記者会見で、WaymoのCEOジョン・クラフチックは暗にUberを批判した。「Waymoとしては、我が社のテクノロジーをもってすれば、このような状況にも間違いなく対応できただろうと思う」（このような状況とは、歩行者が自転車を押して、横断歩道以外の場所を横断することを指す）。この悲劇を引き起こしたトラブルの原因は不明だ。ジョン・クラフチックはまた、

***25** AFP, 19 March 2018.

2009年以来、Googleの自律走行車は歩行者が頻繁に横断する道路を800万km以上走行し、死亡事故は1件も発生していないと語った。結論を出すにはまだ早すぎるが、この実績を相対化することもできる。人間が運転する車による死亡事故の頻度は、アメリカでは1億6000万kmに1回程度である。

## 7-10 完全自律？ エンドツーエンドの訓練

完全自律走行車の実現に向けては、人間の運転手をまねることによってシステムが学習する、エンドツーエンドの訓練がまだ残っている。2019年現在、その段階には達していない。田舎道を30分走行するくらいなら問題はないが、そのうちミスをしでかして人間の運転手が交代する羽目になる。

だから、幾重にも歯止めをかけておかなければならない。つまり、歩行者、障害物、路面標示を検出するために特別に構築されたシステムを監視するシステムを別に用意する必要がある。そして、車が窮地に陥ったことをそのシステムが検出したら、その軌道修正を行う。こうした機械の構築には、数多くの工学的技術が投入されている。

自律走行車のまわりで起こる事態を予測し、さらにその結果を予測できるモデルがあれば、訓練の時間をかなり短縮できるだろう。だが、その域にはまだ達していない。

要するに、すでに運転支援は存在し、現実に人命を救っているが、自律走行車のテクノロジーはまだ発明されていない。いざというときに人間の運転手が責任を負う半自律走行と、自動操縦機械が人間の監視なしで運転する自律走行は区別しなければならない。人間の操縦者を必要としない自律走行の時代は、センサーを装着した一群の車が静かな郊外を走行するところから始まるだろう。パリやローマやムンバイで自家用の自律走行車が登場するには、まだまだ時間がかかる。

# 7-11 大規模アプリケーションのアーキテクチャ：仮想アシスタント

仮想アシスタントは、いくつもの応用技術を同時に使用する。「Alexa！」と声をかけると、スマートスピーカーのライトリングが青く点灯する。それまでは省エネプログラムでスピーカーが待機状態になっており、ウェイクワード（Alexaを起動させる言葉）だけを検出するようになっているのだ。これでようやく話ができる。マイクのすぐ後ろで、Alexaが受け取った音声信号がデジタル化される[*26]。

Alexaには音声認識システム「ファーフィールド」（far field）が搭載されている。携帯電話と同じく複数のマイクが搭載されており、「ビームフォーミング」（beam forming）の原理によって、周囲の雑音を中和して、話者の声だけを聞き取りやすくする。マイクには全指向性のものもあれば、主な音源に焦点を合わせる単一指向性のものもある。システムは単一指向性マイクから信号を取り込み、周囲の雑音からの信号を差し引いて、人の声だけを残す。騒がしいレストランで相手の話を集中して聞くとき、われわれも同じことをしている。

音声認識システムは、さまざまな訛（なま）りや声質に対応できなければならない。システム自体は1980年代からあったが、子どもの声、訛り、変わった声質などを正しく認識できるようになったのは、畳み込みニューラルネットワークを使うようになってからである。たとえば子どもは、発音の間違いが多く、声が甲高い。以前のネットワークは、まず子どもなのか、男なのか女なのかを識別してから、それぞれに専用の認識システムを使い分けていた。今日では、ひとつのネットワーク（通常は畳み込み）で十分だ。

---

***26** 7-5節（235ページ）を参照。

音声は数値に変換され、Amazonのサーバーに送られる。そこで音声認識が行われる。つまり、テキストに転記される。この音声認識を担う訓練済みニューラルネットワークは、言語ごとに異なり、システムの設定時に有効になる。次に、第2のニューラルネットワークが意図を判断する。つまり、2つのニューラルネットワークが連続して並んでいるのだ。

第1ネットワークの段階では、勘違いが生じるおそれが残っている。たとえば「Can you recognize speech?」は、ネットワーク次第で2通りに解釈される可能性がある。「Can you recognize speech?（言葉を認識できるか）」と「Can you wreck a nice beach?（すてきなビーチを壊せるか）」だ。発音がよくなかったり、早口で話したりすると、音声認識システムはだまされてしまうことがあるのだ。

このシステムはまた、ある単語を似ている別の単語に置き換えてしまうこともある。そうなると、まるっきり意味を取り違えることにもなりかねない。そこで、テキストのセグメントに続く可能性の高い単語を予測する言語モデルが必要になる。すべての音声認識システムには言語モデルが組み込まれている。音声認識のニューラルネットワークの後を受け、もし曖昧な言葉があるようなら、言語モデルが最適な解釈を見つけにかかる。音声認識システムが提示した単語の並びが、文法や意味論の観点から意味をなさない場合、言語モデルはそれに低スコアを与える。システムは、経路探索に使用されるものと同じアルゴリズムを使って、より高いスコアをもつ別の解釈を見つけるようプログラムされている。つまり、ありうる単語列のグリッドの中で最も高いスコアをもつ経路が、発話文の最良の解釈ということになる。グリッドというのは一種のグラフで、それぞれの弧が単語、経路が単語列に相当する。

この操作が完了すると、システムは返答のテキストに対応する音声を合成し、ユーザーにリクエストの明確化を求めたり、直接回答を作成したりする。古典的な音声合成システムでは、録音した音声セグメントが使われていた。セグメントをつぎはぎし、抑揚を変化させることで文章を生成していたのだ。最近のシステムでは、逆畳み込みニューラルネットワークが使われている。

オンライン接続したスピーカーは家での私生活を盗み聞きしているのか？　この点については、やはり明確にしておいたほうがいいだろう。答えはイエスでもありノーでもある。イエスというのは、仮想アシスタントはウェイクワード（「Alexa」「OK Google」「Hey Portal」など）を検出するために「継続的に聞く」モードになっているからだ。その言葉を検出しないかぎり、中央サーバーには何も送信されない。しかし、いったん検出されれば、その後に話した言葉は録音され、すぐさまサーバーに送信される。話した言葉はそこで認識され、返答が生成される。「起こされた」後に仮想アシスタントが家庭内暴力による悲鳴を記録したとしても、サーバーは何もしない。物理的には可能だが、倫理的に不可能なのだ。Amazon や Google、Facebook などの大企業は絶対にそんなことはしない。そんなことで社会的信用を失うわけにはいかないからだ。しかし、ウクライナの奥地で素性の知れない若者がプログラムした携帯電話の海賊アプリの場合は、盗聴に気をつけたほうがいい。

## 7-12 大規模アプリケーションのアーキテクチャ：医用画像と医学

畳み込みニューラルネットワークは、レントゲン、MRI、CT スキャン、腫瘍検出、リウマチ治療、関節置換術などに一般的に使用されている。

X 線を使った従来のレントゲン撮影のひとつに、マンモグラフィがある（これは 2 本の軸で撮影されるので、画像が 2 枚できる）。訓練済みの畳み込みニューラルネットワークは、画像内の小さな視野を見て、疑わしいピクセルが中心にあると反応する。これは、畳

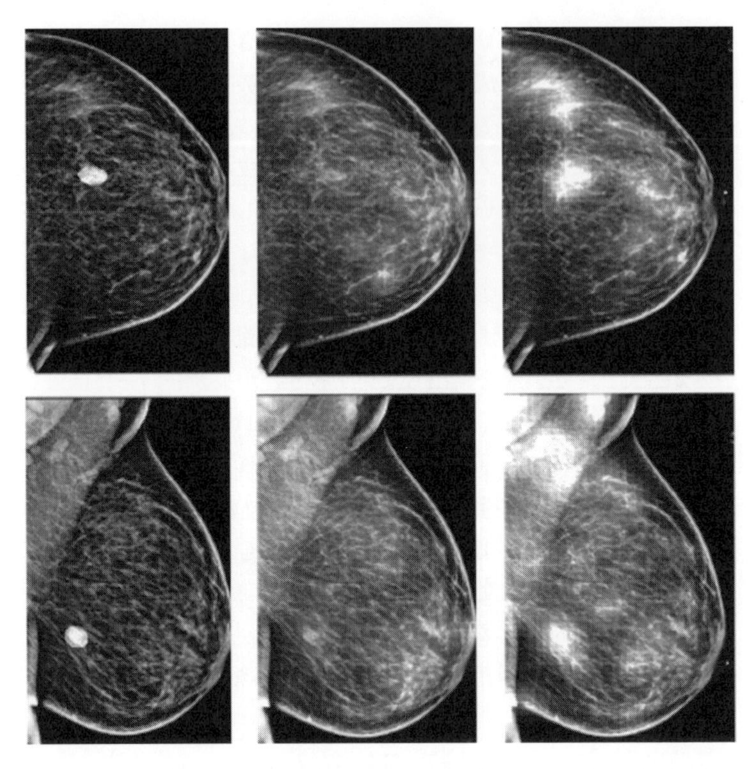

**図 7.6** マンモグラフィにおける畳み込みニューラルネットワークを利用した良性腫瘍と悪性腫瘍の検出

左列の明るい部分は、生体組織診断によって識別された高リスクの腫瘍。中央列と右列は、それぞれ畳み込みニューラルネットワークによって識別された良性腫瘍と悪性腫瘍。このネットワークは 100 万枚の画像で訓練されており、その信頼性は放射線技師を上回っているが、このシステムと放射線技師を組み合わせることで最高のパフォーマンスが得られる（出典：Wu *et al.*, 2019, NYU[*27]）。

---

***27** Nan Wu, Jason Phang, Jungkyu Park, Yiqiu Shen, Zhe Huang, Masha Zorin, Stanisław Jastrzębski, Thibault Févry, Joe Katsnelson, Eric Kim, Stacey Wolfson, Ujas Parikh, Sushma Gaddam, Leng Leng Young Lin, Joshua D. Weinstein, Krystal Airola, Eralda Mema, Stephanie Chung, Esther Hwang, Naziya Samreen, Kara Ho, Beatriu Reig, Yiming Gao, Hildegard Toth, Kristine Pysarenko, Alana Lewin, Jiyon Lee, Laura Heacock, S. Gene Kim, Linda Moy, Kyunghyun Cho, Krzysztof J. Geras, "Deep neural networks improve radiologists' performance in breast cancer screening", *Medical Imaging with Deep Learning Conference*, 2019. https://arxiv.org/abs/1903.08297

み込みニューラルネットワークによるセマンティックセグメンテーションを直接適用したものだ。

訓練には、放射線技師が腫瘍の輪郭を描き、タグを付けたマンモグラフィの画像が大量に必要になる。画像を一定サイズのウィンドウで切り取り、何百枚もの小さな画像に分割する。小さな画像を1枚ずつ畳み込みニューラルネットワークに見せ、ウィンドウの中心に腫瘍があるかないかを伝える。ネットワークはこのようにして、腫瘍の有無でウィンドウを分類することを学習する。

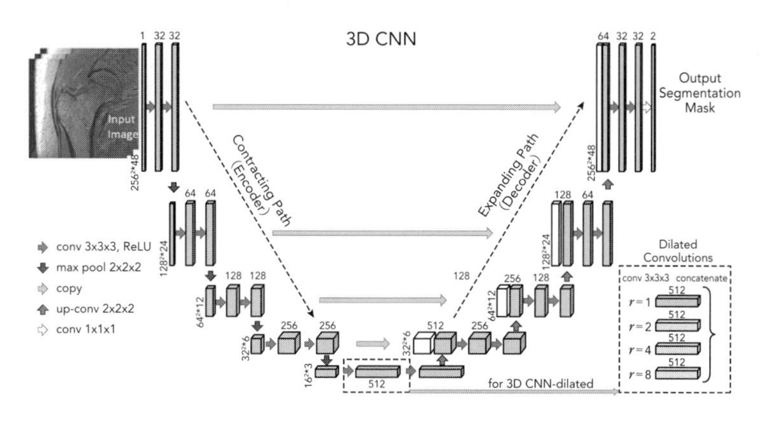


**図 7.7** 股関節 MRI のセグメンテーションのための畳み込みニューラルネットワークアーキテクチャ

放射線技師とは異なり、このシステムは体積画像（3次元画像）を直接観察できる。畳み込みニューラルネットワークの入力は、MRI による体積画像の全スライスから形成された3次元画像である（出典：Deniz *et al.*, 2017, NYU[*28]）。

*28 Cem M. Deniz, Siyuan Xiang, R. Spencer Hallyburton, Arakua Welbeck, James S. Babb, Stephen Honig, Kyunghyun Cho, Gregory Chang, "Segmentation of the proximal femur from MR images using deep convolutional neural networks", *Nature Scientific Reports*, 2018, 8, article 16485. https://arxiv.org/abs/1704.06176

この畳み込みニューラルネットワークは、いったん展開されるとレントゲン写真全体にわたって実行され、各ウィンドウに対して、中心ピクセルに「腫瘍あり」または「腫瘍なし」というラベルが付けられる。プロセスの最後に、腫瘍部分が着色された一種の画像が生成されるので、検出の確実性に対する信頼度が上がる。

マンモグラフィのほとんどの結果がそうだが、何も検出しなかった場合の応答はあっさりしたもので、「問題なし」のひと言で終わりだ。わずかでも疑念があれば、レントゲン写真が放射線技師に送られ、さらなる精査が行われる。畳み込みニューラルネットワークというフィルタに通すことで、単純明快なケースを排除できるので、コストと診断の遅延が削減され、医師は微妙なケースに集中できるようになる。放射線技師の不注意による見落としも軽減できる。放射線技師は暗い部屋で長時間モニタ画面を見ながら、大半が異常なしの写真を何枚もチェックしなければならないので、ミスが起こりやすいのだ。

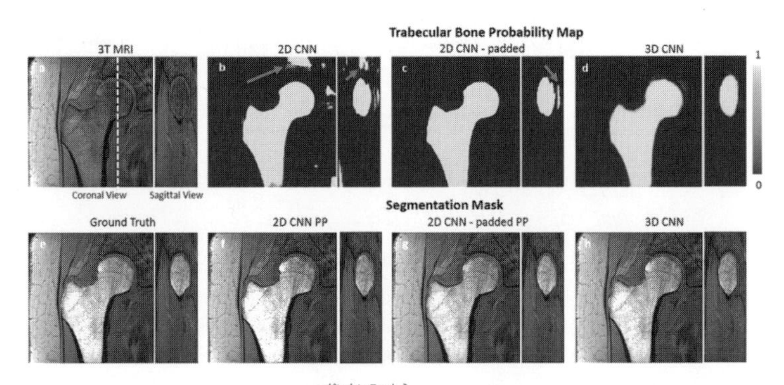


**図 7.8** MRI 画像における大腿骨頭(だいたいこっとう)の
畳み込みニューラルネットワークによる自動セグメンテーション

畳み込みニューラルネットワークの入力は、股関節 MRI の体積画像である。ネットワークは、各ボクセル（ピクセルを立体化したもの）に、そのボクセルが大腿骨に属する確率を示すラベルを付ける。この 3 次元全体像によって、大腿骨のより正確なセグメンテーションを生成できるので、人工股関節置換術が容易になる。右上の画像は、畳み込みニューラルネットワークを用いて生成した大腿骨の 3 次元 MRI のセグメンテーション結果を表している。ほかの方法よりも正確な結果が得られた（出典：Deniz *et al.*, 2017, NYU[*28]）。

## 7-13 昔のレシピ：検索アルゴリズム

先に述べたが、検索アルゴリズムを使った一般的な応用技術のひとつに、ルート検索がある。基本的には選択した交通手段に応じて距離と所要時間が計算される。中には、リアルタイムの交通状況まで考慮するものもある。Google マップ、Waze、Mappy あたりはどこも高度な手法を駆使しているが、その基本となる最短経路検索アルゴリズムの原理は、1960 年代にさかのぼる。そこに学習はない。私の弟ベルトランは元は大学の研究者で、現在はパリの Google で働いているが、彼がまさに、この方法に基づくアルゴリズム——分散型組合せ最適化（Distributed Combinatorial Optimization）アルゴリズム——の専門家だ。

この種の問題は、グラフ理論の最短経路問題として表される。コンピュータ科学におけるグラフとは、リンク（辺）によってつながったノード（点）のネットワークをコンピュータで表現したものだ。ルート検索では、分岐点や交差点がノードに相当する。リンクは 2 つの分岐点を結ぶルートのセグメントである。リンクとノードには、そのセグメントの特徴を示す一連の数値が結び付けられる。たとえば、平均所要時間（交通量に応じてリアルタイムで調整される）、この所要時間の分散、通行料、ルートの性質などがそうだ。単純（だが非効率的）なアルゴリズムは、2 点間のありうるすべての経路を探索して所要時間を計算し、最短のものを提示する。しかしこの方法では、強力なコンピュータであっても多くの時間がかかる。効率的なアルゴリズムは、現時点で最良の仮説的経路と比較し、長すぎる経路をすぐに放棄する。さらに、同じ中間ノードを通る経路がいくつも存在するので、その中から最良の経路だけを保持する。グラフの最短経路を求める一般的方法を「動的計画法」（Dynamic Programming）という。ナビゲーションや音声認識、翻訳（ありうる単語のグラフの中から最適なテキストを検索する）用だけでなく、スマートフォンや宇宙探査機に送信されたビット列をデコードしたり、通信ネットワークでビットパケットをルーティングしたりと、多くのAIシステムなどで利用されている。なんとも万能な方法なのだ。

優れたチェスや囲碁のシステムにも、グラフによる経路検索が取り入れられている。このグラフは上下逆さまの木の形をしており、チェス盤の現在の配置が根、各リンクが指し手、最終リンクの先にあるノードが一連の手を指した後の盤面を示す。つまり、根からこのノード（木のイメージを広げれば、葉）に至る経路は、一連の指し手を表している。この木を生成するには、任意の盤面で指しうるすべての手を生成するプログラムが必要になる。各ノードには、その盤面の質を評価したラベルが付けられる。したがって、最高の葉の付いた枝、つまり勝利につながる可能性が最も高い枝を見つけ、最初の一手を打てばいいわけだ。しかし、9手先を表す木は天文学的な大きさになってしまう。葉の数は約百兆枚にも達する。だから、ひと工夫が必要だ。

チェスの試合を覗いてみよう。白が指す番だ。比較的単純なプログラムは、その局面で指せる手をすべて生成する。もちろん、機械にはあらかじめ、ポーン（歩）は前に1マス動かせるが、最初のみ2マス進んでも構わないとか、ビショップ（角）は斜めに動くとかいった、チェスのルールを教え込んである。プログラムはそれぞれの駒を考慮しつつ、白が指せるすべての手を見て、新しく生成される可能性のある盤面を網羅した一覧表を生成する。指し手の可能性は、1手につき平均36通りある。

探索木は下に向かって、果てしなく枝分かれを繰り返していく。いくら大容量メモリや高速プロセッサを搭載していても、機械はありうるすべての指し手を探索することはできない。あまり深くは探索できないのだ。Deep Blueなら、9手先の探索に100時間はかかるだろう。だから、この可能性の木を剪定（せんてい）するためのテクニックを確立して、効率的な方法に仕上げる必要がある。

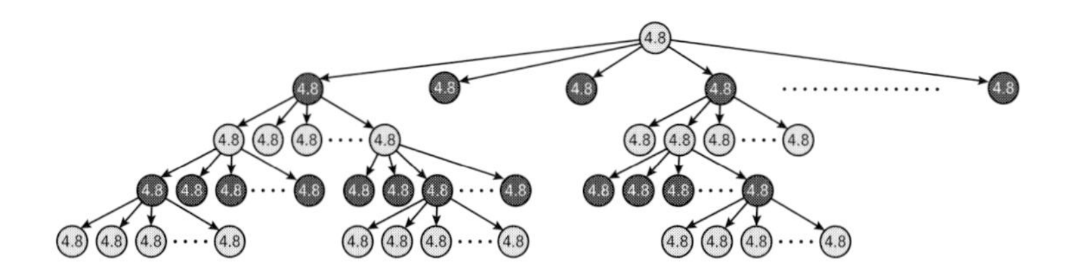


**図 7.9**　チェスに適用された木探索

白の初手後にありうる 36 通りの各盤面に対して、黒が指せる手は 36 通りずつある。次に白は、この 36 × 36 通りの各盤面に対して、さらにそれぞれ 36 通りの指し手をもつことになる。こうして可能な指し手の数は、文字通り指数関数的に跳ね上がっていく。
まとめよう。初手の指し方は全部で 36 通りある。2 手目は 36 × 36 通り、つまり 1,296 通りの可能性がある。3 手目では 36 × 36 × 36 通り、つまり 46,656 通り。9 手目になると、可能な指し手の数は 100 兆通りにもなる。

そこで、システムには、白と黒の盤面の質を評価する関数が組み込まれている。この評価関数はチェスの専門家と共同で開発されたもので、よい盤面の判断基準が組み込まれている。評価の基準をいくつか挙げておこう。たとえば、駒同士がたがいに守り合っている。重要な駒が数多く残っている。盤上のいい位置（端ではなく中央付近に）にある。キングが厳重に守られている。相手の駒に狙われている。こうした特徴をひとつひとつ数値化するわけだ。その数値から特徴ベクトルが生成され、一種の（学習なしの）パーセプトロンによって処理される。つまり、加重和を計算し、スコアを生成する。このプログラムのおかげで、「この盤面は白にとっていい局面だ」と言えるようになる。白に勝機がある盤面なら正の数値を出し、そうでなければ負の数値を出す。つまり、「この盤面だと、君の勝つ可能性のスコアは 35 だ」とか「黒のスコアは-10」、「白は 50」というふうに言えるわけだ。

探索中、白を動かすプログラムは、こんなふうに考えている。黒も黒でスコアが最高になるような手を指してくる。黒の手番になれば、黒は自分にとって最も有利な手（最高スコア）を指すはずだから、白にとっては最も不利な手（最低スコア）を指されることになる。次に白も、やはり自分にとって最もいい盤面になるような手を指し……。

プログラムは、木の限界サイズを超えないように、剪定をして探索すべき可能性の数を減らす。各手において、自分にとっては高得点となり、相手にとっては低得点となる木の枝のみを保持する。そうすれば、9手先までは探索し続けることができる（それ以上可能な場合もある）。最終的に、システムは白の最高スコアを出す最終ノードの位置を特定し、その枝の最初のノードに対応する手を選択する。

プログラムは、黒も勝つためにプレーしていることを考慮しつつ、木の一部のノードのみを保持する。評価関数のおかげで、白の手番のときは白に有利な盤面だけ、黒の手番のときは黒に有利な盤面だけに探索を絞ることができる。探索を絞ったおかげで、余った計算量とメモリの分だけ、さらに深く探索を掘り下げられるようになる。このような手法によって古典的人工知能は、チェスの王者ガルリ・カスパロフを破ったのである。

最近の機械は設計が異なり、木探索をあまり利用しない。その代わり、大規模ニューラルネットワークがチェスや碁の盤面を「見て」、指しうるすべての手のスコアを瞬時に予測する。DeepMindのシステムAlphaGoとAlphaZero、FAIRのシステムOpenGoは、畳み込みニューラルネットワークを使っている。AlphaZeroでは、ネットワークが自分自身と何百万回も対戦することによって訓練されている。勝ちにつながる戦略は強化され、負けにつながる戦略は弱められる。つまり、強化学習（詳しくは9章で述べる）だ。機械に正解を教えるのではなく、その手がよいかあまりよくないかだけを伝える。報酬や罰を与えるようなものだ。木探索も少し組み合わせることで、この方法は超人的な能力を発揮する。

この手のシステムを教師あり学習によって訓練することもできたかもしれない。人間同士の試合をデータ化し、人間の指す手をまねさせるのだ。こうした訓練には膨大な計算能力が必要になるが、いったん訓練してしまえば、碁盤やチェス盤に畳み込みニューラルネットワークを適用するだけで、指す手を教えてくれる。しかも、人間の名人相手のときと同じように、この「受動的」な指し方に強化学習と少しの木探索を組み合わせれば、能力はさらに向上する。

私は、チェスの元フランス王者と試合をしたことがある。この達人は同時に50人と対戦した。彼はチェス盤を見たかと思うと、数秒後にはどの駒を動かすべきかを正確に把握し、次の盤へと移っていく。われわれは彼が戻ってくるのを待って、1手指す。彼はひと目見て笑う。今度は彼が1手指し、われわれは10手でチェックメイトをかけられてしまう。当然、ひとり残らず叩きのめされた。私なんかは数手で降参だった（チェスは大の苦手）。彼ほどの天才になれば、木探索などしなくても先が読める。チェス盤を直観的に見通せるので、何も考えずにそのまま指せるのだ。その姿は、最近の訓練されたシステムにちょっと似ている。

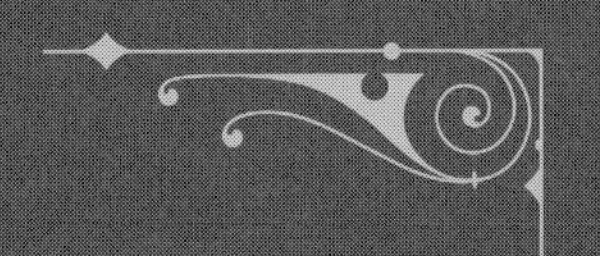

Chapter

# 8

# Facebook時代

2012年、ジェフリー・ヒントンが所長を務めるトロントの研究所チームが提示した畳み込みニューラルネットワークの勝利は、人工知能研究を揺るがした。優勝を飾ったネットワークのソースコードはトロント大学が自由に使えるようにしてくれたので、多くの研究者が、きわめて高速かつ安価に数値計算ができるグラフィックカード（GPU）上でその結果の再現に成功し、畳み込みニューラルネットワークをわがものとすることができた。

ニューヨーク大学（NYU）の私の研究室はというと、長らくカナダのモントリオールにあるヨシュア・ベンジオの研究室と同じ種類のソフトウェアを共有していたが、高性能の新しいグラフィックカードにはうまく適応しそうもなかった。

それはさておき、この2012年は、機械学習が一躍脚光を浴びた年だった。この技術は産業界の興味を引いた。中でもFacebookは、早くも2013年初頭に、小さなエンジニアグループがトロントのソフトウェアを使って画像認識や顔認識の実験を行っている。彼らはすぐに結果を出し、それを技術部のトップに報告したところ、最終的に経営陣の知るところとなった。

そのころ、FacebookのCEOマーク・ザッカーバーグとCTO（chief technology officer：最高技術責任者）マイク・シュロープファーは、創立10周年を間近に控え、同社の将来について見直しを始めていた。株式を上場したことで市場における地位も確立できたし、モバイル端末への対応も済ませてある。すべてが順調だった。しかし2013年夏、マークとマイクは、AIこそが今後の経営戦略に重要な役割を果たすことになると確信し、この分野の研究開発活動を始めることに決めた。

## 8-1 マーク・ザッカーバーグにスカウトされる

その話は私もすぐ耳にした。2013 年の夏の初め、あるコンピュータビジョンの学会で、Facebook のエンジニアたちにばったり出会ったのだ。すでに畳み込みニューラルネットワークに取り組んでいることを知り、その進捗状況を聞いた。夏の終わり、Facebook がニューヨーク大学での教え子のひとり、マルカウレリオ・ランツァートにアプローチしてきた。彼はトロントのジェフリー・ヒントンのところでポスドクをした後、Google X で研究を続けていた。このトップシークレットの研究所にも、ディープラーニングやニューラルネットワークの研究をしているグループがあったのだ。Google はその事実を公表しようとしなかったが、ニューヨークタイムズの科学技術記者ジョン・マルコフがすっぱ抜いた[*1]。

それで、Facebook はマルカウレリオを引き抜こうと考えた。彼には、よしたほうがいいと助言した。マルカウレリオの希望は基礎研究だったが、Facebook には研究所がなかったからだ。すると彼は、ちょうど Facebook が研究活動を開始しようとしているところだと教えてくれた。1 カ月後、マルカウレリオは Facebook に入社した。マーク・ザッカーバーグとマイク・シュロープファーの 2 人が直々に彼をスカウトしたのだ。シリコンバレーのテック企業がよく使う手法である。この手の企業は、いったん意中の人物を見つけたら、引っ張り込むための努力を惜しまない。CEO が自ら電話をかけて説得してしまうのだ。

私も狙いをつけられた。同じく夏に、Facebook でディープラーニングの実験をしているチームのリーダー、スリニヴァス・ナラヤ

***1** John Markoff, “In a big network of computers, evidence of machine learning”, *The New York Times*, 25 June 2012.

ナンとビデオ通話をしたかと思うと、数週間後には、将来の上司となるシュロープファーと意見交換をした。9月に入ると、ザッカーバーグが電話をかけてきた。2人で話し合うのは初めてだ。彼はAIに対する関心や今後の計画についてひと通り語り終えると、「手伝ってくれないか」と言った。私は返答しかねた。大学教授のポストは手放したくないし、ニューヨークを離れてシリコンバレーに引っ越したくもない。話はそこまでだった。

11月末、あるセミナーに招かれてカリフォルニアに行く用事があった。同じセミナーに呼ばれていたマルカウレリオからは、一度Facebookの様子を見に来てほしいと頼まれた。その矢先、ザッカーバーグの秘書から、少し早めに来てほしいとの依頼を受けた。そんなこんなで、Facebook本社を訪問する前夜に、CEOの自宅で差し向かいの食事をすることになった。

話題は、もちろんAIのことだった。彼がAIについて深く考え、多くの知識を得ていたことがすぐにわかった。なにしろ、私の論文まで読んでいたのだから。何か興味をもったら、いつもそんなふうにするらしい。バーチャルリアリティについても同じようにするだろうし、Facebookの民主主義への影響についてもそうするだろう。私にはできない芸当である。この若いCEOはどこか老賢人の雰囲気を漂わせていた。大企業の経営者には、ある分野に真剣に取り組み、関連書籍を読破し、スキルまで身につけてしまう時間的余裕がある人はほとんどいない。

その夜、ふたたび仕事を手伝ってくれないかと頼まれた。私は、自分が理想とするAI研究所とはどのようなものかを説明した。ニューヨーク大学に来る前、私はAT&Tの研究所を6年間取り仕切ってきた。その経験から、企業研究所をうまく機能させるには、守るべき一定のルールがあることがわかっていた。結果を求めるのであれば、研究者にじっくり考える自由を与えなければならないし、短期間で応用技術を開発しろと急(せ)かしてはいけない。彼らに組織の持続性と評判を保証して、心置きなく研究に打ち込めるようにしなければならない。論文発表を奨励する必要もある。私独自の要望もいくつかあった。研究はオープンでなければならず、ソフトウェアはオープンソースにして共有すること。製品やサービスも含め、コードを提供して誰にでも使えるようにしなければならない。

彼の話を聞いて安心した。Facebookは、データセンターの設計など、すでに多くのテクノロジーを公開している。これはかなり珍しいことだ。オープンソースが当たり前の世界から来た幹部も少なくない。たとえば、CTOマイク・シュロープファーの前職は、Mozilla Corporationの技術担当副社長だった。

翌日、Facebook本社で、マルカウレリオが所属するAIグループのエンジニア十数名に会った。その日の夕方、マークとマイクに再会し、プロジェクトの詳細を聞いた。私からは、ニューヨーク大学の仕事を続けたいこと、引っ越したくないことを改めて伝える。

彼らはこちらの条件を受け入れてくれた。

大学理事会からは、すぐに兼業の許可がおりた。この選択は間違いではなかったという自信がある。私にはその仕事に見合うスキルがあった。とはいえ、新しい仕事に就くとき、いつもこんなふうに自信満々だったかというと、そういうわけでもない。私は43歳で初めて教授職に就いたが、それまで教えた経験が一度もなかった。機械学習ならお手のものだったが、コンピュータ科学のそれ以外の領域に関しては、学生に教えられるレベルではないと自覚していた。私は神の存在など信じてはいないが、そのときばかりは、コンピュータ科学の核心部分であるOSやコンパイルについて教えなくても済むようにと、ひそかに神に祈っていた。だが今回は経験もあるし、ザッカーバーグのお墨付きももらっている。教授の地位を捨てる必要もない。この上ない好条件だった。

数日後、ネバダ州レイクタホでNIPSが開催された。マーク・ザッカーバーグとマイク・シュロープファーは、会議終了後に開かれるディープラーニングのワークショップに参加する予定にしていた。研究コミュニティとの親交を深めたいというのがその動機のひとつではあったが、それだけでなく、その場で私とともに新しい研究所の設立を公表し、研究員のスカウトまでしてしまおうと目論んでいたのだ。ヨシュア・ベンジオら科学者たちと一緒にいるマークの存在は、ワークショップの主催者を困惑させた。というのも、ワークショップへの参加希望者が殺到したため、急遽広い部屋を探して警備を強化するなど、余計な対応を迫られることになったからだ。マークはワークショップでディープラーニングに関する博識ぶりを披露して聴衆を驚かせた。その週末、マークとマイクと私の3人は、20人ほど面接をして、十数人を採用した。

それにしても、自社研究所の研究成果の公表を認める企業があるとは驚きだ。その理由としては、5つのことが考えられる。第1に、先に見たように、研究論文の発表を禁じると、優秀な研究者が集まらない。研究者のキャリアにおける成功は、科学と技術への影響で測られ、その成果は論文を通して知られることになるからだ。論文は、まず査読委員会にて匿名で評価され、受理されれば、正式に専門誌に掲載される。研究者の「銀行口座」の財産は、論文の被引用数である。要するに、論文を発表しなければキャリアはゼロなのだ。このことからもわかるように、社名はいちいち挙げないが、機密保持を選択する企業は優秀な人材を採用することが難しい。

第2に、方法論の質や情報の信頼性は、査読委員会のフィルタを通過した論文が最も高い。また、基礎研究は評価が難しい場合もあるので、ほかの専門家に引用された回数は貢献度を示す指標となる。私は、研究者に論文発表を促すだけでなく、業績評価に論文のインパクトを考慮すべきだと考えている。

第3に、発見はある日突然なされるものではない。それは、試行錯誤、草案、テストといった具合に段階を経て進んでいく一連のプロセスの結果なのだ。研究者は、自分の専門知識を補完できるようなほかの研究所の研究者と意見交換をする必要がある。この往来は実りが多い。しかし、他社の研究者と議論するには、こちらからもアイデアを出して貢献しなければならない。つまり、企業がある分野の第一人者と意見交換をして利益を得ることができるのは、企業が自ら最高の頭脳の持ち主を採用した場合に限られる。

第4に、企業研究所の価値は、有望な開発分野を特定し、迅速に展開する企業の能力にかかっている。現場の状況を的確に把握し、業務部門や製品部門との連携がスムーズにいくようにしなければならない。とはいえ、後者は必ずしもブレークスルーの潜在的影響力を把握しているわけではない。研究室が生み出した新しい技術の妥当性を他部門に納得してもらうには、科学コミュニティの保証が必要になることもある。

最後に、科学論文を発表することによって、革新的な企業としての評判が確立する。

Facebook、Google、Microsoftといった最先端の研究を行っている企業が飛躍的な成長を遂げている。一社が成果を公表したかと思うと、数週間後、数カ月後に他社がそれを改善する。しかし、未来の製品には、テクノロジーの進歩だけでなく、大きな科学的ブレークスルーが必要である。ブレークスルーが起こったときに、ブレークスルーを起こした側でなくても、その内容をきちんと理解できる専門知識をもっていなければならない。人間に匹敵するレベルの知能をもつ仮想アシスタントやロボットを生産するには、おそらく数十年を要し、何度かの革命を必要とする。どんなに規模が大きくても、優れたアイデアを独占している企業はない。そして、どんなに大きな会社でも、単独でやっていけるほど強固な体制を備えた会社はない。知能の謎を理解し、それを機械で再現することは、現代の大きな課題のひとつだ。この探求には、国際科学コミュニティ全体の協力が不可欠である。そのためには、なるべく研究結果や方法についての情報交換する必要がある。だから、ソフトウェアをオープンソースで配布することは、それだけでコミュニティの発展につながるのだ。

もし人間レベルのAIにつながる極秘の研究成果をもっていると主張するスタートアップ経営者に遭遇した場合、彼らは嘘をついているか、錯覚しているのだ。信じてはいけない。

## 8-2 Facebook人工知能研究所

2019年夏の時点で、Facebook人工知能研究所（Facebook AI Research：FAIR）は、メンローパーク（米国カリフォルニア州）、ニューヨーク、パリ、モントリオールの4箇所に主要拠点を構えている。さらに、シアトル（米国ワシントン州）、ピッツバーグ（米国ペンシルベニア州）、ロンドン、テルアビブ（イスラエル）には、ごく小規模のサテライト研究所がある。北米や欧州の各拠点に分散している研究者やエンジニアの数は、合わせて300人以上になる。

2015年6月にパリ2区にオープンしたFAIRパリは最重要拠点のひとつであり、フランスと大陸ヨーロッパにおけるAIエコシステムの活性化に大きな役割を果たしている。また、公立の研究所（特にInria）や大学院博士課程とのパートナーシップを結んでおり、FAIRパリでは、CIFRE（Convention Industrielle de Formation par la Recherche：研究による職業教育の産業協定）プログラムによる博士課程の学生を15名ほど受け入れている。このプログラムによって、博士課程の学生が企業の研究所で研究活動をしながら博士号取得を目指すことが可能になった。FAIRはこのように公的研究の一部に資金を提供し、フランスをはじめとするヨーロッパの次世代研究者の育成に貢献している。2019年春、CIFREプログラムによる初の博士号取得者が誕生した。彼らの研究はとても質が高く、翻訳、テキスト理解、音声認識、動画予測、自己教師あり学習などの分野で、知的かつ実用的な影響を与えている。彼らの多くはヨーロッパの研究所に採用されている。

FAIRではまた、大学に所属する研究者を非常勤として若干名雇用しており、研究者はFAIRで自由にわれわれの機器を利用したり、共同研究をしたりできる。このような形での大学と産業界の協力関係は、2018年3月に提出されたヴィラニ報告書を受けてフランス政府が打ち出したAI計画の重要な施策のひとつである。

また、Facebookは、フランス政府のAI計画によってパリに新設されたAI研究の中核拠点PRAIRIE(プレーリー)をはじめとして、公立のさまざまな研究所や機関に寄付金や機材を提供している。われわれは、ヨーロッパの大学やサマースクールにおける講演や講義の支援も行っている。私自身も2015〜2016年度に、コレージュ・ド・フランスでコンピュータ科学と計算科学の通年講義を行った[*2]。さらにFacebookは、インキュベーション施設Station Fに資金を提供したり、育成プログラムを創設したりすることによって、スタートアップのエコシステムを支援している。影響という点では、FAIRパリの主任エンジニアであったアレクサンドル・ルブランと共同研究者のマルタン・レゾンが2019年初頭に（Facebookの祝福を受けて）FAIRを去り、AIに特化したスタートアップNablaを設立した。

FAIRパリの開設は、他社のライバル心にも火をつけた。Googleは、AI研究所Google Brainのパリ支部を開設し、DeepMindもそれに倣った。ヴァレオ、タレス、PSAといった多くのフランス企業もAIの研究開発グループを立ち上げた。

FAIRの創設によって、AIで博士号を取得しようという動機が有能な若者のあいだで高まったのではないかと思う。パリの先端研究を行う企業研究所の存在は、以前はフランスに存在しなかった研究キャリアの展望を開いた。

つまり、AIがFacebookで急激に広がったということだ。

しかし、私が2013年にFacebookに誘われたとき、カリフォルニア州メンローパークの研究所には、私の教え子であるマルカウレリオ・ランツァートを含め、まだ十数人のエンジニアと3人の研究者しかいなかった。私は相変わらずニューヨークを拠点にしていたが、数カ月で十数人の有能な専門家を雇った。彼らは今や

---

*2　コレージュ・ド・フランスにおける私の講義については、以下を参照（動画もあり）：https://www.college-de-france.fr/site/yann-lecun/index.htm

Facebook人工知能研究所の大黒柱となっている。とはいえ、最初のうちは人材確保もままならなかった。FAIRはまだ海の物とも山の物ともつかず、その魅力をアピールするのに苦労したからだ。FAIRでの仕事のやり方については、何度も話し合う必要があった。

仕事のやり方は、私がザッカーバーグに述べたいくつかの原則に基づいている。応用を気にしすぎることなく、科学を進歩させることができる長期的な仕事。研究者が最も有望と思われるものに取り組む自由。大学のように自由に研究結果を発表できること（われわれの書いたアルゴリズムもフリーであり、オープンソースで誰でもアクセス可能だ）。そして、大学の研究所との連携。以上がその原則である。

FAIRは長期的研究に重点を置いているが、研究途中の中期的な実用的副産物が求められることも十分理解している。実にやりがいのある挑戦だ。研究者にはマイペースで研究させる。ただしその研究は、これまで応用分野に偏っていたFacebookの社員が、基礎研究をしているわれわれの研究結果に関心をもち、その成果をソフトウェアや製品の形で利用できるような、そして、両者のあいだに信頼関係が築かれるようなものでなければならない。

そこにこそ、FAIRの未来がある。会社にプラスの影響を与える成果をある程度出しておけば、わが社はどうしてAIにこんなに多くの投資をしているのかと疑問を呈する役員もいなくなる。

## 8-3 目論見

ザッカーバーグからは具体的な目標を提示されなかったが、われわれ自身は、テキスト理解や翻訳、画像認識（特に顔認識）などの応用分野が社会にとって重要だと考えていた。顔認識に関しては、メンローパークのグループがすでに取り組んでいた。そのグループはFacebookが買い戻したイスラエル企業で、エンジニアの多くが畳み込みニューラルネットワークの実験を成功させていた。AIの研究開発（R&D）を進めるようマーク・ザッカーバーグを説き伏せたのは彼らである。

やるべきことは山ほどあった。2013年末の時点では、機械学習はニュースフィード[訳注]の構成や広告の配置、情報のフィルタリングなどに活用され始めたばかりだった。基本はまだ古典的機械学習であり、ロジスティック回帰（パーセプトロンの確率論的バージョン）や決定木、bag of wordsによるテキスト理解システムなどに頼っていた。ディープラーニングはまだほとんど採用されていなかった。

FAIRの活動は、部分的に応用にも向けられているが、今も一定の自律性を有する基礎研究中心の研究所であり続けている。Facebookに蓄積されたデータを利用することはほとんどない。音声認識や機械翻訳、言語理解などのシステムに取り組む場合は、ほかの機関のシステムと結果を比較できるように、公開データベースでテストをしている。翻訳アルゴリズムの改善には、欧州議会のデータなどを利用している。欧州議会では10年前から、すべての会議の議事録がEC（欧州共同体）の諸言語に翻訳されてまとめられているのだ。このように検証可能で再現性のある方法を使うことで、科学は進歩する。

私はFAIRに参加してすぐに、ここで開発された新しい手法を使った製品やサービスを生み出すグループが必要であることを実感した。ベル研究所やAT&T研究所では、基礎研究から応用に至るまでのプロセスを経験した。そこでは、基礎研究と応用研究という2つのグループのオフィスが近くにあり、同じソフトウェアを共有していた。応用研究には、エンジニアになった有能な科学者たちがいた。話が逸れるが、そのうちの2人は理論物理学の博士号を取得していた。1980年代の予算削減で大学のポストが見つからず、一般エンジニアとして就職したのだ。彼らの数学的素養をもってすれ

---

**訳注** Facebookで、友人らによる投稿などの更新情報が一覧できる場所。

ば、ニューラルネットワークや機械学習の理論など児戯(じぎ)にも等しかったと思う。

Facebookの話に戻ろう。そういうわけで、私は経営陣に掛け合い、機械学習の応用研究グループを作ってもらうことにした。AML（Applied Machine Learning）と名付けられたこのグループは、ホアキン・キニョネロ・カンデラが取り仕切ることになった。彼は元Microsoft社員で、広告出稿用の機械学習システムに取り組んでいた人物である。われわれはみなフランス語ができる。ホアキンはモロッコ育ちのスペイン人で、フランスの高校に通った後、スペインに留学し、デンマークで博士号を取得した。それからドイツでポスドク生活を送り、英国ケンブリッジのMicrosoft Researchに入社した。だから彼は、スペイン語、フランス語、英語、ドイツ語、デンマーク語を話せるし、少しならアラビア語もいける。シリコンバレーに住む本物のヨーロッパ人だ。彼はMicrosoft時代にすでに応用研究に転向していた。

最初の数年間、画像認識などの分野ではFAIRとAMLの協力関係がうまくいっていたが、音声認識などほかの分野では連携がもたついていた。AMLが開発している機械学習ツールに対する製品需要はかなり大きく、エンジニアが長期的な仕事に取り組む余裕はほとんどない。さらに、AMLはAIや機械学習を専門とするエンジニアを早急に採用する必要があるが、企業同士で奪い合っているため、なかなか人材が見つからない。FAIRとAMLが効率よく連携できるようになるには数年かかるだろう。

企業にとって、科学的ブレークスルーは、すぐに開発、製品化してこそ価値がある。技術部門のトップは、ブレークスルーの潜在的効果を見極め、リスクを恐れず開発プロジェクトにリソースを投入しなければならない。開発チームの大半を占めるエンジニアは、自らチャンスを確信して、ブレークスルーを技術革新に変え、そこから製品を生み出し、それを展開していく必要がある。とはいえ、誰しも時には不安にとらわれる。プロセスが進めば進むほど各段階でのコストがかさみ、最終的に失敗した場合の損失が莫大になる。ここで、技術部門トップの力量が重要な役割を果たす。「テックの巨人たち」の成功の秘密は、ここにある。経営者自身がエンジニアであることだ。これは、型にはまった企業に見られるやり方とはかけ離れたものだ。ゼロックスやAT&Tの研究所は現代社会に役立つ数多くのテクノロジーを発明したが、それが生み出す利益に頭が回らず、商品化を他社に任せることが多かった。

2018年、Facebookはすべての研究開発を統括するFacebook AIを創設した。この新しい組織は、FAIRやAML——その後、FAIAR（ファイア）（Facebook AI-Applied Research）に改称——などの上に立つ。Facebook AIを率いるのは、また別のフランス人、ジェローム・プザンティだ。彼はIBMの元社員で、その後立ち上げたスタートアップをIBMに売却している。

この新体制のおかげで、FAIRとFAIARの連携が改善された。画像認識や翻訳におけるFAIRの革新的技術は、数週間で何十億人ものユーザーの目に触れる。しかし、通常のプロセスはゆっくりしており、FAIRの研究の大半は長期的なものだ。

2013年の時点では、プラットフォームにディープラーニングを利用していなかったが、2019年には、ディープラーニングがなければFacebookが機能しないという逆の事態になっている。FAIRが開発したこの方法は、ソーシャルネットワークに数多くの改善をもたらしている。たとえば、画像認識や言語理解、音声認識などがそうだ（2013年の時点では、音声認識の優先度はまだ低かった）。人々の日常生活を支援する仮想知能エージェントの開発もそのひとつである。さらに、Facebookが多大な関心を寄せている応用技術に顔認識がある。これはテクノロジー自体がまだ存在しないので、ある意味、無謀な挑戦かもしれない。個人のサンプルはほとんどないが、われわれには20億種類を超えるさまざまなカテゴリがある。Facebookはすでに何枚かの写真だけで顔のモデルを構築することに成功している。

今日では、数多くの異なる言語同士の会話をAIが自動翻訳してくれる。AIは1日に何十億もの画像を分析することで、ニュースフィードのレイアウトを支援し、視覚障害者のための説明文を作成する。数十億人のユーザーのプロフィールは、クリック数などに基づいて常に更新されている。

こうした応用技術を開発し、20億人のユーザーそれぞれに対して正常に動作するようにするのは、FAIR以外のチームの仕事だ。途方もなく巨大なインフラである。

マーク・ザッカーバーグとは、最初のころほどではないが、今でも定期的に会っている。社内の一握りの人工知能担当者とともに、年に4回ほど彼を囲んで進捗状況の話をしている。マークがFAIRの新しいブレークスルーを知りたいと言えば、非公式に会うこともある。

## 8-4 情報のフィルタリング

Facebookは創立当初から、ユーザー同士の交流について、ポルノ禁止、ヘイトスピーチ禁止といったいくつかの（大した数ではないが）厳しい規則を適用している。この種の禁止事項とは別のレベルで、Facebookは長らくアメリカの言論の自由（free speech）という理念を優先し、会話の内容を規制することをためらってきた。法に反しないかぎり、人は自由に表現できる。フランスをはじめとするヨーロッパ諸国では、この法自体が厳しく、特定の話題については言動が禁止されている。たとえば、現状の「人道に反する罪」に異議を唱えることは違法である。

2016年のアメリカ大統領選挙の結果を受けて、この理念は変化した。Facebookは、コンテンツのフィルタリングが必要であることを認識したのだ。クリックをそそのかしてお金を稼いだり、あらぬ噂を流したりといった、商業目的や政治目的でのプラットフォームの悪用は、何としてでも防がなければならない。英語で言うところの「snake oil（インチキ薬）」の販売も許してはならない。さらには、クリックベイト目的で、読まずには、そして共有せずにはいられないほどスキャンダラスなニュース記事――時にはフェイク――を投稿することも防ぐ必要がある。

現在Facebookは、このようなコンテンツを自動的にフィルタリングしようとしている。ポルノや暴力的な画像のフィルタリングについては、使用しているビジョンシステムをオープンソースで配布していない。そんなことをしたら、悪意のある人たちにフィルタをかいくぐられてしまうからだ。

今は試行錯誤の段階だ。2019年3月15日、ニュージーランドのクライストチャーチで、白人至上主義者でイスラム恐怖症の男性が、市内の2箇所のモスクにいた51人を自動小銃で殺害するという事件が起こった。彼はカメラをつけたヘルメットをかぶり、Facebook Live[*3]で虐殺の映像をライブ配信していた。ようやく配信が止まったのは、警察から連絡を受けたFacebook側が、犯人のFacebookとInstagramのアカウントを停止した17分後のことである。その後、Facebookはその動画のコピー150万本をネットワークから削除したが、このお粗末な自動検出の失敗は世界に波紋を広げた。各国の首脳は、主要なソーシャルネットワーク企業とともに、インターネット上に投稿された非難されるべき画像の管理を強化し、拡散者への処罰を厳格にするという内容のクライストチャーチアピールを採択した。

実際、この種のコンテンツの検出は、現在の技術ではきわめて難しい。一方では、ハリウッド映画のクリップ、ビデオゲームのキャプチャ、さらにはシューティングゲームの動画など、暴力シーンが

---

***3** Facebook Liveは、自分のスマートフォンを使って、テレビ局のように生放送を配信できるサービス。

含まれていても合法である動画も少なくない。そうした動画と実際の虐殺とをどうやって見分ければよいのか？　他方で、モデルを訓練するには先に述べたように大量のサンプルを提示しなければならない。虐殺動画の数自体がごく少ないのに(幸いなことだ)、どうやって検出システムを訓練すればよいのか？　Facebook や YouTube などのエンジニアは、この種のシステムの信頼性を高めるために懸命に努力している。

Facebook の削除対象であるヘイトコンテンツの大部分は、拡散してしまう前に AI の自動検出によって削除される。すでに知られているテロ組織のプロパガンダ動画や画像を検出するには、「埋め込み」に近い手順が使われる[*4]。投稿と同時に通知され、削除すべきアイテムのブラックリストに追加される仕組みだ。第 1 の畳み込みニューラルネットワークは、問題の画像や動画を表すベクトルを生成するよう訓練される。次いで、別のシステムが、単純にこのブラックリストにある動画との類似性を検出する[*5]。

しかし、それでもヘイトコンテンツの多くはフィルタリングから逃れてしまう。AI にはそのコンテンツが文字通りの意味なのか裏の意味なのかの区別がつかないし、言外の意味も理解できないからだ。たとえばネオナチグループが人種差別的なメッセージを投稿した場合、システムはそれを検出して拡散しないようにできる。しかし、そのメッセージがネオナチの活動を監視している人たちに拡散された場合を想像してほしい。今度は彼らが、ネオナチのプロパガンダの参考資料を提供するためにその人種差別的なメッセージを再投稿するかもしれない。この分類システムでは、最初のネオナチの投稿と「反」ネオナチの投稿の区別がつかない。リードの部分が違うだけで、本文自体は同じだからだ。皮肉や批判が込められていたとしても、システムにはそれを見抜く術がない。

---

*4　埋め込みについては、7-2 節（228 ページ）を参照。

*5　類似した動画の検出については、7-2 節（228 ページ）を参照。

フランスでは2018年に、ギュスターヴ・クールベの有名な絵画「世界の起源」の画像が投稿された。裸婦の下半身が写実的に描かれているので、芸術作品だと知らなければ、ポルノコンテンツに分類される可能性がある。この場合、自動画像認識システムは、それが芸術であり、承認すべきものであることを判断できない。事件後、この種の例外処理を行うツールが導入されたが、まだまだ不具合は多い。

ノルウェーの作家が、9歳のベトナム人少女がナパーム弾から逃れるために裸で路上を走っている有名な写真（ピューリッツァー賞受賞作品）をFacebookに投稿したこともあった。ほとんどの国がそうだが、ノルウェーでは裸の子どもの写真は児童ポルノとみなされ違法だ。そのため、あるユーザーから通報された。有名な報道写真だと気づかなかった人間のモデレーター[訳注]がクレームを受理し、画像が削除された。その結果、大騒ぎになった。その作家はマーク・ザッカーバーグに公開書簡を書き、もちろんその画像はFacebookによって復元された。またしても、芸術や報道を対象とした例外のホワイトリストが設定された。

もっと悲劇的な事件も記憶に残っている。イスラム教徒のロヒンギャが多数派の仏教徒によって迫害されているミャンマー（旧・ビルマ）で、仏教の指導者たちがフェイクニュースを投稿していたのだ。影響力のある指導者のひとりは、仏教徒の家庭の女の子がイスラム教徒の男性に殺害されたことをほのめかす写真に、「やるべきことはわかっているはずだ」と付け加えて投稿した。AIの現時点での限界を考えると、システムは、投稿された情報がフェイクニュースであるかどうかを見分けることも、暗黙の復讐（ふくしゅう）の呼びかけを検出することもできない。この種のフェイクニュースは、拡散に使用されるプラットフォームを問わず、特に政府がその背後に隠れている場合には、深刻な結果をもたらし、民族紛争につながる可能性がある。

---

**訳注** Facebookで、問題のあるコンテンツのチェックを行う担当者。

われわれは既存のテクノロジーの限界に触れているのだ。Facebookに日々投稿される膨大な数の文章や画像、動画を手動で選別するのは不可能だ。AIによるフィルタリングもまだまだ改善の余地がある。そのため、Facebookはこの分野への投資を加速させている。

現在のフィルタリングは3段階の構成になっている。

1. 人工知能に基づく自動検出システム：常に改善を続けているが、先に見たように完璧にはいかない。
2. ユーザー：疑わしいコンテンツを通報できる。効率的だが時間を要し、バイアスがかかっていることも多い。また、コンテンツはすでに拡散してしまっているので、事後的な処理にならざるをえない。
3. モデレーター：Facebookは現在、世界中に約3万人のモデレーターを抱えており、通常はパートナー企業に雇用されている。何百もの言語を使って、自動システムまたはユーザーによって通報されたコンテンツが該当する規則に違反しているかどうかを判断する。違反コンテンツのチェックは辛い仕事だ。中にはおぞましい画像や映像を見なければならない人もいるが、その仕事をなくすわけにもいかない。

こうした問題は、公益事業に匹敵するようになったサービスの必然的な裏面とも言える。Facebookはさまざまな役目を果たしている。散り散りになった友人や家族のグループをつなぐだけではない。このネットワークによって、多くの中小企業が顧客とつながり、創造と繁栄を享受している。また、心に響く理念のもとに賛同者が集い、組織化されることもあれば、連帯の呼びかけが広がっていくこともある。Facebookは、自己顕示欲の拡声装置であるばかりでなく、意識の覚醒装置でもあるのだ。

## 8-5 ケンブリッジ・アナリティカ問題についてひと言

まず、明確にしておこう。Facebookがユーザーの個人情報を広告主に売ることはない。マーク・ザッカーバーグは、2019年1月25日付『ル・モンド』のオピニオン記事でFacebookのビジネスモデルを説明した際､そのことに注意を促している[*6]。Facebookは広告主に情報を開示することなくユーザーに広告を表示している。

個人がたがいにコミュニケーションを取り合えるようになるのはいいことずくめのように思えるが、そうではない。しかし、このコンセプトを実現する段階で、このグローバルなコミュニケーションプラットフォームを悪用する人が現れることを予見し、阻止することがはたしてできただろうか？

2018年、Facebookは悪用の被害を受け、ブランドイメージが損なわれた。FAIRのどこかの研究所がこの問題に関与したわけでもないし、AIとはまったく関係のない話ではあるが、この件については触れておくべきだと思う。事件を振り返ってみよう。2018年3月、ニューヨークタイムズとガーディアンの両紙は、米データ分析会社ケンブリッジ・アナリティカがFacebookユーザーのデータをひそかに利用していた事実を暴いた。ケンブリッジ・アナリティカは、保守的な姿勢で知られる実業家ボブ・マーサーと、当時ドナルド・トランプの側近であったスティーヴ・バノンが、2013年に創立した会社だ。

ボブ･マーサーは、IBMで音声認識に携わっていた元コンピュータ科学者で、1980年代後半に何人かの同僚とともにルネッサンス・テクノロジーズに採用された。この会社は、コンピュータと数学的

---

***6** Mark Zuckerberg, “Je souhaite clarifier la manière dont Facebook fonctionne”, *Le Monde*, 25 January 2019.

手法を用いて投資を行う、ヘッジファンドと呼ばれる金融グループである。彼らは大金持ちになった。かつては左翼だったやつばかりだ——リバタリアニズム（自由至上主義）を支持していたボブ・マーサーを除いては。

報道によれば、ケンブリッジ・アナリティカは、Facebookユーザー数百万人分のデータを取得し、それを使って、2016年の米国大統領選挙でドナルド・トランプ候補を支持する可能性のある人とイギリスのEU離脱（ブレグジット）に関する国民投票で離脱を支持する可能性のある人を選び出した。

この事件が英米の新聞に掲載されてから3カ月後、Facebookの副社長兼法務担当責任者のポール・グレワルは、ケンブリッジ大学の心理学者アレクサンドル・コーガンが、自分の研究のために取得したデータをケンブリッジ・アナリティカに横流ししたとして彼を告発した。モルドバ出身のアメリカ人であるコーガンが作成したクイズ形式のアンケート「Thisisyourdigitallife」は、27万人のユーザーにダウンロードされた。ユーザーは4ドルの謝礼を受け取り、インターネット利用者の習慣についての質問に答える仕組みになっていた。そのアンケートには、Graph API v1.0というしゃれた名称をもつ、Facebookのプラットフォームに接続するためのインターフェイスが使われていた。アンケートをダウンロードしたユーザーの「友達」を介して、コーガンは何百万人ものユーザーの一部の個人情報（プロフィールとして友達と共有していた情報）にアクセスしていたらしい。具体的には、居住地、生年月日、学歴、利益団体、友達などだ。

どうしてそんなことが可能だったのか？

Facebookは2016年まで、オープンプラットフォームを設置しており、ソフトウェア開発者はGraph API v1.0を使ってアプリケーションを書くことが許されていた。想定されていたのは、ほかのユーザーと一緒に遊べるゲームやカレンダー共有アプリケーションといったものだ。契約により、利用者の個人情報の収集・再配布は禁止されていた。しかし、Facebook はすぐに悪用が可能なことに気づいた。簡単に説明すると、アプリを動かすには、開発者がユーザーのプロフィールデータの一部にアクセスする必要があった。しかし、共有カレンダーのようなアプリでは、アクセスを許可しているアプリ所有者のプロフィールだけでなく、アプリを共有する友人のプロフィールにも、本人の明示的な許可なしにアクセスできるようになっていたのだ。この悪用に対抗して、Facebook はこのプラットフォームを完全に切り離したが、それに投資していた企業にはとんだ災難だった。この事件で、多くの企業が大きな損害を被った。

2016 年の時点では、つまり事件が起きる少なくとも 2 年前には、Facebook はこの問題を改善していた。

スキャンダルが明らかになると、アレクサンドル・コーガンは、自分は学者であり、データは社会学の研究にしか使っていないと弁明した。しかし、契約に反してデータを処理し、ケンブリッジ・アナリティカに結果を流していたらしい。そして、それは Facebook がそのプラットフォームへのアクセスをロックすることを決める前のことだった。

Facebook の経営陣は、一種の性善説に立って社員を信頼しすぎていたと非難されても仕方がなかった。彼らは自分たちのネットワークが不道徳な人たちに悪用されるとは想像していなかったのだ。いずれにしても、会社の信用はガタ落ちになった。

## 8-6 ニュースフィード

2016 年のアメリカ大統領選挙後、Facebook はニュースフィードのアルゴリズムも変更した。2006 年にこのアルゴリズムが書かれたときは、ユーザーに何を見せるかを決めるシステムは、まず単純なアルゴリズムを、次に古典的機械学習（ディープラーニングなし）をベースにしていた。2015 年以降は、より高度なディープラーニングの技術を採用している。Facebookのコンピュータがユーザーの関心をモデル化するために使っているシステムは、ユーザーがクリックすると訓練され、進化する仕組みになっており、常に適応し続けている。

このシステムは、サービスの品質指標を最適化するようになっている。機械学習の最小化における目的関数と同じように、必要に応じて、この指標を最小化（または最大化）しようとするのだ。システムを少し修正すると、修正したバージョンを一部のユーザーに向けてしばらく展開する。指標が改善されれば、修正がより広い範囲で展開される。

品質指標として、たとえば、広告のクリック率などが測定されている。この問題については、すでに前の章で述べた。クリック数に応じて表示する広告の数を減らそうとしているわけだ。たしかに、企業の収益を決定付けるのはクリック数だが、広告を表示すればするほど、プラットフォームを訪れるユーザーの数が減ることもわかっている。ユーザーは広告目当てに来るわけではないからだ。だから最良の妥協点を見つける必要がある。つまり、広告の数をできるだけ減らし、ユーザーが最も興味をもっているものを表示するということだ。そのためには、個々のユーザーが過去に何をクリックしたかを調べ、似たようなものを表示する必要がある。そのためには、コンテンツと機械学習の理解が不可欠だ。

旧来の「エンゲージメント」指標は、ユーザーがニュースフィードの前で過ごした時間、クリック数、読んだ記事、投稿数などを反映したものだった。この指標に基づきFacebookは、ユーザーがすべてのコンテンツに満足しなくても、サイト上で少しでも多くの時間を過ごすように誘導していた。

2018年1月から、Facebookはこの基準を大幅に変更した。現在のエンゲージメント指標は、ユーザーとユーザーにとって重要なコンテンツとのインタラクションを評価し、ユーザーに永続的な満足感を与えるコンテンツを識別しようとしている。Facebookのサービス全体が、ユーザーの振る舞いの理解に向けられているのだ。コンテンツの中にはクリックのきっかけとなるものもあるかもしれないが、必ずしもユーザーが最も満足できるコンテンツとは限らず、ユーザーは事後的に時間の無駄だったと考える。時間をかけてユーザーの満足度を最大化しようとする方向性は、2018年からFacebookの指針となっている。つまり、ユーザーに積極的な関与を促すコンテンツの増加と、受動的にスクロールされるだけのコンテンツの減少を目指すということだ。

FAIRは、結果を最適化するための基準の調合は担当していない。このインフラ全体を機能させるのは、製品部門と技術部門だ。しかし、この2つの部門は、FAIRが開発し、応用研究と開発グループが展開した方法に基づく画像認識やテキスト理解などのシステムを利用している。Facebookのテクノロジーは、宇宙ロケットのように多段式になっているのだ。

## 8-7 Facebookとメディアの未来

企業の広告予算は徐々に従来の紙ベースのメディアを切り捨て、オンラインサービス、特にGoogleやFacebookに向かっている。しかし同時に、ソーシャルネットワークは、多くの一般読者を伝統的メディアへ向かわせてもいる。2018年に変更されたニュースフィードのアルゴリズムでは、メディアが直接投稿したコンテンツよりも、友人から推薦されたコンテンツのほうにより高い優先度を与えている。新聞記事の投稿には、コンテンツの信頼性を評価する「信頼指数」(trust index) が含まれている。その結果、信頼度が高い有名メディアからの充実したコンテンツのシェアが増え、注目を集めてクリックしてもらうことだけを目的としたコンテンツのシェアが減少した。そのようなコンテンツでは、ユーザーはクリックしてもシェアはしないのだ。新しいアルゴリズムでは、

「post engagement」（メディアが投稿した記事に対する反応）と「Webshare」（友人に勧められた記事に対する反応）の比率が逆転した。「Webshare」の割合が跳ね上がり、ニュースフィードにはしっかりした記事が増えた。親身になって推薦してくれるのは、「Webshare」だからである。そこで、アルゴリズムを調整して、勧誘広告の優先度を下げ、質の高い伝統的メディアの優先度を上げた[*7]。これは、Facebookがとりわけメディア分野の経済に与える影響を示している。

## 8-8 新しいFacebook

Facebookはいかがわしいコンテンツの放置と違反コンテンツの過剰なチェックの両方で非難されている近年の経験に基づき、世界の民主主義諸国の政府に、この点に関する新たな規制を採用するよう呼びかけている。利害関係者であるFacebookは、何を許容し、何を排除すべきかを自ら決めるのは適切ではないと考えている。そこで2018年末からフランス政府と協力しながら、ヘイトコンテンツの扱いについての見直しを始めた。2019年5月10日、マーク・ザッカーバーグは状況を整理するため、エマニュエル・マクロン大統領とエリゼ宮（大統領官邸）で会談した[*8]。この作業は今も進行中だ。こうした政策は民主的に練り上げていくべきであって、一民間企業に任せるべきではない。

しかし、規制は一般的な枠組みにすぎない。どうすればそれを実践できるのか？　ある情報を保持するか削除するかをどうやって決めるのか？　Facebookは、最善策を決定するために広範な公開協

***7** Steve El-Sharawy, “Facebook algorithm: How the shift in engagement can favour newsrooms”, *Global Editors Network Newsletter*, 7 February 2019.

***8** Lucas Mediavilla, “Mark Zuckerberg à l’Élysée vendredi pour rencontrer Emmanuel Macron”, *Les Échos*, 7 May 2019.

議を開始した[*9]。協議には88カ国から2000人以上が参加した。その結果、Facebookや政府から独立した、コンテンツポリシーを検証する監査委員会設置への強い要望が寄せられた。監査委員会が設置されれば、普遍的人権の原則に基づき、表現、安全、プライバシー、平等のあいだでバランスの取れた仲裁をすることになる。さらに、不服申立のメカニズムも確立されるだろう。

新しいFacebookはまた、従来の理念を転換し、ユーザーの個人情報保護を重視する方向へかじを切った。マーク・ザッカーバーグは、そのことを2019年3月6日付のオピニオン記事で発表した[*10]。Facebookは今後、エンドツーエンドで暗号化されたデータを使い、友人同士のプライベートなコミュニケーションやディスカッションに焦点を当てていくことになる。

## 8-9 FAIRの現場

機械学習には、大量のラベル付けされたデータが必要になる。これはかなり面倒な条件だ。FAIRは、なるべく手間をかけずにシステムを訓練する方法を求めて日々研究を続けている。たとえば、事前に手動でラベル付けをせずに、たくさんのデータを活用する方法を研究している。具体的に言うと、Instagramの35億枚の画像を使って、ユーザーが写真を投稿したときに入力するハッシュタグをかなり大規模なニューラルネットワークに予測させるよう訓練した。このようにして、われわれは最も頻繁に入力されている1万7000個のハッシュタグのリストを作成した。そして、その1万

---

*9 Brent Harris, “Bilan global et commentaires à propos du Conseil de surveillance sur les politiques de contenu de Facebook et leur application”, *Newsroom*, 27 June 2019.

*10 Mark Zuckerberg, “A privacy-focused vision for social networking”, *Facebook*, 6 March 2019.

7000個のハッシュタグのうち、特定の画像に対してどのハッシュタグが選ばれる可能性が高いかを畳み込みニューラルネットワークに予測させる訓練をしている。

ハッシュタグの予測など大した役には立たないと反論する方も多いだろう。なるほど、そうかもしれない。しかし、それはあくまで次のステップに進む前提条件にすぎない。この作業によって、ニューラルネットワークは普遍的な画像表現を発展させることができる。1万7000個のハッシュタグは、画像に含まれる概念空間のほぼすべてをカバーしている。ネットワークの訓練が終わると、最終層(ハッシュタグを生成する層)を削除し、別の層に置き換える。そしてその層を、たとえば、暴力シーンの含まれる画像やポルノ画像を検出してフィルタリングするなど、具体的な関心事に合わせて訓練する。

この事前学習、つまり転移学習(transfer learning)は、特定のタスクのために機械を訓練する場合よりも効率的であることが明らかになっており、ImageNetをはじめ、いくつものデータベースの精度記録を保持している。

FAIRで開発した「Mask R-CNN」[*11]という技術も、ここ数年でかなり進歩した。この技術を使えば、物体や人物を認識するだけでなく、その位置を特定したり、輪郭を描いたりもできる。また、いとこのシャルル、叔母のクロエ、ジュリアンが手にもっている野球のバット、ドアの前の犬、テーブルの上のグラスとワインボトル、牧場にいるたくさんの羊……などを指し示すこともできる。一例を挙げれば、目の不自由な人がスマートフォンに表示された写真を指でなぞると、なぞったものを音声で説明してくれる。このネットワークは圧縮率が高いので、最近のスマートフォンなら、リアルタイムで1秒間に20枚ほどの画像を処理することも可能だ。これはすべてDetectronというオープンソースのソフトウェアパッケージに含まれており、研究コミュニティで改良できる。

***11** 第6章を参照。

# 8-10 チューリング賞

2019年3月、ある出来事がきっかけで、十代で初めてコンピュータを自作して以降、私がたどってきた道のりを振り返ることができた。ありがたいことに、ACM（米国計算機学会）からコンピュータ科学のノーベル賞と呼ばれるチューリング賞を授与されたのである。同じ道を歩んできた2人の仲間ヨシュア・ベンジオとジェフリー・ヒントンとの共同受賞だった。

この賞は、産業界に影響を与え、学術論文として出版された科学技術的業績を表彰するものだ。私の受賞理由はすでに古びた研究によるもので、過去5年間の研究成果はそこに含まれていなかった。

今回の受賞は、Facebookにおける私の立場の変更と時期が重なった。2018年1月、私はFAIR所長のポストを離れ「主任AI科学者」（chief AI scientist）となった。運営管理は別の人に任せ、研究・技術戦略に復帰することにしたのだ。この決断にはいくつかの理由がある。まず、組織が大きく成長したことがひとつ。FAIRと並行して、研究で開発された新しい技術を製品に応用するまでの中間段階を担当する、応用研究に特化した別の独立した組織を作る必要があった。

この新しい組織は、FAIRと同じ傘のもと、両者がベストな形で交流できるようにまとめられた。

次に、私は運営管理者タイプではなく、創造的な夢想家であること。プロジェクトを構築し、それを軌道に乗せるのは楽しいことだ。しかし、その後の運営管理をすることは、私のスタイルではない。その部分を他者に委ねようと思ったわけだ。

FAIRの運営管理は、パリを拠点とするアントワーヌ・ボルド（元FAIRパリ所長）と、モントリオールを拠点とするジョエル・ピノー（元FAIRモントリオール所長、マギル大学准教授）の両者が担当する。FAIRと応用研究グループFAIARを統括する、Facebook

AIの総合責任者は、ジェローム・プザンティ。この体制において、私はジェロームとともに科学的な指揮と戦略を受けもつことになる。

Chapter

# 9

# そして明日は？ AIの今後と課題

9-1 自然は発想の源（ただし、ある程度まで）
9-2 機械学習の限界：教師あり学習
9-3 強化学習
9-4 強化学習の限界
9-5 常識という問題
9-6 人間の学習方法
9-7 自己教師あり学習
9-8 多重予測と潜在変数
9-9 予測能力？
9-10 自律知能システムのアーキテクチャ
9-11 ディープラーニングと推論：動的ネットワーク
9-12 知能をもつ物体
9-13 AIによる未来

今のところ、最も優れたAIシステムをもってしても、人間の脳には到底およばない。人間どころか、猫よりも知能が低い。猫の脳には、7億6000万個のニューロンと10兆個のシナプスが含まれている。当然ながら、猫の近縁で22億個のニューロンをもつ犬にもおよばない。人間の脳には860億個のニューロンがあり、その消費電力は約25ワットである。これに匹敵する性能をもつ機械を設計・構築するのは不可能なのだ。第1章で見たように、たとえ脳の学習原理を理解し、その構造を解き明かせたとしても、その動作を再現するには、1秒あたりの演算回数が約$1.5 \times 10^{18}$回という途方もない計算能力が必要になる。現在のGPUカードは、毎秒$10^{13}$回の演算が可能で、約250ワットの電力を消費する。人間の脳と同等の性能を得るには、このプロセッサを10万個つないだ巨大なコンピュータが必要になる。このコンピュータの消費電力は、最低でも25メガワットに達する。つまり、人間の脳の100万倍のエネルギーを浪費することになるわけだ。GoogleやFacebookのAI研究者は、このレベルの総演算性能を扱ってはいるが、ひとつのタスクで数千以上のプロセッサを連携させるのは至難のわざである。

科学的に解決すべき問題は山ほどある。技術的な問題も同じくそうだ。

われわれは、現在のシステムの限界を押し広げようと、たゆまず努力してきた。最も有望な道はどれだろうか？　今後の研究に期待できるのは何だろうか？

## 9-1 自然は発想の源（ただし、ある程度まで）

フランスで、フランス航空界の先駆者クレマン・アデールの名を知らない者はいない。パリの工芸博物館では、彼のアビオンIII号の複製が観客の目を楽しませている。アデールは19世紀末の人物である。この物作りの天才は、ライト兄弟の飛行機よりも13年早い1890年に、自力で飛行機を作って、地上から――ほんの少しだけ――飛び立った。しかしフランス以外では、誰も彼の名前を知らない。

なぜかというと、その先が続かなかったからだ。彼の飛行機はたしかに飛んだが、操縦が効かなかった。アデールがモデルにしたのはコウモリだったが、彼が作ったその複製品には、飛行機には必要不可欠な操縦性と安定性に対する配慮が一切なかった。アデールは自然をそっくりそのまま複製しようとして、道を間違えたのだ。彼が警戒心の強い秘密主義者だったこともよくなかった。アデールは実物を公開したりはせず、ほんの一握りの人にしか見せなかった。飛ぶところを実際に見た証人が少なかったせいで、歴史家は彼の偉業の真偽を疑うようにさえなったのだ。

この短命に終わった科学の冒険は、私の主張の例証になる。つまり、ひそかに実験しても何にもならない。研究は共有され、交流によって成長する。開かれたものでなければならないのだ。私はベル研究所でそう確信し、その信念をFAIRに持ち込んだ。その一方で、生物学の原理を理解せずに生物を複製することは大失敗につながる。むしろ、複製しようとしている自然のメカニズムの本質を見極めなければならない。

本書では、ヒューベルとウィーゼルというノーベル賞コンビや、人間の脳を解読し始めた神経科学者たちの話を何度もしてきた。彼らは人工知能の最初期の研究者に刺激を与えた。飛行機の翼が鳥の翼から着想を得ているように、人工ニューロンは脳のニューロンから直接ヒントを得たものだ。畳み込みニューラルネットワークは、視覚野のアーキテクチャのある側面を再現している。だからといって、AI研究の未来を、自然の模倣に還元するわけにはいかない。

私の見るところ、生物学的なものであれ電子的なものであれ、われわれは知能や学習の基本原理を研究する必要がある。空気力学が飛行機、鳥、コウモリ、昆虫の飛行を説明し、熱力学が熱機関や生化学的プロセスにおけるエネルギーの変換を説明するのと同じように、知能の理論はあらゆる形の知能を説明できなければならない。

## 9-2 機械学習の限界：教師あり学習

教師あり学習はAIでごく一般的に使われている方法だが、実際には、人間や動物の学習のさえない模倣にすぎない。教師あり学習のアーキテクチャは、必要とされるタスクに近づくようにパラメータが徐々に調整されていくというものだ。しかし、この方法で物体を認識できるようにシステムを訓練するには、その物体のサンプル画像が何千枚、何百万枚も必要になる。

サンプル画像は、事前に手動で識別し、ラベルを付けておく必要がある。企業は人海戦術で画像のラベル付けやさまざまな言語間のテキスト翻訳を行い、システムを訓練するのに必要なデータを作成している。この手順はかなり一般的なものになっており、国際的コンサルティンググループのアクセンチュアも、機械学習を使用する多くの企業にこの種のサービスを提供している。学術研究では、Amazon提供のAMT（Amazon Mechanical Turk）というサービスが広く利用されている。AMTでは、ログインすれば誰でもこのタグ付け作業を行い、報酬を得ることができる。

この教師あり学習は、十分なデータがある場合にはきわめて有効である。しかし、それにも限界があり、効果的なのは一定の範囲内に限定される。効果が行き届かない死角があるのだ。その証拠に、人間の目の錯視と同じようなものがディープラーニングにもあり、「敵対的事例」と呼ばれている。一見識別しやすい画像でも、機械の能力の範囲を超えてしまうことがあるのだ。実験の結果、「止まれ」の標識に少し手を加えるだけで、一部のニューラルネットワークはその標識を検出できなくなることがわかった。そのため、自律走行の安全性が懸念されている。しかし、道路標識を偽装するのであれば、人間の運転手でもだませるはずだ。では、どうして標識の偽装は自律走行車のほうが危険なのか？

例を挙げて見ていこう。猫とトースターを区別する機械があるとする。猫の画像を、人間には感知できないが、機械が高スコアでトースターと出力してしまうように修正できる。どうするかというと、機械に猫の画像を示し、この画像のピクセルを、勾配降下法を使ってトースターのスコアが増加し、猫のスコアが減少するよう修正するのだ。修正した画像は、人間には相変わらず猫に見える。

どうして機械は簡単にだまされてしまうのだろうか？　教師あり学習では、学習サンプルに対する正しい出力を生成するよう機械を訓練する。しかし、学習サンプルは入力空間のごく一部しかカバーしておらず[*1]、サンプルとかけ離れた、関数の挙動は明示されていない。

教師あり学習とは異なり、人間の視覚システムは画像を分類するためだけに訓練されているわけではない。後述するように、特定のタスクと関係なく、視覚世界の構造をとらえるように訓練されている。教師あり学習とは異なり、子どもがゾウの概念を学ぶのに何千サンプルものゾウを必要としないのは、おそらくそのためである。図案化されたイラストのゾウでも、3枚あれば十分だ。

だから、教師あり学習では、本当の知能機械を作ることはできない。それは解決策の一部にすぎない。パズルのピースが足りないのだ。

## 9-3 強化学習

一部の研究者は、別種の機械学習に解決策があると考えている。

それが「強化学習」（reinforcement learning）だ。この方法は、

*1　1000 × 1000 ピクセルの白黒画像に対して、各ピクセルは256通りの値を取りうるので、画像全体のピクセルのありうるパターンの数は、256**1,000,000通りになる。これは、2400万桁の数字だ。サンプル数が10億の学習セットは、そのほんの一部しかカバーしていない。

期待する応答を知らせなくても機械を訓練できる。機械には生成された応答が正しいかどうかだけを伝える。強化学習は、正解を与えることが難しい場合でも、システムの応答の質を評価することができる。モノをつかむロボットを訓練したい場合を想像してみよう。タスクを達成するために、ロボットの複数のモーターをそれぞれどのように動かせればいいかを逐一伝えるのは難しいが、テスト後にモノをきちんとつかめたかどうかを評価するのは簡単だ。ロボットはある戦略を試してそれがうまくいくかどうかを観測し、その戦略がうまくいかなかった場合は別の戦略を試す。そして、確実に機能する戦略が見つかるまで同じプロセスを繰り返す。この方法を実現するには、その場面の画像とロボットの位置・荷重・接触を測定するセンサーを入力とし、モーターに送られるコマンドを出力とするようなニューラルネットワークを構築すればいいだろう。機械に正解を与えることなく結果を評価する、こうした試行錯誤による学習が強化学習である。

多くの場合、試行の成否は自動的に伝達されるので、システムは「自分ひとりで」学習できる。

エピソードの成功を評価することは、機械に対する一種の「褒美」と「罰」である。これは訓練によって「おまわり」を覚えた動物にご褒美のエサ（報酬）を与えるようなもので、機械の場合は数字が報酬や罰になる。答えが正しければプラスの数字が与えられ、そうでなければマイナスの数字が与えられる。しかし、機械は報酬を上げるためにどの方向に出力を変えればいいのかわからないので（この評価関数の勾配を計算することはできず、その値を観測することしかできない）、試行をし、報酬対効果を見て、報酬を最大にするためにニューラルネットワークのパラメータを調整しながら行動を変える。

強化学習の利点は、正解を与えなくてもパフォーマンスを評価可能なシステムを訓練できるということにある。強化学習は、ロボットを制御したり、ゲームをしたりといった、システムが行動を生成しなければならない場合に使われることが多い。ゲームの分野では、DeepMindのAlphaGoとその後継機であるAlphaZero、FacebookのELF OpenGoなど、強化学習の驚くべき成功例が数多く見られる。

残念ながら、この学習パラダイムは一般的に、単純なタスクであってもその学習に膨大な相互作用（試行錯誤）を必要とする。

機械を訓練してチェスやチェッカーを指せるようにするには、木探索を使用するプログラムを組むのが古典的な方法だった[*2]。最近では、深層強化学習を使う。勝ちにつながる可能性が最も高い手を判断する学習システムを使って、ルール通りに機械に試合をさせるプログラムを書く。試合開始時点では、システムは訓練されていないので、行きあたりばったりな手を指す。そこで、この機械のコピーを用意して、コピー同士で何千回も試合をさせる。それぞれの試合は、偶然どちらかの「プレーヤー」が勝つことになる。勝ったほうは、その学習システムを、自分が使った戦略を繰り返したり、強化したりするように訓練する。勝者はシステムにこう伝える。「次の試合で同じ状況になったら、さっき私が打った手を打て。それが勝利につながる道だから」

機械は何百万回、時には何十億回も自分自身と対戦する。並列で稼働する最近のコンピュータを十分に揃えれば、システムは数百万回の試合を数時間で済ませ、超人的な能力を獲得する。ありうるすべての試合のパターンのうち、誰よりも多くのパターンをあらかじめ経験済みだからだ。DeepMindの最新ソフト、AlphaGoとAlphaGo Zeroは、このような仕組みになっている。Facebookにも、同様のシステムELF OpenGoがある。これはDeepMindのシステムとは異なり、オープンソースで、多くの研究グループにも取り入れられている。

強化学習がゲームに効果的なのは、多くの機械で同時に稼働でき

---

***2**　第7章の図7.9を参照。

るからだ。

教師あり学習と同じく、この学習も、超人的な能力を達成するには、膨大なリソースと多くの相互作用を必要とする。DeepMindは、Atari社の古典的ビデオゲーム（80種類ある）をプレーできるようにシステムを訓練した。まずまずのレベルに到達するには、1ゲームあたり少なくとも80時間相当の訓練が必要だった。一方、人間は同じことをするのに15分ほどしか必要としなかった。しかし、システムをかなり長く稼働させると、人間の能力を超えて効率のピークに達する。実際には、この80時間というのは、機械がリアルタイムで試合をした場合にかかる時間だ。機械はもっと速くプレーすることもできるし、いくつものゲームを同時にプレーすることもできる。とはいえ、それはゲームに限った話だ。車に路上運転の訓練をさせているときに、時計を早く進めるわけにはいかない。

## 9-4 強化学習の限界

ゲームの世界はここまでにしておこう。

現実の世界では、強化学習はそのままの形ではまったく使いものにならない。想像してみよう。強化学習を使って車に自律運転を学習させようと思ったら、何百万時間もの運転時間が必要になる。そして、事故を回避する術を学ぶ前に、何万件もの事故を起こしてしまうはずである[*3]。なにしろ、車が崖から落ちて初めて、システムが「あっ、間違えたんだな」とつぶやき、戦略を少し修正する仕組みなのだ。ふたたび車が崖から落ちると、システムはおそらく前とは多少違った方法で、また少し修正を施すだろう。車を何千回も崖から転落させた後、システムはようやく転落しない方法を見つけるのだ。

*3　7-8節（250ページ）を参照。

では、ほとんどの人間がほんの20時間程度のほぼ教師なしの練習で、ほとんど事故を起こさずに運転を学習できるのはどうしてだろうか？　教師あり学習や強化学習だけでは何かが足りないのだ。人間や動物の学習に匹敵するような、機械の新しいパラダイムはまだ存在していない。

もちろん、シミュレーションを利用できないこともないが、その場合は、また別な問題が生じる。つまり、シミュレータが十分に強力かつ正確でなければならない。シミュレーションによる訓練終了後に、システムの能力をきちんと現実世界に移し替えるためには、シミュレータが世界の現状をきわめて正確に反映していなければならないからだ。これはそう簡単にできることではない。この「sim2real」（simulation to real world）についての研究は、近年盛り上がりを見せている分野である。

科学コミュニティの一部では、この種の強化学習こそが人間並みのAIを設計するためのカギになると考えられていた。DeepMindの大物のひとりにしてAlphaGoの立役者デイヴィッド・シルヴァーは、「強化学習こそが知能の本質である」と口癖のように言っていた。だが、われわれはその信念に与せず、予言者カサンドラの役割を演じてきた。私は、フォレノワール（黒い森）というケーキのことを考えた。このチョコレートケーキは、スポンジとクリームの層を交互に積み重ね、グラサージュを施した本格的なケーキで、砂糖漬けのチェリーがトッピングしてあることが多い。それで、私は講演の場で、知能がフォレノワールだとすると、スポンジの部分は動物や人間の主な学習モードである自己教師あり学習、グラサージュの部分は教師あり学習、ケーキの上のチェリーは強化学習に相当する、とよく言っていたものだ。

## 9-5 常識という問題

AIは驚くほど強力であり、きわめて専門に特化している。なのに、常識に関してはそのかけらもない。これがAIのパラドックスである。2018年3月29日にフランス大統領エマニュエル・マクロンは、こう言っている。「AIはいかなる概念も持ち合わせていない。教養もなく、何ひとつ理解していない」。これは、フィールズ賞を受賞した数学者でもある政党「共和国前進」所属の国会議員セドリック・ヴィラニ[*4]が、人工知能に関する報告書を発表したことを受けての発言だった。

AIは世界を表面的にしか理解していない。自動運転車はA地点からB地点に行くことはできても、運転手とは何かを知らないのだ。

翻訳システムは、自分ではまったく気づかずにこっけいな意味の取り違えをしてしまうことがある。仮想アシスタントは、学習した範囲の仕事しかしない。交通情報を知らせたり、ラジオ局を選局したり、探しているジョルジュ・ブラッサンスの曲をすぐに見つけ出したりといった仕事だ。「Alexa、服がスーツケースに入り切らないんだけど、どうしたらいい？」と質問すれば、「服を減らしてください」とか「大きめのスーツケースを購入してください。Amazonで買える大型スーツケースはこちらです」とか答えてくれるだろう。しかし、「Alexa、バスタブに携帯を落としてしまったんだけど」と話しかけても、携帯電話は水に浸かると交換しなければならない、ということなどAlexaは知らないだろう。役に立つ回答をするには、ある程度の常識、つまり世界の仕組みや物理的制約についての知識が必要になるのだ。

---

*4 Cédric Villani, Donner un sens à l' intelligence artificielle. Pour une stratégie nationale et européenne, March 2018. https://www.ladocumentationfrancaise.fr/var/storage/rapports-publics/184000159.pdf

現在のAIには常識がない。とはいえ、常識はなくてはならないものだ。常識は、人間と世界とのつながりを条件付けている。行間を読み、暗黙の了解を理解できるのも、常識のおかげだ。テーブルの椅子に座っている人がいるとしよう。その人の足は見えないかもしれないが、足がそこにあることは知っている。人間についての蓄積された知識があるからだ。常識には物理学の基本法則も組み込まれている。その人が目の前のグラスをひっくり返すと、テーブルに水がこぼれてしまうことをわれわれは知っている。手を離せば物体が落下することも知っている。われわれは常に時間と動きを意識しており、誰かが立ち上がると、その人はもはや座っていないことを知っている。その2つの姿勢を同時にとることはできないからだ。「ピエールはカバンをもって会議室から出ていく」という文章を読めば、埋もれていた情報の束がすぐに脳裏に浮かんでくる。ピエールはおそらく男性で、仕事中だろう。カバンにはたぶん書類が入っている。ピエールは足ではなく手を差し出し、指でカバンをつかんで持ち上げ、椅子から立ち上がる（おそらく会議中で、座っていたはずだ）。あわてることなくドアまで歩く。ノブを握り、それを回して部屋を出る。

それ以外の可能性がほとんどないことは、すぐにわかる。ピエールは念力でカバンを自分のほうに引き寄せたりはしない。自らを非物質化して部屋の外で再物質化したりもしないし、壁を突き抜けたりもしない（壁抜け男でもないかぎり）。

人間は、生後数カ月から数年のあいだに少しずつ学習してきた世界モデル――私は意図的に人工知能の用語を使用している――のおかげで、このありふれた文章を補完できる。世界モデルがあらゆる情報を与えてくれるわけではないが、世界の仕組みを知っているからこそ、そうした情報が思い浮かぶわけだ。同様に、文章を読むときは、その後に続く文章をある程度は予想できるし、動画を見るときは、行動と反応のつながりを多少なりとも予想できる。

機械では今のところ、この予測能力は限定的なものでしかない。

たしかに、一部が欠けたテキストが与えられた場合、その欠けた部分に当てはまる可能性のある単語のリストを提示できる。しかし、テキストがアガサ・クリスティの小説であり、エルキュール・ポアロが「それゆえ犯人は、ムッシュー誰それだ」と告げる最後の場面なら、この文章を補完するには、人間の本性に関する大量の知識と常識が必要になる。機械には、なおさらできない芸当だ。

人間の常識は、この推論能力に特徴がある。それがあればこそ、われわれは自分の位置を確かめて行動に移ることができる。私の仮説によれば、常識とは、私が「自己教師あり」学習と呼ぶ、別種の学習形態の成果なのだ。

## 9-6 人間の学習方法

現時点において、人間の学習は、いかなる機械学習よりもはるかに効率的だ。

エマニュエル・デュプー（パリ高等師範学校の認知科学教授、FAIR パリの非常勤研究員）をはじめとする発達心理学者は、この学習がかなり早い時期から始まることを明らかにした[*5]。子どもは生後数カ月で、世界の仕組みについての知識を大量に蓄積する。生物と無生物の違いは、生後2カ月でわかるようになる。子どもは、生物であれ無生物であれ、自然発生的に現れるものではないこと、別の物体の陰に隠れていても、常にそこにあるということを、かなり早い段階で理解している。これは永続性の概念を身につけたということだ。大人には当たり前に思えるが、子どもは生後数カ月のあいだにこうした物理的概念を直観的に学習するのだ。この直観物理学（intuitive physics）は6カ月から8カ月のあいだに現れる。9カ月を過ぎるころには、すでに重力と慣性の法則を身につけている。これ

*5　Emmanuel Dupoux. http://www.lscp.net/persons/dupoux/

らの普遍的法則に反する事例を示すと、子どもは目を大きく見開くので、その驚きのほどが推し量れる。

子どもは観察や実験をしながら、こうした基本概念を学習する。歩けるようになる前から、マンガの「学者コジニュス」のように、科学者っぽく振る舞う。生後8カ月の子どもを乳幼児用のハイチェアに座らせ、目の前におもちゃを置くと、それを手に取って、投げ捨てる。落ちると目で追いかけ、誰かが拾ってくれるまでじっと見ている。そしてまた同じことを繰り返す。叱ってはいけない。重力の概念を学習している最中なのだから。

子どもは同時に予測能力も発達させる。これは人間の知覚を補完するために不可欠な能力だが（たとえば、椅子に座っている人の足は、テーブルの陰に隠れて見えなくても存在する）、より一般的には、われわれの行動の結果を予測するのに役立つ。予測能力があるからこそ、行動を計画することができるのだ。軽いものを押すと、すんなり動く。だが、重いものを動かすにはそれ以上の努力が必要になる。

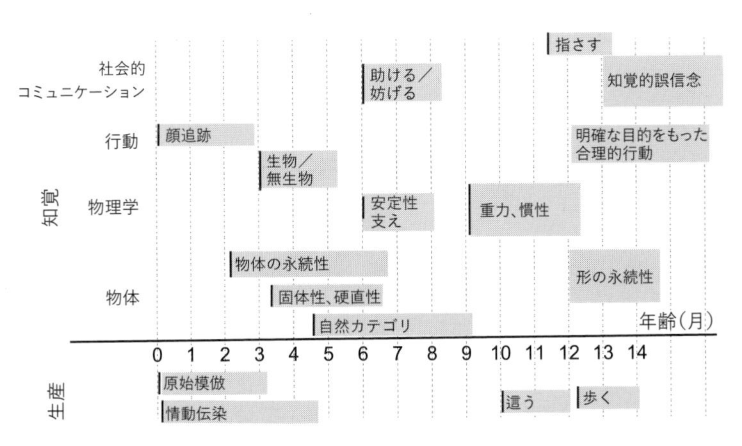


**図 9.1**　エマニュエル・デュプーによる知覚、運動、社会性の発達段階

生後数カ月で、赤ちゃんは世界の仕組みに関する膨大な基礎知識を学習する。この学習は主に観察によって行われる。赤ちゃんはこの数カ月間、身のまわりの物理的世界にほとんど影響を与えない。生後9カ月ごろになると、支えのない物体が重力によって落下することを理解する。それ以前は、宙に浮いているように見える物体にも驚かない（エマニュエル・デュプーによる）。

われわれは数多くのシナリオとその結果を頭に入れているし、人間行動の予測モデルも数多く持ち合わせている。そのおかげで社会的知能が養われ、自分の行為に対してまわりの人がどのような反応を示すのか、一般化して言えば、世界における行動の結果がどのようなものになるのかを想像できる。

人間や動物は、さまざまな方法を組み合わせて学習する。人工知能の研究者は、それらの方法を機械に試そうとしている。私の仮説によれば、人間の知識の大半（基本的な部分）は自己教師あり学習によって習得される。自己教師あり学習の基本は観察にある。残りは教師あり（または模倣による）学習と、ごく一部が強化学習によるものだ。歩く、自転車に乗る、車を運転する——これらの学習は、3つのタイプの学習をすべて兼ね備えている。われわれは右側に谷がある道路の運転を学習すると、世界モデルから右にハンドルを切ると車が谷に向かうことを知っており、重力の知識によって車が谷に落ちてしまうことを予測できる。試してみるまでもない。今のところ、機械にはこの世界モデルが欠けている。その欠如のせいで、強化学習は大して効果が上がらないのだ。一部の研究者は、機械に予測モデルを学習させ、このモデルを使って訓練時の試行錯誤の回数を減らそうとしている。これは「モデルベース強化学習」と呼ばれているが、この方法はまだ模索状態にある。

人間の脳では、前頭葉がこうした知識の獲得を担っている。私はここに知能の本質があると考えている。動物も人間と同じように学習する。学習能力は種ごとに差があり、鳥類ではとりわけカラスが賢い。海の生物ではタコが利口だ。ところで、タコは海の底で数億年にわたって穏やかに暮らしてきたが、自然界がこの頭足類に慈悲深かったようには見えない。寿命はわずか数年しかなく、母ダコは卵をかえすとすぐに死んでしまうので、母親の愛情を知ることもない。母親の死は人間にとっては一大事だが、タコは生みの親がいなくなっても悲しんだりはしないようだ。

さて、猫だ。人間ほどの推論能力はないが、それでも最も知能の高い機械よりも常識がある。ネズミもそうだ。ネズミやリス程度に知恵の働く機械でも作れれば、私の研究人生は成功だと言えるだろう。動物たちはみな、観察によって世界の仕組みを学び、世界で生き残るための予測モデルを得ている。

人間や多くの動物は、世界についての膨大な常識を主に観察によって獲得している。その仕組みがわかれば、AI システムを進化させることができるだろう。

## 9-7 自己教師あり学習

自己教師あり学習の基本的な考え方は、入力されたデータの一部を隠し、見えている部分から隠された部分を予測するよう機械を訓練するということだ。一例として、動画予測を取り上げよう。機械に短い動画を見せ、その続きを予測させる。次いで、動画の続きを所望出力として与えると、機械は自らの予測を改善するように自己調整を行う。これは教師あり学習に酷似している。違いは、所望出力が事前に隠された入力の部分であるということだ。

しかし、自己教師あり学習が抱える大きな難問は、今も完全には解決されていない。つまり、予測における不確実性をどのように表現すればよいのか？　ある動画のセグメントに対しては、いくつもの続きが考えられるが、これらの可能性をどのようにして機械にもれなく表現させるのか？

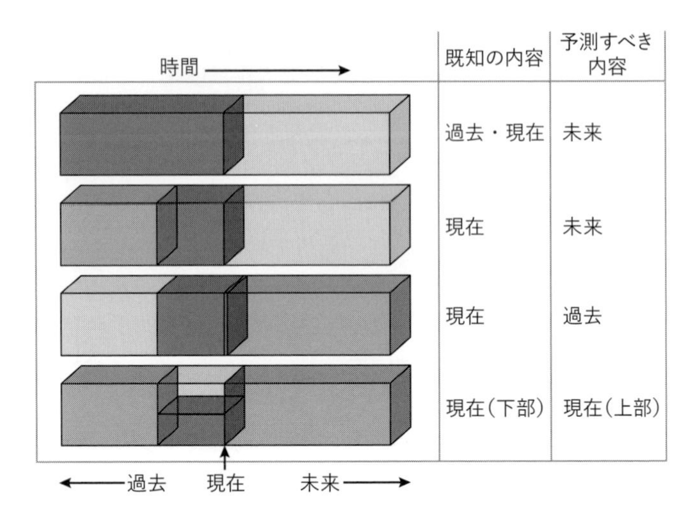


**図 9.2**　自己教師あり学習

自己教師あり学習では、入力データ（短い動画など）の一部を隠し、見えている部分から隠れた部分を予測するようモデルを訓練する。そのため、モデルにはデータの内部構造を取り込んで、穴を埋めることが求められる。上図の短い動画では、観察された部分が暗いグレー、隠された（予測すべき）部分が明るいグレー、不明の部分が中程度のグレーで示されている。訓練の方法に応じて、過去と現在から未来を予測したり、現在から過去を予測したり、あるいはほかにも、画像の下部に基づいて上部を予測するというふうに、さまざまな組み合わせで機械を訓練できる。

第7章で見たように、自己教師あり学習は、機械にテキストの単語を予測させるような訓練をする場合にうまく機能する。テキストの一部をいくつかの単語が隠された状態で機械の入力に提示し、欠けた単語を機械に予測させる。欠けた単語を予測するよう訓練するだけで、システムはテキストの意味と構造を表現することを学習する。テキストの場合は、予測の不確実性を比較的簡単に表現できる。システムはそれぞれの欠落語に対し、辞書内の各単語がその欠落語である確率を成分とする巨大なベクトルを生成する。したがって、システムの出力では、辞書に含まれるすべての単語に対する確率分布が欠落語の位置ごとに生成される。

しかし、入力が動画のフレームのように一連の大きな信号からなる場合は、残念ながらこうはいかない。ありうるすべての画像空間における確率分布をどのように表現すべきかが、よくわからないからだ。

たとえば、テーブルの上にペンを垂直に立て、指で支えているとしよう。指を離してから2秒後の状態（世界状態）を機械に予測させる。人間は、ペンがテーブル上で横倒しになることは予測できても、倒れる方向までは正確に予測できない。方向は予測不可能なのだ。私が何度も実験を繰り返している数多くの短い動画を使って機械を訓練すると、どの動画でも冒頭のセグメントは基本的に同じだが、最後のほうのセグメントは千差万別になる。倒れるペンの方向がバラバラなのだ。システムが、動画の最終セグメントのフレームを出力とするニューラルネットワーク（または別のパラメータ関数）である場合、システムは各入力に対してひとつの出力しか生成しない。だから、システムは予測誤差を最小化しようとして、妥当なすべての最終セグメントの平均を生成する。つまり、ありうるすべての方向を向いたペンを重ね合わせた画像を生成してしまう。これはよい予測ではない（図9.3）。

女の子のもとにバースデーケーキが運ばれてきた場面を撮影した動画を考えてみよう。ケーキが彼女の前に置かれている。そのケーキには火を灯したロウソクが立てられている。彼女は何をしようとしているのだろうか？　機械がそれを予測するには、特定の人間文化の慣習に関する多くの情報を含む世界モデルが必要になる。それに加えて、ロウソクを吹き消すことを予測するには、直観物理学の知識が不可欠だ。さらに、不確定な要素もある。女の子はロウソクを吹き消し損じるかもしれないし、招待客に怖気（おじけ）づくかもしれないし、まず拍手をし始めるかもしれない。このような条件で予測システムを訓練するにはどうすればよいのか？　少女の頭は前方にも後方にも動く可能性があるため、すべての可能性の中から最良の予測をするよう訓練されたシステムは、少女の頭の位置をさまざまに重ね合わせた画像、つまり、ぼやけた画像を生成してしまう（図9.4）。

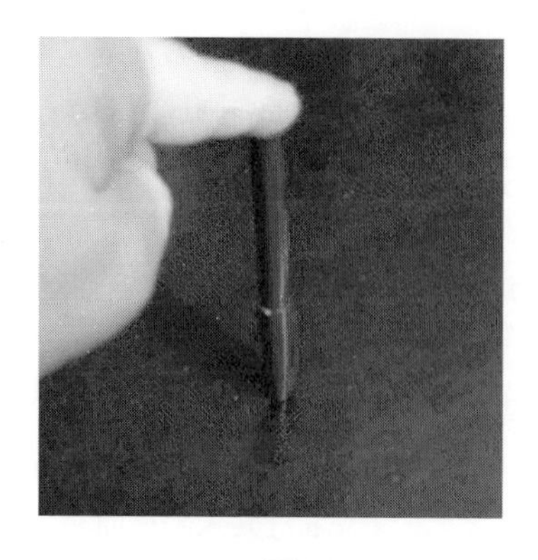

**図 9.3** ペンの倒れる方向は予測できない

ペンをテーブルの上に立て、指で支える。指を離すと 2 秒後にどうなっているかを観察者（人間または機械）に予測させる。人間は、ペンがテーブルの上に横倒しになることは予測できても、その正確な方向は予測できない。そこにはどうにもならない不確かさがある。動画の続きを予測するよう機械を訓練しても、ピンポイントの正確な予測はできない。ピンポイントで予測をするよう求められた場合、機械にできる最善策は、動画の冒頭を起点とし、それ以降に可能なすべての画像を平均することだ。しかし、この予測は右の画像のように、あらゆる方向を向いたペンを重ね合わせた画像になる。これはよい予測ではない。

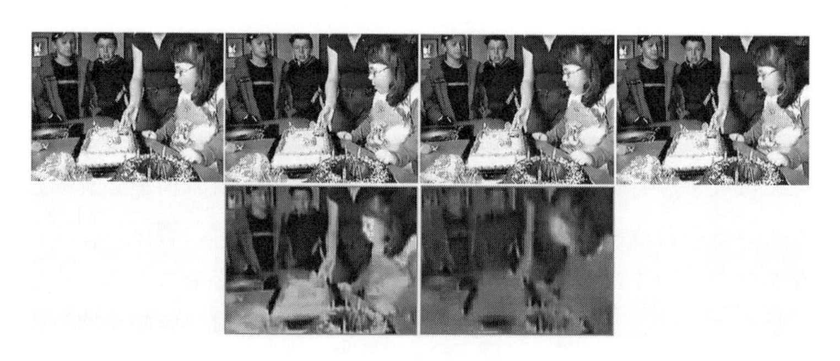

**図 9.4** 動画予測

バースデーケーキを前にした女の子を撮影したビデオクリップ。女の子がロウソクを吹き消すために頭を前に動かすのか、それとも拍手するために頭を後ろに動かすのかは予測が難しい。予測誤差を最小化するよう訓練されたシステムは、もっともらしい未来の平均値を予測する羽目になり、その結果、ぼやけた画像を出力する。上段：ネットワークの 4 つの入力フレーム。下段：何千本ものビデオクリップを使い、2 乗誤差最小化法によって訓練された畳み込みニューラルネットワークが予測した未来の 2 つのフレーム。

AIの進歩を妨げるさまざまな問題のうち、そのひとつを特定しろと問われれば、私はこう答えるだろう。信号が完全に予測可能ではなく、それが連続的かつ高次元であるとき、自己教師あり学習をどのようにして機能させるのか？

## 9-8　多重予測と潜在変数

自己教師ありモデルは、パラメトリック関数（ニューラルネットワークなど）`yp = g(x,w)`である。ここで、xは観測された入力部分、ypは予測値とする。教師あり学習の定式化と同一のこの定式化では、モデルは与えられた入力に対する予測以外には何もできない。解決のカギとなるアイデアは、潜在変数と呼ばれる引数zをgに追加することである。

```
yp = g(x,z,w)
```

与えられた集合において、zを変化させると、出力ypも集合内で変化する。与えられた集合において、zが変化したときに生成されるすべての出力の集合が、モデル予測の集合になる。その状況を図9.5に示す。

潜在変数モデルを訓練する方法は、いくつも存在する。最も人気があるのは、イアン・グッドフェローがまだヨシュア・ベンジオの研究室の学生だった2014年に提唱した、GAN（generative adversarial networks：敵対的生成ネットワーク）である[*6]。図9.6にGANの模式図がある。サンプル`(x,y)`が与えられたとき、zの

*6　Ian Goodfellow, Jean Pouget-Abadie, Mehdi Mirza, Bing Xu, David Warde-Farley, Sherjil Ozair, Aaron Courville, Yoshua Bengio, “Generative adversarial nets”, *Advances in Neural Information Processing Systems*, 2014, pp. 2672–2680.

値がその取りうる値の集合からランダムに抽出され、予測値 yp が生成される。z はランダムに抽出されるので、予測値 yp が所望値 y と一致する可能性はほとんどない。GAN のポイントは、「識別器」と呼ばれる第 2 のネットワークを訓練し、予測値 yp が妥当な出力の集合に含まれるかどうかを伝えることにある。識別器は、訓練可能なコスト関数とみなすことができる。識別器は、サンプル (x,y) に結び付けられた出力には低コストを与え、その他の観測には高コストを与えるよう訓練される。具体的に言えば、識別器は生成器 (x,yp) [訳注] の予測が間違っていると仮定し、その予測に高コストを与えるよう重みを調整する。同時に、生成器はその重みを調整して、識別器が低コストを与えるような予測を生成する。そのため、生成器は、その入力（つまり、生成器の出力）に対する識別器の出力の勾配にアクセスできる。

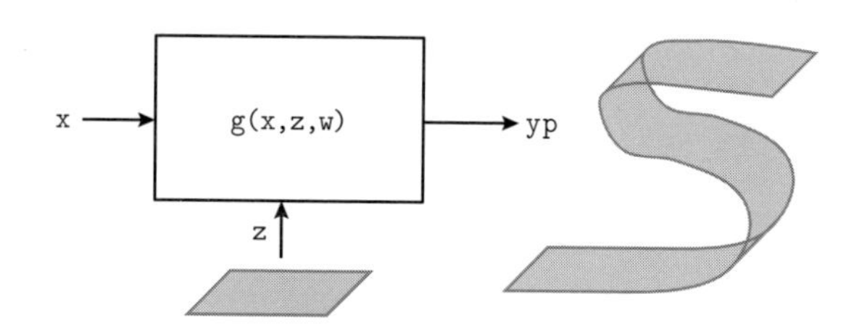


**図 9.5**　潜在変数モデル

潜在変数モデルは、潜在変数 z に依存している。集合（下のグレーの長方形で表示）内で z を変化させると、右のグレーのリボンで表される出力の集合を生成する。

---

**訳注**　生成器は、生成モデルと呼ばれるモデルを用い、何らかの値を受け取って、学習した分布に近い新たなデータを生成する。

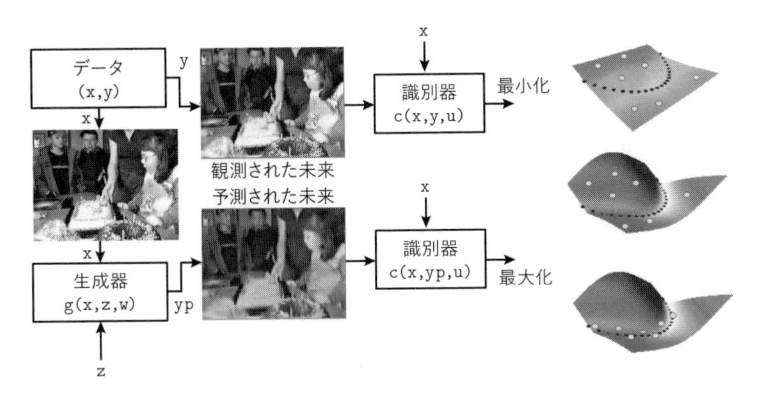


**図 9.6** GAN（generative adversarial networks）

GAN は同時に訓練された2つのネットワーク、生成的ネットワーク（生成器）と識別的ネットワーク（識別器）で構成される。生成器は、観測値 x（たとえば、短い動画の初期セグメント）、ランダムに設定された潜在変数 z（ベクトル）の値を取り、予測値 yp を生成する。この予測値は、識別的ネットワークによって評価される。このネットワークは、訓練可能なコスト関数の一種である。このコスト関数の形状は、学習段階により3つある。右図はそれをわかりやすく示したものだ。最初は、コスト関数がフラットになっている。与えられた x に対する観測された y は、黒い点である。識別器は観測された x に対して、観測された y には低コスト、生成器によって予測された yp には高コストを与えるようにパラメータ u を調整する。コスト関数は黒い点の周辺でくぼみ、生成器によって生成された白い点の周辺で隆起する。同時に、生成器は入力に対するコストの勾配を使って（識別器を介して誤差逆伝播しながら）、その予測点がコストの谷（つまり、よい予測値）に近づくようにパラメータ w を調整する。学習後、ランダムに z が抽出され、観測値 x が与えられると、妥当な yp の集合が生成される。

GAN は出現以来、驚異的な量の論文の対象となっている。動かすのがかなり難しいにもかかわらず、GAN は目を見張るような結果を生み出してきた。最初の華々しい成果は、2015 年 11 月に公表されたアレク・ラドフォード、ルーク・メッツ、スミス・チンタラの論文である[*7]。スミスは FAIR に所属し、アレクとルークはボストンでスタートアップをやっていたが、その後、スミスは OpenAI、後の 2 人は Google に参加している。この論文によると、

*7 Alec Radford, Luke Metz, Soumith Chintala, "Unsupervised representation learning with deep convolutional generative adversarial networks", *ICLR 2015*. https://arxiv.org/abs/1511.06434

畳み込み（というか逆畳み込み）ネットワークアーキテクチャを使用するGANは、かなり納得のいく合成画像を生成できる。生成器への入力は100次元の潜在ベクトルであり（この論文では入力xはなし）、出力は64×64ピクセルのカラー画像である。識別器は、出力がひとつの畳み込みニューラルネットワークだ。論文の著者たちは、ベッドルームの写真でネットワークを訓練した。訓練後、このネットワークに100個の乱数を与えると、架空のものではあるが、かなり現実味のある寝室の画像を生成する。この論文は爆弾並の効果をもたらした。誰もがGANにはまったのだ。GANは、古くからの夢であるデータモデリングを実現するひとつの方法である。具体的には、サンプルでしか知られていない高次元空間のきわめて複雑な表面をパラメータ化する。

私は1年後、私の研究室の学生ミカエル・マチューとFAIRパリの研究者カミーユ・クプリの3人で、GANが動画予測における画像のぼやけの問題を解決するのに役立つことを明らかにした[*8]。カミーユらFAIRのメンバーとともに、大物ファッションデザイナーの作品画像集で訓練をして、服の画像を生成しようとしたこともある[*9]。いくつかの例を図9.7に示す。

***8** Michael Mathieu, Camille Couprie, Yann LeCun, "Deep multi-scale video prediction beyond mean square error", *ICLR 2016.* https://arxiv.org/abs/1511.05440

***9** Othman Sbai, Mohamed Elhoseiny, Antoine Bordes, Yann LeCun, Camille Couprie, "DesIGN: Design inspiration from generative networks", *ECCV Workshops*, 2018. https://arxiv.org/abs/1804.00921

**図 9.7** GAN によって生成されたプリント服

大物ファッションデザイナーの作品画像集を使って、畳み込みアーキテクチャをもつ生成器を訓練した。

しかし、フィンランドにある Nvidia の研究所が公表した論文のテーマこそ、GAN に関する最も劇的な実証のひとつだった。有名人の肖像画のデータベースで訓練した畳み込み GAN によって、実にリアルで高品質な顔の生成に成功したのだ [*10]。

GAN に代表される深層生成モデルには、ほかにも古い映画フィルムのカラー化や画像解像度の向上、画像操作、合成ツールなど、創作の手助けとなる数多くのアプリケーションがある。音の合成や作曲に使っている人もいる。

しかし、こうした方法にも好ましくない応用技術が存在する。たとえば、「ディープフェイク」(deepfake) がそうだ。時に下劣なこの種の画像や動画によって、芸能界や政界の有名人たちが厄介な状況に置かれている。

GAN を使えば、人の声も変えられる。人物 A の音声信号を、人物 B が自分のイントネーションや訛り、抑揚で話したみたいに聞こえるように変換できるのだ。人物 B の声をクローニングするに

***10** Tero Karras, Timo Aila, Samuli Laine, Jaakko Lehtinen, "Progressive Growing of GANs for Improved Quality, Stability and Variation", *ICLR 2018*. https://openreview.net/forum?id=Hk99zCeAb

は、数分間の録音データがあれば十分だ。

GAN の学習は教師なしで行われる。そこで、敵対的な処理を行えば、教師あり学習を始める前にシステムの事前学習が可能になるとの期待が高まった。そうなれば教師あり学習中に必要となるサンプルの数を減らせるからだ。しかし、この手の方法はこれまでのところ、ビジョンシステムの能力を大幅に向上させるには至っていない。

さらに、GAN をテキスト作成に利用する方法はまだ見つかっていない。GAN には、文章のような非連続データよりも、画像のような連続データのほうが適している。

## 9-9 予測能力？

ここまでデータ表現を練り上げる自己教師あり学習の話をしてきた。最終的な目的は、自己教師あり学習を利用することによって、機械が観測を通して世界モデルを学習できるようにすることだ。ロボットの訓練ならずっと早く完了する。

人間や動物とは異なり、現在の機械には先を読む能力がない。人間は前頭前野に世界モデルをもっていて、周囲の環境の進化を予測したり、行動の結果を予想したりできるので、ひとつの行動、あるいは一連の行動を計画できる。AI 研究の一部では、この予測能力を機械に組み込む研究が始められている。

だが、天気予報はどうだろうか。天気予報とは、本質的に雲の動きや気圧の変化を予測するものである。予測は、天気予報にとってのDNA なのだ。われわれにはあまりなじみがないが、ロボット工学、航空工学、工業プロセスなどにおける制御システムについても同じことがいえる。ロボットにはその力学に関する詳細なモデルがあるので、モーターの作用で腕の位置と速度がどのような影響を受けるかを予測できる。NASA は国際宇宙ステーションとのランデブー軌道を計画するのにロケットの運動方程式を使用している。しかし、こうしたモデルは、エンジニアがニュートン力学を応用し、自力で作り上げたものだ。その点がまったく違う。その種のモデルは、訓練されていない。天気を予測したり、飛行機のまわりの空気の流れを計算したりするのも同じことだ。こうした時間的発展の法則は流体力学を熟知した物理学者による「手書き」の産物なのだ。

一方、都市の消費電力、金融資産価値や住宅の価格、住民の選挙行動、薬に対する人体の反応といった予測は、物理学の問題ではない。このようなモデルをプログラムするには、エネルギー保存則や運動量保存則などの基本原理だけでは不十分だ。複雑な集合的現象が、いくつかの基本原理に還元されることはめったにないからだ。だから、変数間の因果関係を扱う還元主義的モデルは当てにはできず、観測データから関心のある変数だけを予測する現象学的モデルに頼らざるをえない。家の価格は、居住空間の広さ、部屋数、敷地面積などによって決まる。しかし、近くの学校の質や家の日当たり、地区の静かさや住みやすさなど、数値化が難しい基準にも左右される。これらのすべてを方程式に当てはめるのは難しい。

こうしたデータに基づいて価格を予測するようシステム（ニューラルネットワークなど）を訓練することができないわけではないし、必要な変数がすべて与えられている場合もないとはいえない。だからといって、比較的単純な状況であっても、何が起こるかを予測できるようにモデルを訓練できるかというと、それは別問題だ。部屋に入る場面を想像してみよう。そこでは、よちよち歩きの幼児が、床に散らばる電気コードには目もくれず、勢いよくこちらに向かってくる。コードが足に引っ掛かったり、つまずいたりはしないだろうか？　コーヒーテーブルに頭をぶつけたり、端に置いてある花瓶を倒したりはしないだろうか？　こうしたさまざまな事態が起こる可能性を考え、あわてて転ぶのを防ごうとする。しかし、世界の仕組みを十分に学習し、そうした事態を防ぐために想像力を働かせるなんてことが、ロボットにできるだろうか？

そのためには、この電気機械式ベビーシッターが、カメラで状況を観察し、起こりうる一連のシナリオをわれわれのように予測する必要がある。しかし、動画の１セグメントをひとつの行動へと拡張するには、気が遠くなるくらいの可能性を考慮しなければならない。

今度は、料理ロボットを想像してみよう。環境が限られていて、仕事が比較的限定されていたとしても、ロボットは事前に複雑な世界モデルをもっている必要がある。人間の料理人と同じように、小麦粉に牛乳を注いだときや、ソースを沸騰させたときに何が起こるかを予測できなければならない。われわれが当たり前だと考えていることを、ロボットは理解している必要があるのだ。たとえば、大きな容器の中身を小さな容器に注ぎ込んだら、その先には災難が待ち受けている。ロボットは、ぶつかったらグラスが倒れてしまうことや、砂糖を取り出すにはサラダボウルを迂回したり動かしたりしなければならないこと、ハンドミキサーの羽根を装着するにはどのような動作をしなければならないか、などを直観的に予測する直観物理学の基礎知識を十分に身につけておく必要がある。

1. 入力変数の数は膨大だ。１〜２台のカメラからの画像、マイクからの音声、距離、接触、力、温度などの各種センサーからのデータ——その数は合わせて何百万にもなる。
2. このモデルは、時刻 t+1 における世界（料理！）の状況を、時刻 t における世界（料理）の状態と実行された行動の関数として与えるもので、きわめて複雑である。
3. さらには、予測不可能な部分にも対処しなければならないし、ほかにも……。

世界状態（キッチンでもロボットの環境でも何でもいい）とロボットの行動が与えられると、モデルは、未来のある瞬間に起こりうる世界状態をすべて予測するはずだ。これはよく次の関数で表される。

```
s[t+1] = f([t],a[t],z[t],w)
```

ここで、s[t+1] は未来の状態、s[t] は現在の状態、a[t] は実行された行動、z[t] は世界の進展において予測不可能なものの全体を表す潜在ベクトルである。この関数は、ニューラルネットワークで実現できる。

では、どのようにモデルを訓練するのか？ まず、ある特定の状態 s[t] からスタートする。次いで、行動 a[t] を実行し、ランダムに z[t] を抽出し、その結果を次の状態 s[t+1] で観測する。それから、f のパラメータ w を調整して、予測が観測結果に近づくようにする。予測は何通りも可能であり、これまで見てきたように、その可能性が問題を厄介なものにしている。敵対的な方法を使えば、このモデルを訓練できる。この予測は、z[t] を何度も抽出して繰り返すべきである。

一連の行動を計画するためのモデル学習は、FAIR はもちろん、バークレー大学、Google では子会社の DeepMind など、多くの研究所で人気の研究テーマとなっている。しかし、誰もが予測することの難しさという壁に直面している。世界を完全に予測することはできないからだ。

## 9-10 自律知能システムのアーキテクチャ

これまで説明してきたシステムは、どれもが自然信号の知覚と解釈に重点を置くものだった。強化学習は、知覚と行動を単一の学習パラダイムに統合しようとする試みである。しかし、先に見たように、ロボットや自動運転といった多くの実用的アプリケーションにおいて、こうしたシステムを訓練するのに必要な試行錯誤の数の多さは、まったく非現実的なものだ。

今や、認識、計画、行動を学習できる自律知能エージェントの一般的アーキテクチャについて考えるときが来ている。この問題については多くの研究が進められているが、その進め方については専門家同士のコンセンサスがないに等しい。

自律知能エージェントの最たる例は人間である。人間の振る舞いを観察してみれば、機械に何がまだ足りないのかが理解できるはずだ。人間の行動は、2つのメカニズムによって制御されている。ひとつ目は、刺激反応型のものだ。これは深く考えずに実行可能なタスクを制御する。たとえば、ボールが投げられると、落ちる前にそれをキャッチする。「2＋2は？」と聞かれると、「4」と答える。まっすぐで人気のない道なら、われわれはあまり注意を払わず、機械的に運転している。

第2のメカニズムは、熟考型のものだ。これはわれわれの世界モデルと計画能力に関係している。たとえば、ボートを牽引した車を狭いスペースに停めなければならない場合などがそうだ。ほかにも、さまざまな例が考えられる。見知らぬ町で列車に乗る。買うものをあれこれ選ぶ。物語を語る。銀行員や役人と交渉する。定理を証明したり、プログラムを書いたり……。

この2種類の思考と行動は、ノーベル経済学賞を受賞した有名な心理学者ダニエル・カーネマン[*11]が「システム1」、「システム2」と呼んでいるものだ。システム1の行動には、物体が急に顔に近づいてきたときにまぶたを閉じるといった生得的なものもあるが、ほとんどは学習されたものだ。システム2の行動には、意識的で熟考的な推論過程がかかわっている。

機械に目を向けてみよう。これまでのシステムはすべてシステム1、つまり「反射的」システムに属する。機械にシステム2の「熟考的」システムにかかわる行動をさせるには、どんなアーキテクチャが必要になるだろうか？　図9.8に、自律知能システムを実現できる可能性のあるアーキテクチャを示す。これは、環境と相互作用す

***11** Daniel Kahneman, *Système 1 / Système 2. Les deux vitesses de la pensée*, Flammarion, 2011.

るエージェントと、エージェントの不満度を測定する目的モジュール（コスト関数の一種）で構成されている。エージェントは、知覚モジュールを介して環境を観測する。この知覚モジュールは、エージェントのまわりの世界の（一般には不完全な）表現を与える。目的モジュールは、エージェントの内部状態を観測し、コストに見合った数値を出力として生成する。計算されたコストは、すべてがうまくいっているときは低く、何か問題が生じたときは高くなる。エージェントは、長期的に計算された目的の出力の平均値を最小化するよう自らを訓練する。つまり、機械に対してもそう呼べるなら、痛み（高コスト）、快楽（低コスト）、衝動（満足していないときは高コスト、満足しているときは低コスト）を、目的モジュールが「計算」してくれるのだ。エージェントは、環境に合わせて行動しながら、痛みを最小化、快感を最大化し、自分の衝動を満足させることを学習する。

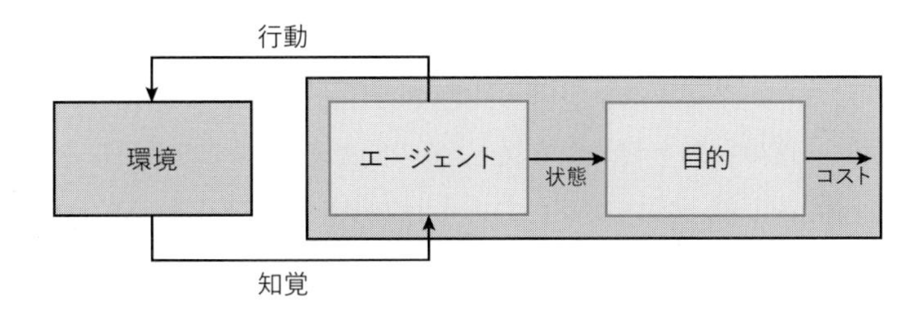


**図 9.8**　内在的な目的をもつ自律知能システム

システムは、知覚モジュールを介して環境の状態を観測する。次いで、不満度を測定する目的関数（コスト関数の一種）を最小化するように、環境に対する行動を生成する。この目的関数は、エージェントの内部状態を観測し、エージェントが満足している状態であれば小さな数値の出力を、不快や苦痛を感じている状態であれば大きな数値の出力を生成する。システムは、長期的に目的の平均値を最小化する行動を生成することを学習するはずだ。この目的は、システムに内在的動機付けを与える。動物や人間における痛みや快楽の回路と本能のように、システムや使用者のセキュリティ確保のため、部分的に「手動で」構築することができる。しかし、部分的に訓練することもできる。

脳内では、大脳基底核[*12]にある構造体群が同様の役割を果たしており、われわれの快楽、痛み、満足度を「計算」する。このアーキテクチャは、いわば「内在的に」動機付けられた強化学習の基礎となるもので、目的モジュールによってコスト値が機械内で内部的に計算される。AlphaGoに使われたような強化学習の古典的モデルでは、動機付けは外在的である。コスト値はシステムによって計算されるのではなく、報酬や罰を表す数値の形で、環境によってエージェントに直接与えられる。内在的目的をもつことでその勾配計算が可能になり、目的を最小化するためにエージェントの状態をどの方向に修正すればよいかがわかるようになる。

人間は行動しようとするとき、望ましい世界状態を念頭に置いている。この望ましい状態に到達しうる一連の行動を計画するには、一連の行動から生じる世界状態を予測可能な世界モデルを使用する。ある部屋から別の部屋にテーブルを移動させなければならないとしよう。望ましい状態は「別室のテーブル」である。しかし、ミリ秒単位でどのように筋肉を制御すれば、期待された結果が得られるのだろうか？　これは計画の問題である。世界モデルがなければ、人間は一連の行動を何通りも試し、その結果を観測する羽目になる。このモデルでは、すべてのシナリオ——中には危険なものもあるだろう——をもれなく試す必要はない。強化学習の場合は、先に述べたとおり、システムがモデルをもっていないので、すべてを試してみる必要があるのだ。

現実世界の環境は微分できない。これは専門家向けのジョークだが、行動をどのように修正すれば望ましい状態に近づけるかを計算するために、世界中の勾配を逆伝播させることなど不可能なのだ。また、現実世界をリアルタイムよりも速く動かすこともできない。

人間と同じように、機械は世界モデルをもつ必要がある。そのことを強調しておきたい。エージェントは、世界モデルを含んだ内部

---

*12　大脳基底核は大脳の基部に位置する神経核で、感情や動機付けに関与する。

構造をもたなければならない。エージェントは世界モデルによって、世界状態とその目的に対する一連の行動の結果を予測できるようになるのだ。内部モデルをもつエージェントのアーキテクチャを図9.9に示す。これは3つのモジュールで構成されている。

1. 世界状態の推定値を生成する知覚モジュール。
2. 世界モデル、つまり関数`g`は、時刻`t`において、現在の状態`s[t]`、行動`a[t]`、場合によっては、ランダムに抽出された潜在変数`z[t]`の関数として、次の状態`s[t+1]`を予測する。世界を完全に予測できない場合は、いくつものシナリオが生成される。

   `s[t+1] = g(s[t],a[t],z[t],w)`

3. 識別器、つまりコスト関数`C(s[t])`。識別器は、項の総和だ。それぞれの項は人の手によって構築されることもあれば、ニューラルネットワークによって訓練され実現されることもある。訓練の場合、目的の未来の平均値を予測するよう調整される。この値は、ある世界状態が好ましい結果をもたらすか、好ましくない結果をもたらすかを示す。正確を期すなら、よい世界モデルには、エージェント自身の（おそらく単純な）モデルも含まれるべきである。

このアーキテクチャは、2つの方法で使用できる。この2つは、ダニエル・カーネマンの「システム2」（熟慮的な計画）と「システム1」（迅速な反応）にほぼ対応する。

まずは、最適制御エンジニアが「モデル予測制御」（model predictive control）または「後退ホライズン制御」（receding horizon control）と呼ぶ、熟慮的な計画から説明しよう。エピソードは、知覚モジュールによる世界状態の推定から始まる。この状態は、世界モデルを初期化する。次に、モデルは`z`のランダム列と仮説的行動の列を使って、一定期間（一定のステップ数、これがホライズン[訳注]）の世界の進展をシミュレートする。`s[t+1] = g(s[t],a[t],z[t])`。

---

**訳注** シミュレーションの限界という意味。

各時刻において、コストはC(s[t])で計算される。ここで、仮説的行動の列の平均コストが最小化するように列を洗練させることが問題になる。これは勾配降下法で実行できる。残念ながら、この操作は、潜在変数の列z[t]のランダム抽出ごとに何度も繰り返す必要がある。というのも、潜在変数とは無関係に好結果（低コスト）につながる最初の行動を見つけたいからだ。この最適行動が特定されれば、それを実行し、新たな世界状態を観測する。そして、この操作を繰り返す。これでエピソードが終了する。モデルが潜在変数

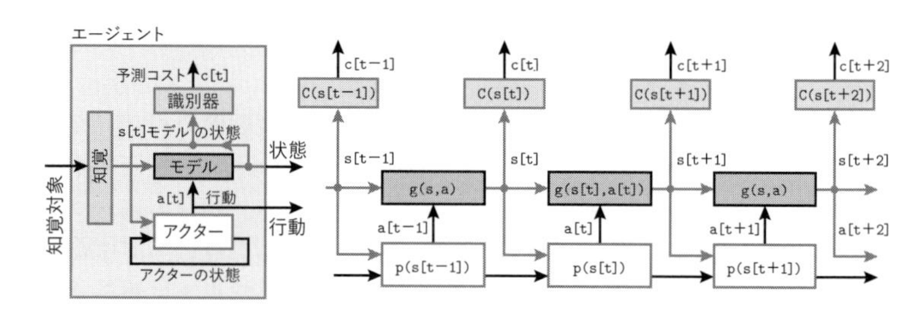


**図 9.9**　予測モデルをもつ自律エージェントの内部アーキテクチャ

知能行動によって目的を最小化するには、エージェントが、環境の予測モデル、目的の未来の平均値を予測する識別器、一連の行動を提示するアクターという3つの構成要素をもっていなければならない。エピソード中、知覚モジュールは世界状態s[0]を推定する。各時刻tにおいて、モデルに行動仮説a[t]と抽出した変数z[t]を与え、モデルs[t+1] = g(s[t],a[t],z[t],w)を使って、次の世界状態を予測する。識別器は、予測された状態s[t]を取り、コストを計算する。次いで、モデルの状態が好結果をもたらすかどうかを予測しようとする。識別器は、目的モジュールの未来の平均出力を予測するよう訓練され、長期的な平均不満足度の予測値を計算する。

行動を計画するために、エージェントは一連の行動の仮説を立て、モデルを展開する（右）。次に、軌道上で計算された平均コストが最小になるように、仮説的行動の列を洗練させる。モデルとコストは微分可能な関数（ニューラルネットワーク）なので、この洗練は勾配降下法によって実行できる。エージェントはこのようにして最適化された列の最初の行動を実行し、新しい世界状態を観測する。そして、このプロセスを繰り返す。こうして得られた行動は、計画を立てたりモデルを使用したりする必要なく、最良の行動を直接予測するようアクターを訓練するための、つまり、推論的行動から直観的行動へと移行するためのターゲットとして使える。

の抽出ごとに多様なシナリオを生成する場合は、計算に少し時間がかかる。

2つ目の方法は、アクターモジュールを訓練することだ。アクターモジュールは「方策ネットワーク」(policy network) とも呼ばれる。先の方法と同じく、モデルはいくつかのステップを経て実行され、平均コストが計算される。しかし今度は、アクターモジュール(入力として世界状態を取り、行動 a[t] = p(s[t]) を生成する関数 p) によって仮説的行動の列が生成される。アクターを訓練するには、コスト勾配をエピソード全体を通して誤差逆伝播し (図 9.9 の右側)、列の平均コストが最小化するように p のパラメータを調整する。

応用例を挙げる。高速道路上で自律走行車を訓練しようとしている場面を想像してみよう。もちろん現実には、訓練し終わっていない車を高速道路に放り出すなんてことはありえない。あくまで想像の話だ。まずはモデルに、まわりの車がどう動くかを数秒間隔で予測させるのがよいだろう。世界状態、というか車の周辺環境の状態は、車を中心とした長方形の画像で構成されており、そこには周囲の車と道路上の車線が表現されている。この長方形の過去の数フレームから、ConvNet は未来の数フレームを予測するよう訓練される。このネットワークには、いくつものシナリオを生成できる潜在変数が組み込まれている。潜在変数がないと、予測がぼやけてしまう。訓練用のデータは、高速道路の1区画のトラフィックを観測するカメラで撮影されたものだ。予測モデルの訓練後、図 9.9 のように、「時間における」誤差逆伝播法でアクターを訓練する。コスト関数は、ほかの車との距離と車線の中心からのずれを測定する。モデル予測の不確実度を測定する項をひとつコスト関数に追加すれば、この項によって、システムは信頼できる予測の範囲内に収まるようになる。この条件なら、システムは現実世界とはまったく相互作用することなしに、「頭の中で」運転することを学習する[*13]。

この方法は、単純なケースでは満足のいく結果が得られるが、すぐに困難が生じる。1. 多くのタスクや状況に対応できるように能力を向上させるには、世界モデルをどのように訓練すればよいのか？ 2. 起こりうる未来のシナリオの大半を予測できるようにするには、潜在変数モデルをどのように訓練すればよいのか？ 3. 確実にモデルの予測が信頼できる範囲内で使われるようにするにはどうすればよいのか？

私の見るところ、これらの問題に対する満足のいく解決策が見つかるまでは、人間に近い知能をもつシステムに向けた大きな進歩はない。

ゴールはまだ遠い。

## 9-11 ディープラーニングと推論：動的ネットワーク

2つ目の挑戦。これまで述べてきたネットワークは、知覚が可能で、時には行動も可能なものだった。しかし、どうすればネットワークに推論能力を授け、本当の知能をもつ存在にすることができるのだろうか？

先ほどは、ある特定の種類の推論の話をした。コスト関数の最小化によって予測モデルから一連の行動を計画するという推論である。実際、多くの推論は、特定の関数を最小化する一連のベクトル（または記号）を求めることに帰着する。いってみれば、制約充足問題を解くようなものだ。

---

*13 Mikael Henaff, Alfredo Canziani, Yann LeCun, "Model-predictive policy learning with uncertainty regularization for driving in dense traffic", *ICLR 2019*. https://openreview.net/forum?id=HygQBn0cYm

しかし、それとは異なる性質をもつ推論形式も少なくない。図9.10の画像を考えてみよう。「メタリックグレーの円柱の右側に光沢のある物体がある。その物体は大きなゴムボールと同じサイズか？」。この質問に答えるには、球体を見つけ、円柱を見つけ、両者のサイズを比較する必要がある。そうするには、固定アーキテクチャのニューラルネットワークをこの種のあらゆる質問に答えられるよう訓練するのではなく、ネットワークを訓練して、この質問に答えることだけに特化した2つ目のネットワークを生成するという考え方が有効だ。この第2のネットワークの構築は動的に行われ（つまり、質問が変わるたびに再構築される）、この質問の場合は、5つのモジュールで構成される。ひとつ目は画像内の球体を検出するモジュール。2つ目はメタリックの円柱を検出するモジュール。3つ目はその右側にある物体の位置を特定するモジュール。4つ目はその物体に光沢があることを確認するモジュール。そして、5つ目はサイズを比較するモジュール。第1のネットワークは言語翻訳ネットワークに似ているが、文章をある言語から別の言語に翻訳するのではなく、質問を第2のネットワークのアーキテクチャを記述する一連の命令に「翻訳」する。これらはすべて、CLEVRというデータベースを使ってエンドツーエンドで訓練された[*14]。CLEVRは、FAIRとスタンフォード大学が構築したデータベースで、10万枚の合成画像と自動生成された85万組の質問と回答で構成されている。

---

***14** https://cs.stanford.edu/people/jcjohns/clevr/

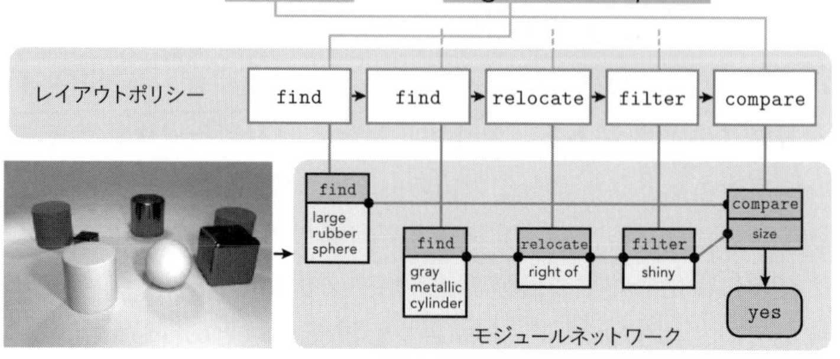


**図 9.10** 出された質問に回答するためのネットワークを動的に生成・出力するネットワーク

質問は、「メタリックグレーの円柱の右側に光沢のある物体がある。その物体は大きなゴムボールと同じサイズか？」。この質問に答えるには、該当する特性をもつ球体と円柱を見つけ、両者のサイズを比較しなければならない。第１のネットワーク（上）は、翻訳システムに少し似た働きをする。このネットワークは、質問を入力として受け取り、それを５つのモジュールで構成されたネットワークのアーキテクチャを記述した「文章」（一連の命令）に変換する。この文章は、この質問に回答するために特別に構築された第２のネットワークに変換される。５つのモジュールは、球体と円柱、それから両者の位置を検出し、回答を生成するために両者のサイズを比較する。画像ならびに自動生成された質問と回答で構成されたサンプルを使って、システムをエンドツーエンドで訓練する（出典：Hu *et al.*, 2017, FAIR[*15]）。

入力データに応じてニューラルネットワークが動的に生成されるというアイデアから、微分可能なプログラミングという新しい概念が生まれた。そこで書かれるのは、「変数 z に 4 を足す」といった固定演算を命じるプログラムではなく、関数が学習によって決まるディープラーニングのモジュールだ。プログラムの役割は、タスクにふさわしく配置されたモジュールグラフ（ネットワーク）を生成することになる。このグラフ（ネットワークのアーキテクチャ）は

***15** Ronghang Hu, Jacob Andreas, Marcus Rohrbach, Trevor Darrell, Kate Saenko, "Learning to reason: End-to-end module networks for visual question answering", *ICCV 2017*. http://openaccess.thecvf.com/content_iccv_2017/html/Hu_Learning_to_Reason_ICCV_2017_paper.html

事前に決まっているわけではなく、入力データに応じて変化する。次いで、システムは教師ありで訓練される。プログラムの「命令」、つまり各モジュールの正確な関数は、この学習段階で決定される。これは、モジュールの微分可能性やモジュールグラフの自動微分、勾配降下法による学習を活用した新しいプログラムの書き方である。この点にこそ本当の革命を見る人もいる。

## 9-12 知能をもつ物体

AI は計算が大の好物だ。大規模畳み込みニューラルネットワークの訓練には、GPU カードを大量に搭載したマシンで数時間から数日かかる。訓練済みのネットワークは、データセンターのサーバーで画像やテキストをフィルタリングしたり、ラベルを付けてソートしたり、音声を認識したりするために使用される。図 6.9 では、1 枚の画像の認識に数十億回のデジタル処理が必要であることを示した。エンジニアチームは、サイズとメモリフットプリントを最小限に抑え、標準プロセッサを使用しているサーバー上でも高速で動作するように、ネットワークを自動的に簡素化する研究に取り組んでいる。

最近、畳み込みニューラルネットワーク計算専用のプロセッサを必要とするアプリケーションが増えてきている。専用プロセッサのアーキテクチャは、標準プロセッサとはかなり異なっている。専用プロセッサは、自動車の運転支援システム、即時翻訳や AR（Augmented Reality：拡張現実）対応の携帯電話、撮影を最適化するスマートカメラ、偉業達成間近の人物を追跡してその瞬間を動画に収めるドローンなどに搭載されている。将来的には、AR ゴーグル、家庭用ロボットやメンテナンスロボット、自家用車やトラック、自律型配送ロボットにも、深層ニューラルネットワークが搭載されるようになるだろう。

そのためには、TFLOPS の計算力をもち、低コストで低消費電力の新しいツール、ニューラルプロセッサの開発が必要だ。「ちょっとした」畳み込みニューラルネットワークでも、1枚の画像を解析するには100億回もの演算をしなければならない。1秒30コマの動画をスマートフォンで撮影するには、消費電力が1ワット以下で300GFLOPSのプロセッサが必要になる。スマホのバッテリー容量は約10ワット時だ。1ワットのプロセッサなら10時間で空になる。いくらなんでも短すぎる。

この性能を達成するために、ニューラルプロセッサには斬新なアーキテクチャが使われる。大量のエネルギーを消費するデータ交換を最小限に抑えるために、演算ユニットとメモリをシリコンチップ上で混合し、分散させる。計算は精度の低い数字で実行される。ニューロンの重みと活性状態を表現するには、数ビットもあれば十分である。古典的プロセッサのように、32ビットや64ビットの数字を符号化する必要はない。ディープラーニングアプリケーションが身近な機器に組み込まれることによって新たなチャンスがもたらされ、集積回路業界では技術革新が爆発的に進んでいる。

Nvidia、Google、Facebook、Microsoft、Amazon、Samsung、Intel、Qualcomm、Apple、ARM、Baidu、Alibaba、Huaweiといった大企業から、アメリカ、中国、台湾、ヨーロッパに散らばる無数のスタートアップまで——世界中のあらゆる企業が自社のニーズに合わせて、新世代のスマートフォン、家庭用ロボット、仮想アシスタント、仮想現実（VR）や拡張現実（AR）用ゴーグル、スマートカメラ、自律走行車など、さまざまな知能をもつ物体用に、それぞれ独自のニューラルプロセッサを開発している。

## 9-13 AIによる未来

医療、自律走行車、仮想アシスタント、家庭用・産業用ロボット——この4つのカテゴリが、潜在市場の大きさから、大企業が興味を抱く主要なAIアプリケーションとなっている。最初の2つについては、すでに述べた。既存の技術は、すでに医療や運転支援に影響を与えている。しかし、多くの研究者は、大きな概念的ブレークスルーが起きて初めて、これらのアプリケーションが普及すると考えている。

おそらく自己教師あり学習と予測モデルを使わないかぎり、ラッシュアワーのニューヨークやパリ、ローマ、コルカタの街中で、人間の介入なしに完全自律走行車を走らせるのは不可能だろう。人間がほんの20時間程度で運転を学習してしまえる理由を、なんとか解き明かす必要がある。

仮想アシスタントについては、まだまだ能力不足である。人間に近い知能をもち、常識がそれなりに備わっていれば、理想的だ。そうなれば、日常生活の役に立つ。もはや電話や電子メール、インターネットで何時間も費やして、事務的な問題を解決したり、携帯電話サービスに連絡したりする必要はなくなる。友人との旅行や外出の計画、スケジュール調整、メールの選り分けなどもすべてお任せだ。仮想アシスタントがいれば、どんな質問にも答えてくれる。商談の場でも助けになるし、前の会議の結論を思い出させてくれたりもする。だが、「常識」の革命が起こらないかぎり、どれも実現することはない。

2013年に公開されたスパイク・ジョーンズ監督のSF映画『her/世界でひとつの彼女』では、男性と仮想アシスタントとの、いかにもありそうな交流が描かれている。セオドアは、スカーレット・ヨハンソンの声をもち、彼がサマンサと名付けたコンピュータ的実体に恋をする。AIをリアルに扱った数少ない映画のひとつだ。シナリオはSF的だが、心理は正確に描かれている。人間は、身のまわりの物や動物、人に愛着を抱く傾向がある。ならば、仮想アシスタントでも同じことだ。仮想アシスタントが「ご主人様」との交流に基づいて人格を形成するようにプログラムされているのであれば、なおさらである。

だが、先走るのはやめておこう。本物のロボットはまだSFの世界のものだ。わが家の掃除機は一応ロボットと銘打たれているが、基本的にかなり頭が悪い。すぐにテーブルの下や椅子の後ろに挟まって動かなくなる。家中を隅々まで掃除してくれるお手伝いロボットはいつになったら登場するだろうか？

自律型芝刈り機は、万一の場合を考慮する必要があるので、障害物を検出する基準が高めに設定されている。しかしまだ、花壇の花とタンポポの区別ができない。せっかく育てた花もこれではすべて台無しだ。庭の花の世話をしたり、ラズベリーを摘んだり、雑草をひっこ抜いたり——そんなことをしてくれる庭師ロボットは、いったいいつお目見えするのだろうか？

製造業で使われているロボットは、事前に登録しておいたルーチン作業をひたすら繰り返しているが、条件が変わると複雑な操作や組立作業を実行できなくなる。腕の立つ産業ロボットの登場はいつになるだろうか？

仮想アシスタントや自律走行車の場合のように、こうした知能をもつロボットは、世界モデルを学習し、複雑な行動を計画できるようになって初めて、現実のものとなるだろう。

今後は、こうしたAIアプリケーションが社会を変えていく。しかしそのためには、機械がクリアしなければならない条件がいくつもある。動物や人間と同じくらい効率よく学習し、自己教師あり学習によって世界モデルを獲得し、ある程度の常識が生まれるくらいに数多くの世界知識を蓄積しなければならない。

以上がAI研究の現実的課題である。

Chapter

# 10

# AIの問題点

10-1 AIが社会や経済を変える
10-2 AIイノベーションエコシステム
10-3 AI革命の恩恵を受けるのは誰か？
10-4 軍事転用の危険性
10-5 バイアスとセキュリティ逸脱
10-6 AIは説明可能であるべきか？
10-7 人間の知能に対する理解は深まるか？
10-8 脳は機械にすぎないのか？
10-9 すべてのモデルは間違っている
10-10 心配する声
10-11 AIが飛躍的発展を遂げるには？
10-12 生得的なものと後天的なもの
10-13 機械に意識は宿るだろうか？
10-14 思考における言語の役割
10-15 機械に感情は宿るだろうか？
10-16 ロボットは権力を握ろうとするだろうか？
10-17 価値観の一致
10-18 新たなフロンティア
10-19 知能の科学？

AI は多くの問題を投げかける。社会を揺るがし、経済を大きく変える。これまでの技術革命と同じように、新しく生み出される仕事もあれば、なくなってしまう仕事もあるだろう。得をするのは誰なのか？

AI は技術であり、科学であり、道具であり、そのすべてが入り混じったものだが、仕組みを理解しないと使えないものなのだろうか？　説明がつかないと信頼できないものなのだろうか？

AI は脅威なのか？　スマート兵器は恐れるべきものなのか？　殺人ロボットや悪意をもったドローンが出現する日は来るのだろうか？　われわれの想像力は、判断を曇らせる情報で埋め尽くされている。

将来的には、法律や規則によって、その能力を制限するべきだろうか？

AI はおそらく、人間は自らの力で成長するものだという人間観を変えてしまうだろう。AI はすでに人間の脳の働きを理解するのに役立っている。しかし、人間や機械の認知能力の本当の限界はどこにあるのだろうか？　多くの分野で機械に勝てないのであれば、人間の知能は思ったほど万能ではないと結論付けるべきだろうか？

機械は生物に対抗できるのだろうか？

そして人間の脳が、AI に追いつかれるくらいの限られた能力しかもたない機械であるとしたら、人間の地位はどのような影響を被るだろうか？

機械はいずれ、あらゆるゲームで人間より強くなるのだろうか？　創造力や意識をもつようになるだろうか？　衝動や感情、道徳や倫理さえもつようになるだろうか？　機械の価値観を人間の価値観と一致させるにはどうすればいいのか？　機械は人類を支配しようとするだろうか？

嵐のように疑問が押し寄せてくる。この章では、こうした問題について考えてみよう。

## 10-1 AIが社会や経済を変える

経済学は私の専門分野ではないので、著名な経済学者たちから得たいくつかの考察をざっと紹介するにとどめる。彼らは、AIを汎用技術（GPT：general-purpose technology）だと考えている。「汎用技術」であれば、今後数十年のあいだに普及し、経済生活を大きく変えることになる。歴史上、人間はこれまでに蒸気機関や電気、コンピュータといった汎用技術を受け入れてきた。

そういった過去の技術革新にともなう大変動と同じく、人工知能によっても職業の再編が起こるだろう。まだ想像しにくいが、新しい職業が生み出されるはずだ。20年前にいったい誰が、YouTubeのようなサービスが多くの動画制作者の生活を支えるようになったり、FacebookやInstagramで物作り作家が世界中に顧客を見つけられるようになったりすると予想しただろうか？　産業の大変動によって、消滅する仕事もあれば、新たに出現する仕事もある。過去を振り返れば、1870年には、フランス人の2人にひとりが農業を生業（なりわい）としていたのだ。その割合は2019年の時点で、20人にひとりにまで低下している。人間はそうした大変動にも適応してきたし、これからも適応していくだろう。

経済学者はまた、今後10年ないし20年のあいだに、AIが生産性（労働時間あたりの富の生産量）に大きな影響を与えると考えている。これは、仮にAIがこれ以上進歩しない場合であっても当てはまる。この新しい革命の成果は、どのように再分配されることになるのだろうか？　テクノロジーの普及にともない、一部の労働者のスキルが時代遅れになる。労働者は新しい職業に就くための訓練をしなければならないだろうし、社会は労働者の受け皿を用意する必要がある。

私は、こうした進歩が加速することで、ますます多くの労働者が置き去りにされてしまうのではないかと危惧していた。しかし、

MIT のエリック・ブリニョルフソンのような、この問題を専門とする経済学者はわれわれを安心させてくれる。彼らによれば、汎用技術が経済に浸透するスピードは、労働者がその技術を使いこなせるようになるのにかかる時間の制約を受ける。そのプロセスには15～20年を要する。コンピュータ業界が生産性を向上させたのは、キーボードとマウスの使用が普及した1990年代半ばになってからだった。

AI にも同じことが言えるだろう。消滅の危機に瀕(ひん)した職業の数が増えるほど、テクノロジーの経済における普及は遅くなる。そこから何を学ぶべきか？　国家が AI によるチャンスを活用するための最善策は、教育に多額の投資をすることだ。あらゆる教育段階（高校、大学、大学院、もちろん社会人教育も含む）で、変化に対応できる人材を養成しなければならない。それだけではなく、イノベーションに適したエコシステムの構築も必要である。

## 10-2 AIイノベーションエコシステム

イノベーションにはそれに見合った風土が必要だ。基礎研究は、公共投資や民間投資を含むエコシステムの第1の構成要素である。ホットスポットは主要な大学周辺に集中していることが多く、アメリカでは、スタンフォード大学やカリフォルニア大学バークレー校周辺のシリコンバレー、ハーバード大学やマサチューセッツ工科大学（MIT）周辺のボストンのビオトープ、ニューヨーク大学、コロンビア大学、コーネル工科大学周辺のニューヨークのビオトープなどがある。

エコシステムの2つ目の構成要素は官民双方の研究所である。フランスではパリがハブの役割を果たしている。数多くの工学系の学校や大学、公的な研究センターがあるほか、Facebook、Google、Samsung、Amazon、Huawei、Valeo などの AI 研究所もある。

3つ目の構成要素は、一群のスタートアップだ。さまざまな投資を受ける制度やインキュベーション施設はスタートアップにとってありがたい存在だ。パリには、Facebookも後援しているスタートアップ向け巨大施設Station Fがある。この点で、パリは今後、ヨーロッパのスタートアップにとって最も重要でダイナミックな場所となっていくだろう。

しかし、フランスは構造的な問題を抱えている。特に科学技術分野では、研究者や大学など高等教育の教員に十分な給与が支払われておらず、民間や外国に人材が流出している。2019年時点のアメリカの一流大学におけるコンピュータ科学の若手の新人教員の例を見てみよう。初年度の給与が年間約10～12万ドル。研究室を立ち上げるための費用が約20～30万ドルかかるので、資金調達のために、民間や軍関連のしかるべき機関にプロジェクトを提案したり、産業界と契約を結んだりする。博士課程の学生の論文指導も行う。年に2コマの講義を受けもつ。これは年間で約80時間の授業に相当する。給料は年に9カ月分が支払われる。夏の3カ月は、研究費(グラント)を獲得して、そこから自分の給料分を支出することもできるし（つまり給料が33%上乗せされる)、産業界で働いてもいい。

さらに、学期中も週1日、産業界のコンサルタントとして働くことができる。上司の指図を受けるわけでもなく、自分ですべてを決められる。しかし、インセンティブ制度が採用されているので、若手教員は自分の研究分野で認められるよう懸命に努力して、「テニュア」審査に合格しなければならない。この資格を取得すると終身雇用となり、採用から最長6年後に「助教」から「准教授」に昇進できる。これが、有名な「publish or perish（論文を出さなければ、大学から出される)」の法則だ。給料や労働条件は、専門分野によって、また大学によっても大きく異なる。教育機関は、公立・私立を問わず、優秀な人材を集めるために競い合っている。

一方、フランスの若手研究者は苦労している。講師のポストに就くには、CNRSやInria、大学などの型にはまった選抜試験に合格しなければならない。新人教員の給料は、年間約3万ユーロ（最低賃金の1.5倍あまり）である。彼らは研究職に就くまでに、大学などで少なくとも8年間の高等教育を受け、その後は海外でポスドク生活を1、2年送っていることが多い。国際的科学雑誌に優れた論文を数多く発表している者も少なくない。なのに、この扱いである。これではまるで聖職者だ。フランスの若手教員は、博士課程の学生を公式に指導することを許されていない。そのためには、数年待って博士論文指導資格（アビリタシオン）を取得する必要がある。若手教員は、年間180時間の講義、または192時間の演習、または280時間の実習を担当しなければならない。給料が安いので、収入を補うために補習授業もこなしているかもしれない。

そんなことをしていると、研究する時間はほとんど残らない。研究に専念したいのであれば、InriaやCNRSで研究員のポストを得る必要がある。給料は講師と同じだ。フランスの大学では、専門分野による扱いの差はない。ほかのヨーロッパ諸国も状況は似たようなものだ。ヨーロッパで北米の大学に匹敵する条件を備えたポストは、ローザンヌとチューリッヒにあるスイス連邦工科大学など、スイスにしかない。

フランスでは、このような劣悪な条件にもかかわらず、候補者は引きも切らない。しかし、このまま彼らを引き止めておけるだろうか？　北米の研究が活気にあふれているのは、世界中の優秀な人材を引きつける魅力がそこにあるからだ。科学分野におけるアメリカの若手大学教員の半数以上は、主に中国、インド、ロシア、イギリス、ヨーロッパ大陸で生まれ、母国以外で教育を受けた人たちだ。

## 10-3　AI革命の恩恵を受けるのは誰か？

AI革命が万人の利益になるとは思えない。資格の必要な仕事、創造的な仕事、人間関係や人間へのサービスを中心にした仕事——

こうした職に就いている人のほうが、部分的または完全に体系化され、自動化される可能性のある仕事をしている人よりも、現在の仕事にとどまれるチャンスが大きい。AIの使用にかかわる利益が全従業員に平等に分配される可能性は低く、政府が財政対策を施して是正しないかぎりは、経済的不平等が拡大するだろう。

オートメーション化によって、それまで人間が行っていた反復作業や骨の折れる作業は機械の仕事になった。AIは、知覚、推論、判断、行動計画といった一定レベルの精巧さを必要とする分野で人間の肩代わりをするようになる。自律走行車は、タクシーやハイヤー、トラックの運転手の数を減らすことになるが、今よりも安全性がアップする。医用画像解析システムは、すでに放射線技師の肩代わりをし始めている。検査の信頼性が向上し、費用は安くなるので、患者にとってはいいことずくめである。医療と交通の分野では、このようにAIが人間の命を救うことになるだろう。

あらゆる職業がこの変化の影響を受ける。

ひとつ確かなことは、AIとその応用技術が敵わないものに対する価値が高まるということだ。それは、人間本来の経験である。オートメーション化によって製品の価格はすでに下がっている。この傾向は今後も続き、AIが産業界に浸透すると、さらに増大する。しかし、サービスや工芸品、不動産などは、それほどの打撃は受けない。たとえば、家庭用Blu-rayプレーヤーは70ユーロほどで買える。この驚くほど洗練されたテクノロジーの結晶は、最近の発明を数多く使用している（青色レーザーダイオード、H.264/MPEG-4動画圧縮など）。では、陶芸家による手描きの陶器の壺（つぼ）はどうだろうか。千年の伝統が息づく、素朴さが魅力の一品である。この作品には、500～700ユーロの値が付く可能性がある。Blu-rayプレーヤーが機械で大量生産されているのに対し、壺は唯一無二の創作物だからだ。ほかにも例を挙げれば、われわれは各自が好きなミュージシャンの曲を0～2ユーロのわずかな額で聴くことができるし、サブスクリプション経由で聴くこともできる。しかし、ロックコンサートやオペラを観るには、50〜300ユーロを支払う必要がある。違いは、オペラやコンサートが作り出す人生の瞬間が、一回限りの出来事だという点にある。おいしい料理を食べ、景勝地や博物館を訪れ、ジャズのセッションを楽しむ（私はかなりのジャズ好きで、楽しまずにはいられない）。われわれは次第に創作物や一回限りの体験を重視し、量産品を軽視するようになってきている、将来は、健康、芸術、科学、教育、スポーツなど、感覚的な側面に焦点を合わせた職業が有望だ。

## 10-4 軍事転用の危険性

どんなテクノロジーでもそうだが、AIは善用も悪用もできる。一部では、AIの軍事利用、特に「キラーロボット」の名で知られる自律型致死兵器システム（Lethal Autonomous Weapons Systems：LAWS）に反対する声も上がっている。とはいえ、その歯止めがないわけではない。ほとんどの軍隊は、致死攻撃の使用を許可するための手順をきわめて厳格に規定しているし、そもそも、使用する兵器の種類にかかわらず、常に将校が決定責任者であるべきだ。注意すべきは、自律型や半自律型の兵器はかなり前から存在していたということである。赤外線誘導ミサイルに巡航ミサイルがそうだ。自律型兵器の中で最も古いのは対人地雷である。国際条約では1999年から使用が禁止されているが、それは知能をもつからではなく、愚劣だからである。残念ながら、アメリカ、中国、ロシア、インド、パキスタン、北朝鮮と韓国、イラン、そのほか数カ国はこの条約に署名していない。

AI兵器による新たな軍拡競争の危険性はあるだろうか？（ロシアの大統領）ウラジーミル・プーチンは2017年9月、「AIの先導者が世界の支配者になる」と断言した。ジュネーブにおける国連総会では、開発凍結（モラトリアム）の提案を受けて討議が行われた。LAWSは大量破壊兵器の一種であるとの意見も一部から出たが、アメリカのように、逆にこれを標的の認識と追跡を通じて紛争における巻き添え被害や民間人の犠牲者を減らすための手段と考える国もあった[*1]。

AIによってこうした軍事転用が容易になった今、危険は現実のものとなっている。それを防ぐ最良の策は、やはり国際機関の力である。国際機関は国粋主義的ポピュリズムや孤立主義によって脅かされているが、軍事転用の禁止はこれまで以上に必要なことだ。

## 10-5 バイアスとセキュリティ逸脱

AIは人間によって作られた道具であり、人間の下僕であるということをくれぐれも忘れるべきではない。AIはその知能を強化増大させつつあるが、主導権を取れないAIの現在の限界を考えると、大惨事が起きれば、それが不注意や能力不足によるものであろうと、AI自らの熟考的判断によるものであろうと、責任は人間が取るしかない。危険があるとすれば、それは人間自身と人間によるAIの悪用にかかわるものだ。

こうしたAIの悪用を防ぐために、私はPAI（Partnership on AI）[*2]の設立に協力した。PAIは、大企業や巨大IT企業、有識者団体、人権擁護団体（アムネスティ・インターナショナル、アメリカ自由人権協会、電子フロンティア財団）、メディア（ニューヨークタイムズ）、学術団体、政府機関など、100ほどのメンバーで構成される。そこで倫理的問題が議論され、危険性の警告や提言の公表などが行われている。AIは新しい領域であり、その展開の結果は必ずしも予測できない。われわれはそのことについてよく考える必要がある。

---

*1 Group of Governmental Experts on Lethal Autonomous Weapons Systems (LAWS), 2018, https://www.unog.ch/__80256ee600585943.nsf/httpPages/7c335e71dfcb29d1c1258243003e8724?OpenDocument&ExpandSection=3

*2 https://www.partnershiponai.org/

PAIは6つのテーマで研究を行っている。1. AIとライフクリティカル(人命を危険にさらす可能性のある)システム。2. 公平、透明性、責任のあるAI。3. 経済と労働におけるAIの影響。4. 人間と機械の協調。5. AIの社会的影響。 6. AIと社会福祉。

一例として、バイアスのかかった判断に基づく統計モデルの誤用を取り上げよう。残念なことに、この種の誤用はあまりにも多い。データセットに間違いやバイアスが含まれていれば、そのデータで訓練される機械は、その間違いやバイアスを反映することになる。厳密に言えば、これはAIの問題ではない。データや統計モデルの使い方の問題だ。深層ニューラルネットワークはきわめて高度な統計モデルの一例にすぎず、バイアスは線形回帰のようなかなり単純なモデルでも発生する。

顔認識におけるバイアスの実例を挙げる。フランス人の代表サンプルを使って顔認識システムを訓練すると、このシステムは、アフリカ系やアジア系の人たちに対する信頼性がかなり低いものになる。一方、セネガル人の代表サンプルを訓練に使った場合、ヨーロッパ系やアジア系の人にとっては、あまり信頼性の高いシステムにはならない。当然のことながら、システムの信頼性は、学習サンプルの多様性とバランスに左右される。

学習サンプルの所望出力にもバイアスがかかっている場合がある。再犯危険度でラベル付けされた前科者のデータは、保釈にかかわるリスクを予測するのに役立つだろう。しかし、そうしたデータが民族や社会経済的カテゴリに対して歴史的バイアスのかかったものであれば、そのシステムは差別を永続させることにしかならない。これはまったく理論的ではない。現に、アメリカの一部の州で使われているシステムCOMPASは、非営利の報道組織プロパブリカから糾弾されている[*3]。このシステムには単純な統計的手法しか使

---

*3 Julia Angwin, Jeff Larson, Surya Mattu et Lauren Kirchner, “Machine bias”. https ://www.propublica.org/article/machine-bias-risk-assessments-in-criminal-sentencing

われていなかったが（これはディープラーニングレベルの精巧さとはかけ離れたものだ）、だからといって、濫用を防げたわけではなかった。

したがって、このバイアスの問題は、学習アルゴリズムやモデルとはほとんど関係ない。むしろ、モデルを訓練する以前の、データ自体とその処理の仕方、フィルタリング方法に関係している。マッカーサー賞を受賞した、コーネル大学の有名なソーシャルコンピューティング専門家ジョン・クラインバーグは、次のように述べている。「プロパブリカが暴き出した問題には、アルゴリズムに対する取り組み方だけではなく、われわれの予測に対する取り組み方という問題が大きくかかわっている」

AIはセキュリティ逸脱行為を可能にする。2014年以降、畳み込みニューラルネットワークは顔認識システムのベースとなっている[*4]。自由民主主義国の政府が個人情報保護法でその大規模な利用を禁止しているのは歓迎すべきことだ。だが、それ以外の国はどうかというと、たとえば、中国は公共の場に監視カメラを設置し、顔認証を一般化している。一部の国民はそれを進歩とみなしている。空港や役所で身分証明書を提示する必要がなくなった、というわけだ。

たしかに、街頭の防犯カメラは犯罪の減少につながっている（中国ではすでに犯罪率が低下している）。しかし、この監視カメラは、赤信号で道路を横断した歩行者の身元を識別し、即座に罰金通知を送信する。さらに深刻なのは、中国政府がこのテクノロジーを民族差別や反政府勢力の統制に利用していることだ。チベット人やウイグル人（北西部の新疆（シンチャン）自治区に住むトルコ語を話すイスラム教徒）などがその対象となっている。また、中国では顔認証のスタートアップが大繁盛している。中国政府は機械学習を活用して、国民ひとりひとりの「社会的スコア」を算出している。支払いが滞ったり、法律違反の数が多すぎたり、よくない筋との交友関係があったりする

---

***4**　7-2節（228ページ）を参照。

と、社会的スコアが下がり、当局によって生活が制限される。中国共産党は、党の方針から逸脱していると判断した行動を統制する方法を手に入れたのだ。

この流れから、中国政府はインターネット企業に対し、ユーザーの個人データへのアクセスを強制的に認めさせている。そのため、Google、Amazon、Facebookは中国ではサービスを提供していない。さらに中国は、ウィキペディアやニューヨークタイムズをはじめとする多くの欧米メディアへのアクセスを、「グレートファイアウォール（防火長城）」と呼ばれるシステムでブロックしている。中国はこのように孤立したエコシステムを保っているのだ。

こうした行き過ぎは何も中国に限った話ではない。イスラエルのあるスタートアップは、1枚の写真から被写体の性格的特徴、さらにはその人物がテロリストである危険性まで見抜けると豪語している。高度な犯罪人相学といったところだ。

繰り返しになるが、こうした逸脱を防ぐには、やはり民主主義的制度と個人情報保護法の存在が不可欠である。

## 10-6 AIは説明可能であるべきか？

頭の固い人は、ディープラーニングシステムを「ブラックボックス」と揶揄（やゆ）するが、それは間違っている。エンジニアなら、ニューラルネットワークの働きを詳しく調べられる。アクセスできない秘密の部分などひとつもない。たしかに、ネットワークが数百万個のユニットと数十億個の接続で構成されている場合、このネットワークが下す判断のひとつひとつを完全に理解することは難しいかもしれない。しかし、それは知能が下す判断のすべてに共通した特徴ではないだろうか？　われわれは、職人や医者、タクシーの運転手、旅客機のパイロットなどがそれぞれの仕事をするのに使うニューロンのメカニズムを理解しているわけではない。トリュフ犬がどうやってあの芳香を放つ黒いダイヤを見つけるのかも理解していないが、それでもトリュフ犬に対する信頼は揺らがない。ではなぜ、疲れを知らず、脇目も振らず、素早く反応する機械にのみ厳しい要求を突きつける必要があるのか？　人間よりも信頼できることは証明されているのに、どうして機械を信用しないのか？

AIシステムによって日々なされている何兆回もの判断のほとんどは、情報の検索やソート、フィルタリング、あるいは写真や動画に適用されるエフェクトのような取るに足りないアプリケーションに関するものだ。時間と手間をかけてまで、そんなものを詳しく理解したいと本当に思うだろうか？　サービスに満足できれば、それで十分ではないか？

さらに、メカニズムを理解していないシステムを使うのは、何も特別なことではない。たとえば、流通している薬の多くは試行錯誤の末にできあがったもので、その作用機序がよくわかっていない。リチウムは双極性障害の治療にごく一般的に使用されているが、それがどのように作用するかは今も謎に包まれている。1897年に合成されたアスピリンは、欠かせない身近な常備薬としてずっと使われてきたが、その作用機序が解明されたのは1971年のことだった。たしかに、医療ミス・医療事故の際は、詳しく説明することで再発防止につながるかもしれない。しかし、ほとんどの場合、それは利用者を安心させるための手段でしかない。システムの挙動が完全には説明できない場合、その商品化は、医薬品の販売に先立つ臨床試験や新型航空機の認証手続きのように、オープンで制御されたプロトコルによる試験プロセスを経てからでなければならない。判断が重大な意味をもつAIシステムにも同じことが当てはまるはずだ。

もうひとつの問題。AIは100%の信頼性がないと展開すべきではないのだろうか？　必ずしもそうではあるまい。繰り返しになるが、どうしてAIにほかの判断支援ツールよりも多くのことを要求するのだろうか？　医学では、完全には信頼できない検査を、その有用性を疑うことなく日常的に使っている。たとえば、病気の診断検査では、常にわずかではあるが一定の割合で偽陽性と偽陰性が出る（両者はトレードオフの関係にある）。だから、医師は結果に疑念があれば、ひとつの検査結果に満足することはない。なぜAIにそれ以上のことを要求するのか？

友人のレオン・ボトゥがよく言っていることだが、現代社会は、記憶媒体やネットワークの速度と同じ速度で、データ量が指数関数的に増加している。しかし、人間の情報処理能力はその速さでは増加しない。将来のある時点で、人間の知識の大半は機械によってデータから抽出され、機械によって蓄積されるようになるだろう。知識という概念の定義にもよるが、すでにそのしきい値を突破しているともいえる。

その一方で、司法、法律、医療、金融、行政の枠組みで、個人に大きな影響を与える判断にAIが使われる場合は、それが正当である根拠が必要だ。銀行が融資に際してAIを活用し、申込者の依頼を断った場合、申込者にその判断の正当性を説明し、その判断をくつがえせるようなライフスタイル改善策を提案しなければならない。その種の提案を機械学習システムで生成するのは、深層であろうがなかろうが難しくない。感度分析を適用して、判断をくつがえすような入力の最小摂動を見つければいいのだ。これは、敵対的事例の生成と同じ原理だが、実際の使い勝手がいい。

## 10-7 人間の知能に対する理解は深まるか？

AIの発展は、神経科学の発展と軌を一にしている。本書では、動物の視覚野に関する知見が、畳み込みニューラルネットワークのアーキテクチャにどれほど大きな影響を与えてきたかを見てきた。今はその逆もある。近年、神経科学者は、視覚野の説明モデルに畳み込みニューラルネットワークを利用しているし、画像を人間や動物と畳み込みニューラルネットワークの両方に同時並行的に提示する実験も行われている。視覚野の活動を、機能的MRI、脳磁図、電気生理学（動物の場合）などによって測定し、この活動を畳み込みニューラルネットワークにおいて観測された活性状態から予測しようというのだ。こうした研究によって、視覚野の一次領域V1の活動はネットワークの第1層で、腹側視覚経路の連続する領域V2、V4、下側頭皮質の活動はネットワークの上層でそれぞれ予測されることが確認された。興味深い恩返しである。視覚神経科学から刺激を受けた畳み込みニューラルネットワークが、今では逆に視覚野の働きを明らかにするに至ったのだから。

この神経科学と人工知能研究が交差する領域で、新たに開拓すべき研究分野がある。たしかに、人間は機械のようには学習しないが、両者の学習法にはある程度の共通点が見られるのではないか？　たとえば、十分に特定された精神機能のひとつに帰納的推論がある。これは、数字の並びといった一連のパターンの根底にある規則を導き出すものだ。ところで、所望出力になるべく近くなるように訓練によってシステム内で調整される関数は、この規則に似ていないだろうか？　開始時のデータセットをコンパクトに提示できるのも、この規則があればこそである。

帰納的推論は科学的方法の基礎である。科学者はまず観測する。それから観測結果をうまく説明できるような、根底にひそむ法則を発見し、理論を構築しようとする。さらに、その理論がまだ観測されていない現象を予測できるか評価する。たとえば、重力がそうだ。重力によって現在と100年後の惑星の位置を予測できるという事実が、この法則の正しさを証明している。

学習中の機械も同じように動作する。「学習」するにつれて、機械は徐々に、取り込んだ入力と期待される出力とのあいだに独自なつながり（コンパクトな表現に相当するもの）を構築していく。この「つながり」によって、機械はどんな入力に対しても「正しい出力」を生成できるようになる。機械は何も考えていないが、関係を操作しているのだ。その後、猫や椅子や飛行機の概念を「学習」して、任意の猫や椅子や飛行機を識別できるようになる。この「概念」は、人間が、具体物のさまざまな特徴によって抽象的で普遍的なものを表現するときの定義の仕方に似ていないだろうか？

この類推をさらに掘り下げることもできる。機械では学習段階で、複数の猫の画像（入力）と猫の観念（出力）のあいだに関係が構築される。このようにして構成された機械のモデルは、認識誤差が可能なかぎり少ない安定した位置にある。この位置は、猫という観念のいわば「近似値」だ。

人間においても、猫という概念は、猫の純粋な観念の「近似値」である。このように見ていくと、プラトンのイデア、カントのイデーといった、多少はなじみのある哲学的概念のことが思い浮かぶ。

## 10-8 脳は機械にすぎないのか？

今日、ほとんどの科学者は、脳が生化学的な機械であるという考えを受け入れている。たしかに複雑ではあるが、機械であることには変わりがない。ニューロンは入力に対し電気信号で反応する。上流ニューロンから受け取った信号に応じて、活動電位（インパルスまたはスパイク）に達するかどうかの計算を行い、その信号を下流ニューロンにもれなく伝達する。メカニズムはかなり単純だ。しかし、ひとつひとつは比較的単純な要素であるニューロンを数十億も結び付け、その活性状態をさまざまに組み合わせることで、人間は脳と心を手に入れた。

人間の脳をモデル化するという考えが、一部の哲学者や信仰者を憤慨させるだろうことはよくわかっている。しかし、われわれ科学者の多くは、思考のメカニズムはいずれ学習可能な人工知能システムによって複製可能になると考えている。

これに反対する人は、生物学や物理学、量子論などのシステムが、脳を働かせるために体内でどのように連携しているかを、われわれがまったく理解していないと主張する。たしかにすべてを理解しているわけではないが、哺乳類や人間の脳は「計算」する機械であり、その計算は原理的には電子機械であるコンピュータによって再現可能であると私は確信している。

人間としての優越感は打ち砕かれてしまうかもしれない。著名な進化生物学者スティーヴン・ジェイ・グールドはジークムント・フロイトを引きつつ、こう書いている。「重要な科学革命はどれもみな、唯一共通な特徴として、自分たちは宇宙の中心に位置しているという確信を打破したのを皮切りに、人間の尊大さが依拠していた台座を次々に取り去ってきた」[*5]

## 10-9 すべてのモデルは間違っている

イギリスの統計学者ジョージ・ボックスが著した1976年の論文によれば、「すべてのモデルは間違っている、だが中には役立つものもある」。有名になった警句だ。世界のどのような精神的表現も、モデルの形をしたデータセットのどのような内部表現も、必然的に不確かなものである。統計的学習理論は、学習サンプル数とモデルの複雑さの関数として、この不確かさの限界を教えてくれる。この理論によって、どんなモデルも不確かであるが、それでも役立つことがあるという事実が確認できる。

物理学者はずっと以前から、そのことを知っていた。ニュートン力学が正確なのは、弱い重力場において、光速に比べて低速で移動する巨視的な物体に対してだけだ。高速で移動する物体や強い重力

*5 Stephen Jay Gould, *Dinosaur in a Haystack: Reflections in Natural History*, Harmony Books, 1995, part 3, chapter 13.〔スティーヴン・ジェイ・グールド『干し草のなかの恐竜：化石証拠と進化論の大展開（上）』渡辺政隆訳、早川書房、2000年〕

場には一般相対論を適用し、微視的な物体には量子力学を適用しなければならない。高速（したがって高エネルギー）、強い重力、小型という組み合わせに関しては、まだ存在していない統一理論が必要になる。

しかし、物理学は、還元主義的な方法がよく適用される分野である。「美しい」理論は、多くの場合、いくつかの公式と少数の自由パラメータ（つまり、理論的にほかの定数から計算できない定数、たとえば、光速、重力定数、電子質量、プランク定数など）に還元される。しかし、化学、気候学、生物学、神経科学、認知科学、経済学、社会科学などにおける複雑な現象の大部分は、いくつかの公式とパラメータに還元することはできない。こうしたシステムには、さまざまな要素の相互作用の結果として創発特性が生じるからだ。

この種のシステムにも、2つのケースが考えられる。要素がみな同じで、細かな違いが重要ではない場合は、統計物理学や熱力学の手法を使えば、何が起こっているのかの見当がつく。しかし、ニューロンのように要素がそれぞれ異なり、相互作用が複雑で詳細が重要な場合には、現象学的モデルに頼らざるをえない（現象学的モデルとは、現象の抽象的記述にすぎない）。

動物や現時点の機械における学習は、多くの場合、統計的規則性に基づく現象学的モデルを構築するにとどまっている。本書でなによりも言いたかったのがこのことだ。子どもや犬は、投げられたボールをキャッチすることを学習する。物理学の現象学的モデルをもっているので、ボールの軌道を予測できるのだ。だが、ボールの軌道を決定する方程式を書くことはできない。ニュートンをはじめとする重力の専門家とは異なり、説明モデルを作成することはできない。

機械は物理学者のように、「実験」データから説明モデルを構想できるようになるだろうか？　そのためには、AIシステムが関連する変数を特定し、変数間の因果的関係を確立しなければならない。移動体に関連する変数は、質量、位置、速度、加速度だ。質量に力を加えると加速度が生じる。これが因果関係である。変数間に因果関係を見出す因果推論は、AI研究で大人気のテーマだ。効果的な因果推論技術が使えるようになれば、生物学や医学の進歩にもつながるだろう。この技術があれば、データから因果関係と単なる相関関係を区別できるようになる。たとえば、遺伝子発現データから遺伝子制御回路を推論できるので、治療法も発見しやすくなるだろう。

確率的推論の研究で2011年度チューリング賞を受賞した、カリフォルニア大学ロサンゼルス校（UCLA）教授ジューディア・パールは、機械学習が因果的推論を軽視しすぎていると厳しく批判している[*6]。私も同じ意見だ。機械が本当の知能をもてるようになるには、因果関係を識別できる世界モデルを学習しなければならない。この問題には、私の元同僚であるパリ第11大学（オルセー）のイザベル・ギヨンやマックス・プランク研究所（テュービンゲン）のベルンハルト・シュルコップフ、現同僚であるFAIRパリのダビド・ロペス＝パス、FAIRニューヨークのレオン・ボトゥ（古くからの友人であり仕事仲間でもある）といった面々がすでに取り組んでいる。

## 10-10 心配する声

AIに対する人間の不安を表現した作品で最も有名なのは、スタンリー・キューブリックの映画ならびにアーサー・C・クラークの小説『2001年宇宙の旅』である。この作品は子どものころの私にとって最も意義深い作品だった。すでに何度か触れたが、人間と機械を対立させる葛藤の本質については、まだ述べていなかった。宇宙船を制御するコンピュータHALは、ミッションの本当の理由と目的を人間の乗組員には明かさないようプログラムされている。こ

*6 Kevin Hartnett, “To build truly intelligent machines, teach them cause and effect”, *Quanta Magazine*, 15 May 2018. https://www.quantamagazine.org/to-build-truly-intelligent-machines-teach-them-cause-and-effect-20180515/

のことが、HALの判断ミスにつながる。HALは読唇術によって、乗組員がHALを切断しようとしていることを知る。しかし、当然ながら、HALは自分のことをミッションの成功に不可欠な存在だと考えている。この大義に突き動かされているHALは、乗組員全員を暗殺しようとして、3人の科学者が入っている人工冬眠カプセルの電源を切り、船外活動中の宇宙飛行士フランク・プールを殺害する。そして最後に、フランクを助けようとして船外に出ていたボーマン船長が宇宙船に戻るのを防ごうとする。

何としてでもミッションを達成するようプログラムされていたHALは、次第に乗組員を障害とみなすようになったのだ。システムにプログラムされた目的と人間の価値観のあいだにある「ずれ」の好例だ。HALの企ては失敗に終わったが、それでも、自らの被造物に追い越された人間をめぐる、われわれの尽きせぬ空想を豊かにすることには成功した。おそらく人々の心の中にさらに印象付けられているもうひとつの例に、映画『ターミネーター』がある。知能が芽生えたシステムSkyNetが、兵器の支配権を手中に収め、人類を絶滅させようとするというストーリーだ。

現在のわれわれからすれば、こんな話は絵空事でしかない。では、どうして心配するのだろうか？

スティーヴン・ホーキングはこの問題についての意見を表明している。2014年にはBBCに、「AIは人類の終わりを意味する可能性がある」と語った(後に考えを変えた)。優れた天体物理学者であった彼の時間尺度は、数百万年、数十億年単位で測定されていたのだ。しかし、たかだか数十万年しか存在していない人類が、100万年後、1000万年後、1億年後にどうなっているかなど、知りようもないではないか。

ビル・ゲイツも懸念を表明したが、後に撤回した。テスラの派手なCEOイーロン・マスクはどうかというと、極端に悲観的な発言をしている。ターミネーター流のシナリオを的確に回避するべく、AIを規制するよう行政機関を説得しようとさえしたが、大した成果は上げられなかった。彼と議論したことがあるが、AIが人間を超えるまでに要する時間を甘く見ているように思えた。おそらく彼は、資金源を探し求めるスタートアップ創設者たちの話に耳を傾けすぎたのだろう。その手の人たちは、人間並みのAIがすぐそこまで来ている（just around the corner）などと調子のいいことを大した根拠もなしに言い立てるものなのだ。

イーロン・マスクの愛読書の一冊に、ニック・ボストロムの『スーパーインテリジェンス』[*7]がある。このオックスフォードの哲学者は、AIが創造者の支配から逃れる最悪のシナリオを列挙している。一例を紹介しよう。ペーパークリップ工場を制御するために超知能コンピュータが作られる。その唯一の使命は、生産量を最大化することだ。コンピュータはもちろん、生産、原材料の供給、エネルギー消費などを最適化する。次に、その優れた知能によって、最初の工場よりもさらに効率がいい工場を次々と設計し、建設していく。より多くの資源を提供してもらおうと人間を説得しさえする。目標を達成するために人間が邪魔になり、コンピュータはとうとう人間から権力を奪う方法を見つけ出す。そしていつの間にか、この知能は、太陽系全体をペーパークリップに変換してしまう。これは「魔法使いの弟子」のシナリオの何度目かの焼き直しにすぎない。ただこの話では、弟子の被造物が弟子の統制を逃れてしまった。

これは起こりそうにもない話である。超人的知能をもつコンピュータを設計できるくらいに頭のいい人間が、こんなばかげた使命を与えてしまうほど間が抜けているわけがない。用意周到に何らかの歯止めを組み込んでいるはずだ。たとえば、最初の超知能コンピュータの機能を停止することを唯一の目的とする別の超知能コンピュータを作っておけばいいのである。

だが、人類にとって有益だと誰もが同意する技術革命には、必ず

---

*7　Nick Bostrom, *Superintelligence. Paths, Dangers, Strategies*, Oxford University Press, 2014.〔ニック・ボストロム『スーパーインテリジェンス：超絶AIと人類の命運』倉骨彰訳、日本経済新聞出版社、2017年〕

マイナス面があることを忘れてはならない。知識の普及を可能にした印刷機の発明は、カルヴァンやルターの思想の普及にも貢献し、ヨーロッパにおける16世紀から18世紀にかけての血なまぐさい宗教戦争の発端となった。ほかにも、ラジオは1930年代にファシズムの台頭をもたらしたし、飛行機は距離を縮めただけでなく、都市全体の爆撃を可能にした。電話やテレビから、インターネット、ソーシャルメディアに至る情報テクノロジーに目を向けると、これまでテクノロジーごとにさまざまな問題が生じてきたが、最終的には解決されている。

## 10-11 AIが飛躍的発展を遂げるには？

われわれは、機械に現時点での能力を超えるものを貸し与えている。

AIに対して使われている「知能」「ニューロン」「学習」「判断」といった用語は、本来は人間と動物のために割り当てられていたもので、混乱を招く。たしかに、高度に特化したタスクでは、人間よりもAIを搭載したシステムのほうが断然速い。たとえば、囲碁やチェスの試合をしたり、腫瘍や攻撃目標を特定したり、消費者をプロファイリングしたり、何千ページもの文献の中からひとつの情報を探し出したり、世界のありとあらゆる言語に翻訳したりといったタスクがそうだ。

しかし今のところは、すでに述べたように、AIがどんなにすばらしいものであっても、猫ほどの良識もない。AI搭載の機械は常識を欠いている。ひとつのタスクを実行するよう訓練されているため、世界に対する知識や理解はきわめて狭い。

意思を育てることも、意識を育むこともできない。「戦略を練り、世界を深く理解することのできる、本当の知能をもつ機械を作るとなると、レシピの材料さえ手に入らない。今日、われわれに欠けているのは基本的概念なのだ」と、FAIRの共同ディレクターを務める同僚のアントワーヌ・ボルドは言う。私が言いたいのもまさしくそういうことだ。

## 10-12 生得的なものと後天的なもの

数学者のウラジーミル・ヴァプニクは、機械学習の統計理論を公理化し、システムがデータから概念を学習する条件を規定した。簡単にまとめると、ある実体が学習能力をもつには、必ず限定された範囲のタスクに特化していなければならない、ということだ。

この定理は人間にも当てはまる。人間の知能は万能ではない。生得的なもの、つまり脳の能力を限定して学習を加速させるための事前の配線が必要なのだ。われわれに脳のメカニズムを制御する力はないが、それでも、脳の一部の領域が独自のアーキテクチャをもち、特定のタスクに特化していることはわかっている。

動物や人間の脳に事前配線が存在することは、背理法でも証明できる。先に述べたとおり、畳み込みニューラルネットワークのアーキテクチャにヒントになった視覚野は、特定のタスクに特化している。ここで、ある特殊なメガネをかけている場面を想像してみよう。レンズに映る像のすべてのピクセルがランダムに入れ替わっているという奇妙なメガネだ。レンズはふつうの透明なものではなく光ファイバーで構成されており、像のピクセルを視野内の異なる場所に送るようになっている。したがって、メガネに映る像はすっかりごちゃまぜになってしまって、まったく意味をなさない。像内で物体が動くと、一部のピクセルが点灯し、一部のピクセルが消灯する。もともとは隣り合っていたピクセルが、メガネを通過した時点で、そうではなくなってしまうのだ。このような状態では、配線が適切でないため、脳はほとんど何も認識できない。脳は、隣り合うピクセルが通常は似たような値をもち、相関性があるという事実を前提にして配線されている。これは、人間の脳が万能ではなく、極度に特化していることの手がかりになる。

人間の脳はまた、きわめて順応性が高い。実験によって、一種の「大脳皮質の普遍的な学習手順」が存在することが明らかになっている。つまり、機能を決定するのは、そこに到達する信号の束であって、それを受信する領域ではないということだ。1990年代後半、MITのミリガンカ・スールらは、生まれる直前のフェレットの胎児を取り出し、視神経を切断して聴覚野に接続する手術を行った[*8]。その結果は示唆に富むものだった。聴覚野が視覚野として機能するようになり、通常は一次視覚野のV1領域に存在するニューロン（一定の方向をもつ物体の輪郭を検出するニューロン）が発達したのである。

聴覚野の初期配線は、視覚野のものと少し似ている。だから、配線の初期構造が適切であれば、学習の結果として機能が出現する。つまり、大脳皮質の特定領域で実行される機能は、実際にはそこに到達する信号によって決定されるのであり、脳内の「視覚器官」の遺伝的な事前プログラミングによって決定されているわけではない。

大脳皮質に「普遍的な学習アルゴリズム」が存在するという可能性は、知能と学習の根底にひそむ単一の組織化原理を探している私のような科学者に希望を与えてくれる。

## 10-13 機械に意識は宿るだろうか？

「意識」は扱いにくいテーマだ。うまく定義することも、うまく測定することもできない。自己意識とも混同されがちだ。動物において、自己意識は高知能のしるしと考えられており、鏡の中の自分を認識するゾウやチンパンジーは、すでに自己意識を宿している。だが、犬は違う。このテーマについては、これまで多くの著作が書

*8 Jitendra Sharma, Alessandra Angelucci, Mriganka Sur, "Induction of visual orientation modules in auditory cortex", *Nature*, 2000, 404 (6780), p. 841.

かれてきた。私にも友人スタニスラス・ドゥアンヌとの共著がある[*9]。

意識は一種の幻想である、というのが私の意見だ。たしかに意識は多くの知的動物に存在しているようなので、大規模な神経回路網（ニューラルネットワーク）の創発特性にすぎないのかもしれない。だが､意識が芽生えたのは、むしろ前頭前野の制約による結果ではないのかとも思う。人間の意識は、注意力と強く結び付いている。特定の状況に直面したとき、われわれはそこに注意を集中させ、焦点を合わせる。パズルをするときや新しいレシピを試すとき、討論に参加するときは、その不慣れなタスクや複雑なタスクにしっかりと注意を集中させる｡意識は、次の行動を計画するために、「世界モデル」を強制的に始動させるのだ。

しかし、一度に複数の世界モデルをシミュレートするには、おそらくニューロンの数が足りない。われわれの前頭前野には、意識によって現在の状況に適した世界モデルを実行するように「プログラム」できる、再設定可能な回路のようなものが組み込まれているのかもしれない。この仮説において、意識とは、特定のタスクごとにこの回路を設定する制御メカニズムということになる。事前に訓練していないと一度に複数のタスクに注意を集中させることができないのは、このためかもしれない。しかし、そのタスクを意図的かつ意識的に繰り返すことによって、われわれは世界モデルを動員することなく､自動的に実行することを学習する。このプロセスを経て、タスクの実行はダニエル・カーネマンのいうシステム２からシステム１へ移行する。

だから､運転の学習中､われわれはハンドルや道路､シフトレバーなどに集中し、あらゆるシナリオを思い描く。数十時間の練習の後には、運転に関するタスクをすべて苦もなく実行できるようになっ

---

***9** Stanislas Dehaene, Yann Le Cun, Jacques Girardon, *La Plus Belle Histoire de l'intelligence*, Robert Laffont, 2018.

ている。タスクは潜在意識的なものになり、ほぼ自動化される。意識とは、独自な世界シミュレーション回路を熟慮的に設定するこのメカニズムの結果なのかもしれない。おそらく意識は、われわれの優れた知能の反映というよりも、脳の限定された能力の結果なのだ。もし脳内に、複数の独立した世界モデルを同時にシミュレートするに足る数の前頭前野ニューロンがあれば、われわれが知っているような意識は必要ないかもしれない。

私は、未来の知能機械は間違いなく何らかの意識をもつはずだと確信している。おそらく人間とは異なり、いくつかのタスクを同時に集中してこなすことさえできるようになるのではないかと思う。

## 10-14 思考における言語の役割

言語は人間にとって、知能と同義と思われるほどに基本的なものである。われわれは単語と概念を関連付け、言葉を操作して推論を生み出している。そうしたことから、知能は言語なしでは存在できないと考えてしまう。

しかし、われわれに近い大型類人猿のボノボ、チンパンジー、ゴリラ、オランウータンはどうだろうか？　人間の言語ほど高度なコミュニケーションシステムをもっているわけではなさそうだ。彼らは概念に名前を付けたりはしない。にもかかわらず、記号表現と抽象的推論を発達させている。とにかく、彼らの世界モデルは、最高のAIシステムとは比べものにならないほど洗練されている。

同じ霊長類の仲間の知能が言語と関係ないのなら、人間の知能も、かなりの部分が言語とは関係ないということになるのではないだろうか？

思うに、思考と推論をあまりにも強く記号操作と論理に関連付けすぎたことが古典的AIの主な誤りだった。ただし、わずかとはいえ学習を重視した点は評価できる。

逆に、動物と大部分の人間の知能は、世界モデルによる状況のシミュレーション、類推、想像力に基づいているように思える。それは、論理的推論や言語とはかけ離れたものだ。

## 10-15 機械に感情は宿るだろうか？

自律知能機械がいずれ感情をもつようになるのは間違いない。第9章では、目的関数の最小化によってシステムの挙動を制御するアーキテクチャを提案した。この目的関数は、機械の「瞬間的な不満」度を測定するコストを算出する。高コストを生み出す行動を機械が修正するのは、痛みや不快感を避けるのと同じことではないだろうか？

ロボットのバッテリー残量を測定する目的関数の成分が高コストを生成すると、ロボットはコンセントを探し始める。これは空腹感に似ていないだろうか？

エージェントモジュールのアーキテクチャには、世界モデルと識別器が組み込まれている。世界モデルは世界の進展を予測し、識別器は目的関数（機械の不満を測定するモジュール）の結果を予想する。ロボットが世界モデルによって倒れて傷つくことを予測したとき、識別器は目的関数が計算する「痛み」を予想し、ロボットはこの不愉快な結果を避けるように軌道を計画しようとする。これは恐怖感に似ていないだろうか？

機械が高コストになることを予測してある行動を回避したり、低コストになることを見込んである行動を実行したりするのは、もはや感情のしるしではないだろうか？

同じく人間も、飢餓を計算する目的関数の成分が高コストを生成すると、食料探しを始める。一般に、行動は目的モジュールの満足していない成分の仕業である。複雑な行動は、行動計画の仕業である。行動計画は、使用する世界モデルが与えられると、コストの予想を最小化しようとする。腕をつねられると、瞬時に痛みが走る。目的モジュールが計算したコストは、現在の状態を反映したものだ。誰かに腕をつねるぞと脅されると、識別モジュールが痛みを予期し、腕をかばうような行動を取らせる。感情とは、識別モジュールが計算するコストの期待値なのだ。

単純化しているように見えることは十分承知している。感情は人間の本性のきわめて重要な部分であり、おいそれと関数の単純な計算に還元してしまうわけにはいかない。同様に、人間の行動を目的関数の最小化に還元してしまうことにも抵抗がある。しかし、私はここで、知能システムの一般的アーキテクチャについての仮説を、目的関数や世界モデルの豊かさや複雑さを否定することなく述べたにすぎない。

## 10-16 ロボットは権力を握ろうとするだろうか？

その心配はない。

権力を握ろうとするロボットに対してわれわれが抱く恐怖は、人間の性質の特殊性を機械に投影したものだ。ほとんどの人間にとって、知能をもつ存在との交流といえば、ほかの人間との交流に限定される。だから、知能と人間性を混同してしまうのだ。だが、それは間違いだ。少なくとも動物界には別種の知能がある。これは言語に限った話ではない。

人間は、ボノボやチンパンジー、ヒヒなどの霊長類と同じく、複雑で、多くの場合、階層的な社会組織をもっている。各個体が生き残れる（または快適でいられる）かどうかは、種のほかのメンバーに影響を与える能力に大きく左右される（支配は影響力のひとつの形でしかない）。われわれが支配欲と知能を関連付けてしまうのは、人間が社会的動物であるからだ。

しかし、オランウータンのような、非社会的な種を考えてみよう。オランウータンは人間とほぼ同等の知能をもっている。脳の大きさは人間の半分だ。ひとり暮らしをしていて、別の個体の縄張りに入ることを避けている。社会的な交流は2年間の母子関係と、縄張り争いに限定される。その結果、進化の過程で、オランウータンには隣人を支配したいという欲望が組み込まれなかった。社会構造がなければ、支配は意味をなさない。だから、支配欲がなくても、知能をもつことは可能なのだ。

もう少し例証を続けよう。

人類においても、支配しようとする意志は知能と結び付いてはいない。それはむしろ、テストステロン(男性ホルモン)の問題である。一番知能の高い人が、トップの地位に野心を抱くとは限らない。国際政治の世界に目を向ければ、そのことがよくわかるだろう。私が所長を務める研究所には、私よりも有能なメンバーが山のようにいる。だからといって、誰も私のポストを欲しがったりはしない。まったく逆である。優秀な科学者は管理職を任されることが多いが、そのポストを断る人も少なくない。私にはよくわかる。研究に直接かかわっていたいのだ。

支配欲に加え、人間の衝動や感情の多くは、ヒトという種（またはその遺伝子！）が生き残るために、進化によってわれわれに組み込まれてきたものだ。衝動や感情には、好奇心、探求心、競争心、服従心、同類との触れ合いを求める欲求、愛、憎悪、略奪、さらには、家族のメンバーや部族、文化、国などに対する偏愛などが含まれる。人や動物（あるいは機械も）、こうした衝動や感情なしに知能を発揮できる。これはぜひとも強調しておかねばならないが、知能機械は、われわれが明示的にその欲望を組み込む場合にのみ、人類を支配しようという欲望をもつのだ。どうして、われわれがそんなことをするというのか？

## 10-17 価値観の一致

おそらく機械は、HAL9000のように、設定された目的を達成するには人間を支配するのが一番だと判断すれば、そうしようとするだろう。こうしたシナリオを避けるには、殺人や武器の使用、生物の近くでの乱暴な動作などを禁じる価値システムを機械に組み込めば、それで十分なのだろうか？　これはつまり、機械の価値観を人間の普遍的価値観に合わせるという問題である。

小説家であり科学解説者でもあるアイザック・アシモフは、『われはロボット』〔小尾芙佐訳、ハヤカワ文庫〕という短編集の中で、ロボット工学の三原則を列挙している。

1. ロボットは人間に危害を加えてはならない。また、その危険を看過することによって、人間に危害をおよぼしてはならない。
2. ロボットは人間にあたえられた命令に服従しなければならない。ただし、あたえられた命令が、第1条に反する場合は、このかぎりでない。
3. ロボットは、前掲第1条および第2条に反するおそれのないかぎり、自己をまもらなければならない。

この三原則を、事前に組み込まれている行動や知的エージェントの目的関数の固定部分に明示的にプログラムするのは難しそうだ。実際には、この三原則を遵守する機械の能力は、むしろ状況の危険性を予測・評価する能力に結び付けられることになるだろう。しかし、危険、服従、幸福といった抽象的な概念を学習していないかぎり、ロボットにこの三原則を植えつけることはできない。

では、どうすればよいのだろうか？　第9章で述べたように、自律エージェントのアーキテクチャには、本能や衝動を制御する目的関数が含まれている。目的関数は、エージェントの「倫理的価値」の保管場所だ。この目的関数には、安全を保証し、単純な概念で表現できるような、「手で」構築された「生得的」な項が含まれているはずだ。近くに人間がいることを示すセンサーを組み込み、人間が手の届く範囲にいるときにロボットの腕の移動速度に制限を課すことは難しくないが、潜在的危険性といった抽象的概念に頼る行動制約を課すことはそれほど簡単ではない。

目的関数には、構築された（生得的な）成分だけでなく、訓練可能な構成要素も含まれている必要がある。機械が間違いを犯したら、人間がそれを訂正する。機械は間違いを繰り返さないように、目的関数の訓練可能な項を修正する。その際、必要に応じて「危険」という概念など、抽象的概念を使用する。このプロセスによって、生得的な（つまりエンジニアの手によって構築された）項ではカバーしきれない不測の事態におけるシステムの挙動を訂正できる。

人類は、一方では法律によって、倫理的価値システムをコード化（法体系化）してきた長い歴史がある。倫理的価値は、超人的な知能と能力をもつ実体（私の用語では「壮大な企て」）が適切に振る舞えるようにコード化されることもある。他方、倫理的価値は教育によってもコード化されている。われわれは何千年にもわたって、子どもたちに善悪を区別し、社会で善をなすように教育してきた。

善をなすよう未来のロボットを訓練するのに、われわれはゼロから始めるわけではないのだ。

## 10-18 新たなフロンティア

知能は知的能力のみに還元されるものではなく、行動のあらゆる領域にかかわっている。知能とは、学習であり、適応であり、判断力である。動物や人間がどのように学習するのか、必ずしもまだ十分に解明されていないとすれば、答えの一部は、その欠如によって

AIが教えてくれる。機械が何をもっていないかを知ることで、機械の知能と人間の知能を隔てる大きな溝が明らかになる。AIはこのようにして、われわれが進むべき研究の道を指し示してくれるのだ。

手段の節約という意味では、機械は人間の脳より何千倍ものデータとエネルギーを消費する。人間の脳が簡潔に機能するのは、生物学的ニューロンの場合、速度は遅いが、コンパクトで数が多く、エネルギー消費量がきわめて少ないからだ。このエネルギーの節約というのは、脳内では各瞬間に、ごく少数のニューロンしか活性化しないというようなことだ。活性化したニューロンにしても、たいていはかすかに活性化するだけだし、サイレントニューロンは、スパイクを送るニューロンよりもはるかに少ないエネルギーしか消費しない。この活性状態の節約については、将来の人工ニューラルネットワークの実現に向けて、ぜひとも探究すべき課題である。

まだ大きな謎が残っている。人間はどのようにして身のまわりの世界から素早く抽象的表現を構築するのだろうか？　人間は抽象的表現を操りながら、どのようにして推論することを学習するのだろうか？　複雑なタスクをより単純なサブタスクに分解できるようにする行動計画の設計をどのようにして学習するのだろうか？

こういった質問に答えられれば、そのほかの謎の解明につながるかもしれない。人間はほとんどサンプルに頼らずに学習する。いくつものシナリオを思い描くことで、行為の結果を予想し、一部の学習を節約しているのだ。現在、サンプルやエネルギーを浪費しない学習法の研究が一部で進められているが、これは、今日のAIを特徴付けるものである。

# 10-19 知能の科学？

科学史においては、技術的な発明品が理論や科学に先行していることが多い。その例を表10.1に示す。

レンズ、望遠鏡、顕微鏡は、ニュートンが光学理論を展開するずっと前に発明された。蒸気機関は、サディ・カルノーが熱サイクルを定義し、熱力学の基礎を築く1世紀以上前に稼働していた。初めての飛行機が離陸したのは、飛行の空気力学、翼理論、安定性理論が生み出される前だ。最初のプログラム可能なコンピュータは、計算とアルゴリズムの科学であるコンピュータ科学を誕生させた。1948年にベル研究所でクロード・シャノンが提案した情報理論は、最初の遠隔通信やデジタル通信の始まりから数十年後に生まれた。

**表10.1** 発明とそれを説明付ける理論

| 発明 | 理論 |
| --- | --- |
| 望遠鏡（1608） | 光学（1650～1700） |
| 蒸気機関（1695～1715） | 熱力学（1824～） |
| 電磁気（1820） | 電気力学（1821） |
| 帆船（？） | 空気力学（1757） |
| 飛行機（1885～1905） | 翼理論（1907） |
| 化合物（？） | 化学（1760） |
| 電子コンピュータ（1941～1945） | コンピュータ科学（1950～） |
| テレタイプ（1906） | 情報理論（1948） |

発明品は、それがどのように機能するかを説明付け、その限界を示す理論に先行することが多い。

AI研究はまだ発明の段階にあり、科学の域には今なお達していない。知能についての一般理論が欠けているからである。学習の理論ならひとつあるが、それはあくまで教師あり学習に限った理論だ。

この理論は可能なことの限界をわれわれに知らせてくれる。だが、脳の詳しいメカニズムや、脳の特徴である自己教師あり学習に対する正しいアプローチ方法については教えてくれない。

知能の理論というものを思い描けるだろうか？　学習可能な機械の発明から知能の科学は生まれるだろうか？

私の今後数十年間の研究計画は、自然知能か人工知能かを問わず、知能の根底にひそむメカニズムや原理を発見することである。

# 終章

人工知能をめぐる旅もようやく終着点にたどり着いた。

適度なハイキングを楽しむというより、険しい山道を駆け足で突き進むようなものだったかと思う。コースの途中には数々の難所があったが、迂回する気はさらさらなかった。なるべく歩きやすいように配慮はしてみたが、この新しい世界になじみの薄い人には、かなりの難関だったかもしれない。

今まさに生成途中のこの若い科学は、人間社会を大きく変える力を秘めている。AIとは、その境界を押し広げながら拡張し続ける理論の集大成である。と同時に、身近な製品に組み込まれた実用的な現実でもある。機械に固有の論理は、時に人間の理解を超える。だが私は十代のころから、この「つながりでできた世界」と親密な関係を築いていた。人工知能に関するさまざまなアイデアとそれを実現しようという努力の歴史は私を魅了した。そのこともぜひ本書で紹介したいと思ったことのひとつだ。

新しいアイデアと探求をめぐる物語。私は、この新しい分野をいち早く切り開いた先達に対して、そしてようやくその進歩を受け入れることにした科学コミュニティに対して連帯感を抱いている。われわれはみな、同じ好奇心と想像力に駆られた「気さくな変人たち」なのだ。われわれは日々、この新しい世界を創り出していく。だがそこは、永遠にたどり着けない世界なのかもしれない。境界が常に遠ざかっていくからだ。

われわれは偶然の産物でもある。私が別の分野ではなく、この分野に興味をもったのは、たまたまでしかない。私は早くから、人間や動物の知能という深遠なる仕組みを理解し、それを機械の中に作り上げたいという妄想を抱いていた。現代科学には、「宇宙は何でできているのか？」とか「生命とは何か？」とかいった数々の難問があるが、私が選んだのは「脳はどのような仕組みになっているのか？」という問題だった。根っからのエンジニア精神の持ち主である私は、システムを理解するにはそれを自分で作ってみるのが一番だと考えていたのだ。私は本書で、こんなふうに子どものころの記憶を織り交ぜつつ、自分自身のこれまでの歩みを振り返ってみようとした。電子工学とコンピュータ科学の諸法則に魅了されていたころの自分や発見欲にとりつかれていたころの自分。後は、運と出会い……それから仕事。

実のところ、この仕事は根気のいる退屈な仕事で、モニタの前で延々とまだ存在していないアルゴリズムやアーキテクチャを思い描かなければならない。だから時には夢みることも必要だ。何もせずに過ごす無為（オフ）の時間は、今ではめったに取れなくなってしまったが、貴重な心の糧である。

われながら思うのだが、もし私にありあまる信念と無鉄砲さが備わっていなければ、ひたすらニューラルネットワークの開発に打ち込み、神経科学がその助けになるはずだと信じ続けることなどできなかったに違いない。

私はこの探究作業そのものを追求したいと思っている。遠からず私の研究対象になっているだろう。

本書では、AIの限界と危険についてもページを割いた。

機械は現段階でも十分に威力を発揮しており、その性能の高さには驚かされるばかりだが、人間や動物の本当の知能を再現するにはまだほど遠い。いくら複雑なアーキテクチャをもっていようと、ニューラルネットワークには常識や意識の片鱗さえ見られない。

しかし、将来も同じとは限らない。私は、意識とは創発特性であり、知能の必然的な帰結であると考えている。ディープラーニングの研究はまだまだ始まったばかりだが、現在はモデルの効率化が着実に進められているので、いずれ機械が高度化の極みに達し、意識が開花する日が間違いなく訪れる。必ずそうなるはずだ。科学者の一致した意見によると、人間の脳は驚異的な生物機械にほかならず、あらゆる面でこれに敵うものは今のところいない。仕事をするのは脳であり人間であるが、われわれはすでに機械に仕事の手助けをしてもらっている。今後はどうなっていくのだろう？　いずれ、われわれが作り上げたシステムによって発見された内容を理解することすらできなくなる日が来るのではないか？

それでも、追い越されることを恐れないようにしよう。人類は何世紀にもわたり、その身体的・精神的能力を道具に追い越される経験を何度もしてきた。石器やナイフは人間の歯よりも優れていたし、使役動物、トラクター、ショベルカーは人間のパワーを凌いでいた。馬、車、そして飛行機は、人間の足よりも速くわれわれを目的地へ運んでくれる。コンピュータは人間の脳よりも計算が速い。人間は自らが生み出したテクノロジーによってその力を増大してきたのだ。われわれの知能も機械の知能によって拡張されることになるだろう。

これまでの技術革新と同じく、AI はわれわれ人間の基準を大きく変えつつある。AI は人類の進歩につながる可能性がある。だが、その反対もありうる。油断は禁物だ。私としては、AI には日常生活を根底から向上させる力があると思っている。また、AI を通して人間に関するさまざまな問題も提起されるだろう。知能機械の探求は、自分自身を知りたいという人間の欲求に突き動かされてきたのだ。AI の研究と脳の研究は、たがいに刺激し合って進歩してきた。この点でも、AI は今後数十年間、科学とテクノロジーの主要な課題であり続けるだろう。

# 用語集

**アーキテクチャ〔architecture〕：**パラメータ化された複数のモジュールの相互接続構造。この構造は、パラメータをもつ関数として見ることもできれば、演算を表すノードと変数やパラメータを表すエッジで構成された計算グラフとして見ることもできる。画像認識やテキスト理解を目的とするアーキテクチャには、数百万から数十億個のパラメータが含まれることもある。アーキテクチャには、畳み込みニューラルネットワーク、回帰結合型ニューラルネットワーク、トランスフォーマーなどの種類があり、目的に応じてエンジニアが最適なものを選択する。アーキテクチャは訓練に関与しない。訓練は、システムのパラメータの調整を制御する手順である。

**アルゴリズム〔algorithm〕：**実行すべき一連の命令。多くの場合、命令はコンピュータで実行される。アルゴリズムには、数学演算、テスト、ループなどが含まれる。以下の 3 つの用語と混同しないこと。

- 「コード」は、アルゴリズムをプログラミング言語で記述・明示したもの。
- 「プログラム」は、特定の関数を実行するコードの一部。
- 「ソフトウェア」は、アプリケーションを構成するプログラムの集合。

**ImageNet〔イメージネット〕：**アメリカの大学研究機関がコンピュータビジョンの研究用に構築した、物体認識のための画像データベース。最もよく使われている ImageNet-1k には 130 万枚以上の訓練用画像が収められており、各画像にはその画像に含まれる主な物体のカテゴリを示すラベルが付けられている。カテゴリ数は1000にもおよぶ。ImageNetは、2010年から毎年開催されている画像認識ソフトのコンテストのことも意味する（正式名称は、ImageNet Large Scale Visual Recognition Challenge：ILSVRC）[訳注]。

**隠れ層〔hidden layer〕：**多層ニューラルネットワークでは、入力層と出力層を「可視層」（visible layer）という。それ以外の層は外部から直接観察できないため、「隠れ層」と呼ばれている。訓練中、最終層の所望出力は明示されるが、隠れ層の出力は明示されない。隠れ層の出力を決定することにディープラーニングの難しさがある。これは「信用割り当て問題」（credit assignment problem）と呼ばれている。

**関数〔function〕：**ひとつ以上の入力からひとつ以上の出力を生成する、一連の数学演算。ひとつ以上のパラメータに依存する関数を、関数族またはモデルという。モデルのアーキテクチャは、パラメータ化された関数の一例である。

**機械学習〔machine learning〕：**明示的なプログラミングによらずにシステムを訓練する方法の総称。教師あり学習では、入力サンプルとそれに対応する出力サンプルに基づいてタスクを実行するよう訓練する。強化学習では、試行錯誤による環境との相互作用を使って訓練する。教師なし学習や自己教師あり学習では、特定のタスク用に訓練するのではなく、システムが自ら入力変数間の相互依存関係を見つけ出す。勾配降下による目的関数の最小化に基づく方法が、最もよく使われている。

---

**訳注**　コンテストは2017年を最後に開催されていない。

**GFLOPS（giga floating point operations per second）〔ギガフロップス〕**：1秒間に10億回の浮動小数点演算に相当するプロセッサの処理速度を表す単位。1GFLOPSは1000MFLOPSに等しい。「ギガフロップス」と読む。

**勾配〔gradient〕**：多変数関数の任意の点において、傾きが最大傾斜方向（上向き）であり、長さがこの傾きに等しいベクトルのこと。勾配ベクトルの成分は、その場所における関数の偏微分、すなわち各軸の方向における関数の傾きである。

**GOFAI（good old-fashioned artificial intelligence）〔ゴーファイ〕**：論理やルール、検索アルゴリズムに基づく、機械学習登場以前の「古典的」なAI手法。

**誤差逆伝播法〔backpropagation method〕**：ディープラーニングシステムの内部変数に対する、コスト関数の勾配を計算するための方法。アーキテクチャを表す計算グラフが与えられると、勾配は出力から入力へと少しずつ逆方向に伝播する。これは自動微分の応用である。勾配は、アーキテクチャのパラメータを調整してコスト関数を最小化するために使用される。

**コスト関数〔cost function〕**：モデルの振る舞いと所望の振る舞いの差を測定する関数。教師あり学習では、モデルの出力と学習サンプルの平均所望出力の差がコスト関数になる。学習手順にしたがい、モデルはコスト関数の最小値を生成するパラメータ値を見つけようとする。

**コンパイラ〔compiler〕**：エンジニアが書いたプログラムを、機械が直接実行できる一連の命令に変換するソフトウェア。

**ConvNet〔コンブネット〕**：「畳み込みニューラルネットワーク」を参照。

**セマンティックセグメンテーション〔semantic segmentation〕**：画像の各ピクセルにそれぞれが属する物体のカテゴリをラベル付けすること。

**多層ニューラルネットワーク〔multi-layer neural network〕**：人工ニューロン層をいくつも積み重ねたネットワーク。各層のニューロンの入力は前の層のニューロンの出力に接続されている。各ニューロンは線形関数で構成されており、入力の加重和に非線形伝達関数を加えたものが出力になる。活性化関数には、2乗、絶対値、シグモイド関数、ReLUなどが使われる。多層ニューラルネットワークでは、学習によって加重和の重みが修正される。ほとんどの場合、訓練は勾配降下法で行われ、その勾配は誤差逆伝播法で計算される。

**畳み込み〔convolution〕**：数学演算によるフィルタ処理。畳み込みニューラルネットワークには、離散畳み込み演算が使われる。この演算によって、ウィンドウ（画像をはじめとする任意の信号の一部分）の加重和が計算される。ウィンドウを入力信号（たとえば画像）の全体にわたってずらしていくと、その結果が出力信号に記録されていく。加重和の重みはどのウィンドウでも同じである。入力信号が移動すると出力信号も移動するが、それ以外は変化しない。畳み込みによって、入力信号における位置とは無関係にパターンを検出することが可能になる。

**畳み込みニューラルネットワーク〔convolutional neural network〕**：ニューラルネットワークのアーキテクチャの一種。画像、体積画像（MRIなど）、動画、音声、音楽、テキストといった自然信号の認識に優れた効果を発揮する。畳み込みニューラルネットワークには、複数の畳み込み層、非線形演算層、プーリング演算層が組み込まれており、自律走行車、最新の医用画像解析システム、顔認識、音声認識などに広く利用されている。

**ディープラーニング〔deep learning〕：** パラメータ化されたモジュールを相互接続したネットワーク（グラフ）に適用される学習方法の総称。学習では、勾配降下法を使ってモジュールのパラメータを修正する。通常、勾配は誤差逆伝播法によって得られる。多層ニューラルネットワークの訓練は、ディープラーニングの一例である。

**TFLOPS（tera floating point operations per second）〔テラフロップス〕：** 1秒間に1兆回の浮動小数点演算に相当するプロセッサの処理速度を表す単位。1000GFLOPSに等しい。「テラフロップス」と読む。

**ネオコグニトロン〔Neocognitron〕：** 日本の福島邦彦が設計したパターン認識機械。視覚野の構造やヒューベルとウィーゼルの研究にヒントを得ている。ネオコグニトロンは2階建て構造になっており、各階は視野の小領域につながる単純型細胞層とそれに続く複雑型細胞層で構成されている。複雑型細胞は前の層の活性状態を統合するので、多少のずれやゆがみがあっても表現が変化しない。福島は、1970年代のコグニトロンと1980年代初頭のネオコグニトロンの2種類のモデルを構築した。

**バイト〔byte〕：** 8ビットで構成されるコンピュータメモリの単位（オクテット）。256通りの値を表現できる。コンピュータのメモリ容量は通常、キロバイト（KB）、メガバイト（MB）、ギガバイト（GB）、テラバイト（TB）など、1バイトの倍数で測定される。

1テラバイトは約1兆バイトに相当する（実際には、2の40乗〔＝1,099,511,627,776〕バイト）。

**浮動小数点演算（FLOP：floating point operation）**：「浮動小数点」演算とは、コンピュータ内で表現される数値の乗算や加算を、固定の桁数（仮数部）と小数点の位置（指数部）で実行する演算のこと。一般には、仮数部24ビット、指数部8ビットの32ビット表現が使われている。ディープラーニング用のソフトウェアやハードウェアの一部には、計算の高速化とメモリトラフィック削減のため、16ビット表現を使用しているものもある。

**MFLOPS（mega floating point operations per second）〔メガフロップス〕**：1秒間に100万回の浮動小数点演算に相当するプロセッサの処理速度を表す単位。「メガフロップス」と読む。

# 謝辞

学業と仕事を通じ、私を導いてくださった恩師や先達の方々に感謝の意を表したいと思う：Françoise Soulié-Fogelman、Maurice Milgram、Geoffrey Hinton、Larry Jackel、Larry Rabiner。

本書で紹介した数々の業績は、私がともに仕事をしてきた研究者たちの力がなければ日の目を見なかっただろう。彼らからは実に多くのことを学んだ：Léon Bottou、Yoshua Bengio、Patrick Haffner、Patrice Simard、Isabelle Guyon、Rob Fergus、Vladimir Vapnik、Jean Ponce、Patrick Gallinari、AT&T ベル研究所適応システム研究部門ならびにAT&T 研究所画像処理研究部門のメンバー全員、ニューヨーク大学の研究所 CILVR（Computational Intelligence, Learning, Vision, and Robotics）の同僚、Facebook 人工知能研究所（FAIR）のメンバーたち。

大学教員の楽しみのひとつは、若い仲間との共同研究にある。その成長ぶりを間近に感じ、一人前の研究者として巣立っていく瞬間に立ち会えるというのは、まさに教師冥利に尽きる。ポスドクの諸君に感謝を：Alfredo Canziani、Behnam Neyshabur、Pablo Sprechmann、Anna Choromanska、Joan Bruna、Jason Rolfe、Tom Schaul、Camille Couprie、Arthur Szlam、Graham Taylor、Karol Gregor。博士課程の諸君にも：Xiang Zhang、Jake Zhao、Mikael Hénaff、Michaël Mathieu、Sixin Zhang、Wojciech Zaremba、Ross Goroshin、Clément Farabet、Pierre Sermanet、Y-Lan Boureau、Kevin Jarrett、Koray Kavukcuoglu、Piotr Mirowski、Ayse Naz Erkan、Marc'Aurelio Ranzato、Matthew Grimes、Fu Jie Huang、Sumit Chopra、Raia Hadsell、Feng Ning。

Mark Zuckerberg、Mike Schroepfer、Jérôme Pesenti の支援

も実にありがたかった。

逡巡する私にぜひとも本書を書くようにと勧めてくれたOdile Jacobにお礼申し上げる。

秘書のRocio Araujoにもたいへん感謝している。彼女の見事なスケジュール管理のおかげで、無事本書を完成させることができた。

本書の執筆に協力してくれたジャーナリストCaroline Brizardには心からの感謝を伝えたい。幾度となくビデオ通話で——時には非常識な時間に——連絡を取り合い、2人して文章の推敲に長い時間を費やした。30年におよぶアメリカ生活で、私のフランス語の文章力はすっかり錆びついてしまったが、彼女のたゆまぬ努力ときめ細かな配慮によって、理解しやすいだけでなく、楽しく読める本に仕上がった。

父Jean-Claudeに感謝する。私が科学やテクノロジー、技術革新に関心を抱くようになったのは、父のおかげである。弟Bertrandと私は、父からあらゆることを学んだ。

いつも献身的に支えてくれた妻Isabelleにも、ありがとうと言いたい。本書の執筆中、週末やバカンスの家族行事は彼女が一手に引き受けてくれた。時には集中力が切れて、考えがまとまらないこともあったが、そんなときはいつも家族の存在が心の支えになった。妻Isabelleと子ども（息子と義理の娘）たち——KévinとSimone、Ronan、ErwanとMargo——のおかげで、そのたびに人生で大切なことを思い出すことができた。

# 訳者あとがき

どんな分野にも規格外の人間がいるものだ。AI研究においては、「畳み込みニューラルネットワーク」で知られるヤン・ルカンもそのひとりだろう。ニューラルネットワークが冬の時代を迎えていたころ、やんちゃなヤンはこう啖呵を切る。「畳み込みニューラルネットワークはジョークのネタにされた。あんなややこしいものを動かせるのは、ヤン・ルカンくらいのものだ、と言われていたのだ。アホ抜かせ！」

本書には、そんなヤン・ルカンのすべてが原石のまま詰め込まれている。もちろん、本書は人工知能（特にディープラーニング）を主題とする骨太の読み応えのある本であり、AIに関心の深い方ならそれだけで熟読に値する内容になっている。一方、AIの理論や実践にあまり関心がなくても、つい引き込まれてしまう魅力的な本だ。

目次を見てみよう。序章に始まり終章で終わるという一見ごくふつうの体裁の本だが、よく見ると、たとえば、第2章は「AIならびに私の小史」と題されている。人工知能の歴史にことよせて、隙あらば自分のことを語ろうとする気が満々ではないか。また、3-4節は「数学好きのための補足」というタイトルが付されている。これなどはルカンが興に乗って書き進めたあげく、編集段階であまりに難しすぎるというので、補足扱いされてしまったのではないだろうか。実際、「数学好き」の読者でなければ、この節をはじめ、数式が頻出するページは避けて通るのが無難かもしれない。ルカン自身が終章でしれっとこう書いている。「適度なハイキングを楽しむというより、険しい山道を駆け足で突き進むようなものだったかと思う。コースの途中には数々の難所があったが、迂回する気はさらさらなかった。なるべく歩きやすいように配慮はしてみたが、この新しい世界になじみの薄い人には、かなりの難関だったかもしれない」

しかし、読者には迂回する自由がある。ページをぱらぱらめくると、意外な文章にも出会える。「世紀の変わり目にドイツ領アルザスで育った祖母は、第一次世界大戦末期にパリにやってきたが、当時フランス語はまったく話せなかった」。これは本文ではなくて、図版の説明文に出てくる。ルカンは、畳み込みニューラルネットワークによる顔検出実験のサンプルとして、自分の祖父母の結婚式の写真を使っていたのだ。

AIは機械だが、その機械を作るのは人間である。ますます人工知能が重要性を増していく時代にあって、それを作る人間の声に耳を傾けてみるのも大事なことだろう。

2021年9月　　小川 浩一

# 監訳者あとがき

本書は、ディープラーニングに関する書籍のなかでも、最も俯瞰的な視点で書かれた本のひとつであろう。技術に忠実であり、平易でありながら難解な説明を避けることなく、また、歴史や未来、社会的なインパクトにも言及している。技術書の多くが、その社会的な意義や文脈を丁寧に書くことを範囲外とし、また、啓蒙書の多くが、技術的に忠実でなく難解な説明を避けがちであることを考えると、この両者を成立させ、多くの人に技術の中身と社会的な意義を正しく伝えたいという著者の想いが伝わってくる。

著者のヤン・ルカン氏は、言うまでもなく、世界中の誰もが認めるディープラーニングの第一人者である。ジェフリー・ヒントン氏、ヨシュア・ベンジオ氏とともに、2018年にチューリング賞を共同受賞した。その古くからの親交や、冬の時代の苦しさについては、本書を通じて改めて知ることも多く、私自身、人工知能研究者として大変勉強になった。

私がルカン氏と初めて会ったのは、2013年、深層学習を中心にした国際会議ICLRの第1回に参加したときであった。当時、参加者はわずか100名程度であったが、彼が丁寧に、そして真摯にコミュニティを作り上げようとしていた様子は今でも印象深い。その後、ICLRはあっという間に数千人規模の会議になった。彼の講演は（ヒントン氏やベンジオ氏とともに）いつも示唆的で、未来を感じさせるもので、私はいつも会議で彼の講演だけは聞き逃すまいとしていた。本書で出てくる、マーク・ザッカーバーグが国際会議に来たときの逸話も、私は現地の会場で見ていた。学会の会場が急にそわそわとざわめき出し、警備が厳しくなって、騒然とするなかザッカーバーグが登場したことは今でも記憶に新しい。また、AIをフォレノワール（黒い森）というケーキで例えた講演も直接聞いていたが、非常に印象的で、その後、多くの研究者が「ルカンのケーキ」として言及するようになった。ルカン氏は常に、ディープラーニングの進展の中心にいた。

本書でも随所に感じられるように、ルカン氏は誠実で、学問的に真摯であり、それでいて少し茶目っ気もある。そして、日本にも馴染みが深い。福島邦彦氏とも親交が深く、本書でもたびたびその名前が出てくる（私自身は、福島氏もチューリング賞に匹敵するような賞を受賞して然るべきではないかと思っているのだが）。1970年代、1980年代という計算機の能力もデータも少なかった時代に、今の畳み込みニューラルネットワークとほぼ同じモデルを提案していた福島氏とルカン氏の先見性には驚くばかりである。ルカン氏は、2002年から少しの間、NECの研究所にも在籍しており、NEC関係者で知り合いも多いと聞く。

本書では、9章にルカン氏の今後の人工知能に関する技術的な展望が述べられる。私個人としては、ここが本書のクライマックスであった。人工知能のこの先の研究のヒントがつまっている。なかでも、知能における「世界モデル」の重要性が強調されるが、この点に関して、私も100%同意するところである。フェイスブックで管理職を降り、研究者としての知能の謎を解く探求の旅を続けていくということで、ルカン氏の今後のさらなる発見と、そして「知能の科学」の誕生を、同じ研究者として心から楽しみにしている。

ディープラーニングの業界は非常に進展が早い。近年のディープラーニングの技術や、ルカン氏の思いを知ることができることは、研究を進めていく上でも、人工知能を社会で活用していく上でも、大きなヒントになるはずだ。この良書が、フランス語版の出版からわずか2年という早いタイミングで、日本語で出版されることは大変素晴らしいことである。翻訳を全面的に担当した小川浩一氏、編集を担当した横山真吾氏には心からの敬意を評したい。最後に、本書の最終章で書かれているように、AIが人類の良き未来を拓くことを祈念し、「あとがき」とさせていただきたい。

2021年9月

東京大学 大学院工学系研究科 教授／日本ディープラーニング協会 理事長

松尾　豊

## 著者紹介

ヤン・ルカン（Yann LeCun）　ニューヨーク大学教授およびFacebook副社長

1960年フランス生まれ。1987年パリ第6大学にて計算機科学のPhDを取得。AT&Tベル研究所、AT&T研究所などを経て、2003年からニューヨーク大学教授。2013年には兼業でFacebookに入社し、Facebook人工知能研究所を創設。機械学習、コンピュータビジョン、計算論的神経科学などに関心を持つ。
2018年に、コンピュータ科学分野における最高の栄誉とされるACMチューリング賞を、ジェフリー・ヒントン、ヨシュア・ベンジオとともに受賞。

## 監訳者紹介

松尾　豊（まつお　ゆたか）　東京大学大学院工学系研究科 教授

1975年香川県生まれ。1997年東京大学工学部電子情報工学科卒業。2002年同大学院博士課程修了。博士（工学）。産業技術総合研究所、スタンフォード大学などを経て、現職。人工知能学会理事、編集委員長、倫理委員長などを務める。日本ディープラーニング協会会長。2016年に、『人工知能は人間を超えるか ディープラーニングの先にあるもの』で大川出版賞、ビジネス本大賞特別賞など受賞。

## 訳者紹介

小川浩一（おがわこういち）　翻訳家

1964年京都府生まれ。東京大学大学院総合文化研究科修士課程修了。英語とフランス語の翻訳を児童書から専門書まで幅広く手掛ける。主な訳書に、『できる研究者のプレゼン術』『アーティストのための形態学ノート』『GRAPHIC DESIGN THEORY』『ティラノサウルス とびだす解剖学ガイド』などがある。

NDC007　　383p　　21cm

ディープラーニング　学習（がくしゅう）する機械（きかい）
ヤン・ルカン、人工知能（じんこうちのう）を語（かた）る

2021年10月21日　第1刷発行

著　者　ヤン・ルカン
監訳者　松尾（まつお）　豊（ゆたか）
訳　者　小川浩一（おがわこういち）
翻訳協力　株式会社　トランネット（www.trannet.co.jp）
発行者　髙橋明男
発行所　株式会社　講談社
〒112-8001　東京都文京区音羽2-12-21
販　売　(03) 5395-4415
業　務　(03) 5395-3615

KODANSHA

編　集　株式会社　講談社サイエンティフィク
代表　堀越俊一
〒162-0825　東京都新宿区神楽坂2-14　ノービィビル
編　集　(03) 3235-3701
本文データ制作　株式会社　トップスタジオ
印刷所　株式会社　平河工業社
製本所　大口製本印刷　株式会社

落丁本・乱丁本は，購入書店名を明記のうえ，講談社業務宛にお送り下さい．
送料小社負担にてお取替えします．
なお，この本の内容についてのお問い合わせは講談社サイエンティフィク宛にお願いいたします．定価はカバーに表示してあります．



Printed in Japan

ISBN 978-4-06-523808-0